O PODER DA AÇÃO

CARO LEITOR,

Queremos saber sua opinião sobre nossos livros.
Após a leitura, curta-nos no facebook/editoragentebr,
siga-nos no Twitter @EditoraGente
e visite-nos no site www.editoragente.com.br.
Cadastre-se e contribua com sugestões, críticas ou elogios.
Boa leitura!

PAULO VIEIRA, Ph.D.

O PODER DA AÇÃO

FAÇA SUA VIDA IDEAL SAIR DO PAPEL

Diretora
Rosely Boschini
Gerente Editorial
Marília Chaves
Editoras
Carla Bitelli e
Carolina Pereira da Rocha
Editora de Produção Editorial
Rosângela de Araujo
Pinheiro Barbosa
Controle de Produção
Karina Groschitz
Projeto gráfico e Diagramação
Balão Editorial
Revisão
Vero Verbo Serviços Editoriais
Jornalistas equipe Febracis
Gabriela Alencar
Lucíola Limaverde
Ilustrações de Miolo
Fábio Albuquerque de Menezes
Capa
Miriam Lerner
Imagem de Capa
bubaone/iStockphotos
Impressão
Gráfica Rettec

Rua Natingui, 379 – Vila Madalena
São Paulo, SP – CEP 05443-000
Telefone: (11) 3670-2500
Site: http://www.editoragente.com.br
E-mail: gente@editoragente.com.br

Dados Internacionais de Catalogação na Publicação (CIP)
(Câmara Brasileira do Livro, SP, Brasil)

Vieira, Paulo
O poder da ação : faça sua vida ideal sair do papel / Paulo Vieira. --
São Paulo : Editora Gente, 2015.

ISBN 978-85-452-0034-5

1. Carreira profissional - Administração 2. Carreira profissional - Desenvolvimento 3. Estratégia empresarial 4. Marketing - Gestão empresarial 5. Oportunidade 6. Realização profissional 7. Sucesso em negócios I. Título.

15-03254 CDD-650.14

1. Gestão de carreira : Administração 650.14

Dedico este livro ao Daniel, uma pessoa enviada por Deus para a minha vida.

Durante quatro anos, ele teve sua chegada anunciada por pessoas que, olhando em meus olhos, diziam que eu seria pai de mais um menino. Todos que o anunciaram diziam que meu filho seria homem e traria luz, alegria e felicidade a este mundo, diziam que meu filho seria um renovo na vida de todos ao seu redor.

Daniel é meu filho temporão. Enquanto escrevo estas páginas, minha amada esposa está prestes a dar à luz.

Eu, Júlia, Mateus e sua mãe estamos te esperando.

Daniel, seja bem-vindo!

SUMÁRIO

PREFÁCIO **10**
APRESENTAÇÃO **13**
INTRODUÇÃO **15**

CAPÍTULO I: ACORDE **22**
Acordando para uma vida abundante 25
    Qualquer coisa diferente de abundância é disfunção 25
Estilo de vida abundante 28
Diferenciando o que é normal do que é comum 31
Será que preciso mudar algo em mim? 37

CAPÍTULO II: AJA **39**
Historinhas e histórias 44
    Classificação e mudança de historinhas 51
    Exercício: identificação e eliminação de historinhas 52
Tem poder quem age e mais poder ainda
quem age certo e massivamente 55

CAPÍTULO III: AUTORRESPONSABILIZE-SE **64**
    Exercício 1 66
    Exercício 2 70
Casos da vida real 75
Lei 1: não criticar as pessoas 81
Lei 2: não reclamar das circunstâncias 82
Lei 3: não buscar culpados 84
Lei 4: não se fazer de vítima 86
Lei 5: não justificar seus erros 87
Lei 6: não julgar as pessoas 89
Como usar as seis leis da autorresponsabilidade 91
Ah, se eu tivesse tido oportunidade... 92

Oportunidade se constrói, não se espera 94
Mudando minha existência sem mudar as pessoas 96
Confrontando a si e aos outros com a verdade 98
Termo de compromisso 99

CAPÍTULO IV: FOQUE **101**
Em que colocar meu foco 102
O que distrai você do seu foco 104
Fatores típicos de distração 106
Foco na rotina de excelência 109
Felicidade se conquista de segunda a sexta-feira 111
Foco múltiplo 115
Estudo de caso 119
1ª Etapa: foco visionário 119
2ª Etapa: foco comportamental 121
3ª Etapa: foco consistente 122
Quando as metas não acontecem 122
Inteligência foco-temporal 124
Passado 124
Presente 125
Futuro 126
Tabela de Qualificação da Inteligência Foco-Temporal 126
Modelo de depressão 127
Modelo de ansiedade 130
Modelo de sucesso 130
Modelo de passado 132
Modelo de futuro 133
Modelo de presente 134
Regra 10/90 136

CAPÍTULO V: COMUNIQUE-SE **140**
Comunicação verbal 142
Um novo padrão linguístico 147

Estilo linguístico 152
Gratidão 153
O que o impede de ser uma pessoa completamente grata 156
Atenção 159
A perfeita linguagem 162
Fundamentos da perfeita linguagem 165
Comunicação de luz ou de trevas 170
Quando o amor não funciona 172
Linha de Losada 173
Perguntas Poderosas de Sabedoria 176
Comunicação não verbal 177
Vícios emocionais 184
Eliminando os vícios emocionais 188
Primeiro padrão: poder 191
Segundo padrão: vitória 192
Terceiro padrão: felicidade 193
Quarto padrão: alegria e entusiasmo 196
Quinto padrão: paz 197
Sexto padrão: amor 197
Como praticar os padrões 199
Necessidade 199
Intensidade 200
Repetição 200
Sobre o estresse 201

CAPÍTULO VI: QUESTIONE 203
Qualificando as perguntas 205
Perguntas Poderosas de Sabedoria 210
Exercício 214
Autocoaching 215
Etapas do autocoaching 216

CAPITULO VII: CREIA 218

Realidade × imaginação 226
Crenças como um termostato 227
Autoestima 229
Crença do ser ou crença de identidade 230
Os opostos se atraem. Será? 231
Crença do fazer ou crença de capacidade 232
Crença do ter ou crença de merecimento 234
Crenças infantis: como construí-las e refazê-las 236
Teste ACE 239
O começo da mudança 242
Perguntas Poderosas de Sabedoria 246

MENSAGEM FINAL **249**
REFERÊNCIAS **251**

PREFÁCIO

A capacidade de tomar as decisões corretas, de crer no seu potencial de realizá-las e de trabalhar intensamente até conquistar suas metas é o que define sua vida. Há alguns anos, eu estava trabalhando como médico da delegação brasileira em uma competição internacional quando uma iatista interrompeu o meu café da manhã, falando:

– Doutor, o senhor viu o vento hoje?

Percebi tensão e angústia no rosto dela, e respondi:

– Não, não vi.

Ela, então, quase em um desabafo, falou:

– Está péssimo!

Percebi aonde ela queria chegar e rapidamente disse:

– Está péssimo só na sua rota?

Ela, sorrindo, replicou:

– Não! Está péssimo para todo mundo!

Eu completei:

– Para uma iatista, não existe vento péssimo, pois o vento é igual para todos os atletas. Quem decide a qualidade do vento é quem está competindo. Alguém vai ganhar a prova hoje e, por favor, seja você. Estamos todos na torcida!

Um pouco mais tranquila, ela saiu sorrindo. Os ventos da vida sopram para todos e cabe a cada um de nós saber utilizá-los. O vento fica ruim para quem vive com medo, porque aqueles que têm coragem de avançar sempre estarão à frente.

Em momentos assim, a desculpa para a insegurança é a crise (e não importa em que ano você esteja lendo este texto, com certeza está acontecendo uma crise no mundo e em sua vida). As pessoas estão preocupadas demais, e não falo somente de momentos dramáticos, falo do dia a dia. Até em ocasiões de celebração, as pessoas ficam preocupadas.

O mundo está tomado pelo medo. Parece que viver assustado passou a ser um estilo de vida. A insegurança mata a alegria de viver, pois o medo é o seu pior inimigo. Cada mudança na vida exige uma nova atitude que deve estar alimentada pela confiança, pois amar com medo é perigoso, trabalhar preocupado é abrir as portas para o fracasso, e, principalmente, viver com medo é morrer mantendo o corpo vivo. A confiança é a melhor vacina contra a insegurança e as preocupações.

As pessoas que admiramos são as que conquistaram seus objetivos de vida. Já as pessoas frustradas são aquelas que deixaram os sonhos no mundo das ilusões. O campeão é quem transforma o impossível em realidade. Provavelmente, neste momento da sua vida existem metas no seu mundo dos sonhos. O que você precisa para realizá-las é acreditar no seu potencial e ter um método que facilite alcançar o sucesso.

Este livro resolve estes dois desafios: ajuda você a acreditar na sua capacidade de realização e lhe oferece um método para o sucesso. Quem não sente a ânsia de ser mais não chegará a nada. Será um aborto de seus sonhos. Nunca mude seus sonhos. Se tiver de mudar algo na sua vida, troque de emprego, troque de chefe, troque de negócio, mas não troque de sonho. Batalhe por ele. Nunca chame de amigo alguém que o aconselhe a viver com menos do que você merece. Acredite sempre no seu sonho e pague o preço. Não existe sonho de graça. Pague o preço e celebre!

As pessoas ambiciosas fazem a humanidade evoluir. São os cientistas inconformados com o fato de uma moléstia dizimar vidas que encontram a cura para os pacientes. São os pais que acreditam no futuro dos filhos que os estimulam a completar os estudos.

Durante séculos, nossa sociedade criticou os ambiciosos porque não percebia neles as sementes da riqueza. Eles foram confundidos com os gananciosos, que queriam o sucesso a qualquer custo. A ambição e a voracidade às vezes podem ser muito parecidas, mas, em sua essência, são totalmente diferentes. A primeira nasce da vontade de realização, enquanto a outra tem origem na necessidade de poder.

Suas realizações são o maior presente que você pode deixar para a humanidade, pois as suas riquezas criarão mais riquezas para todos. Deixe que a sua generosidade crie oportunidades para que os outros sejam mais felizes.

Eu acredito que existe um segredo comum a todas as pessoas de sucesso: elas ajudam outras pessoas, resolvem problemas, motivam, encontram soluções para os obstáculos dos outros, e assim transformam vidas e também o mundo.

É por isso que Paulo Vieira, além de um amigo querido, é um profissional que admiro muito. Desde o primeiro contato com o trabalho dele, vi quanto é dedicado ao desenvolvimento de pessoas e comprometido com seus alunos. Apaixonado por fazer acontecer grandes revoluções na vida das suas turmas, tocando a existência de quem passa por seus treinamentos, vídeos, palestras e livros.

Um trabalho como o do Paulo traz mudanças profundas na nossa sociedade, mostrando às pessoas que mudar é possível e ensinando a confiança inabalável nos resultados que podem ser obtidos. Este livro segue a mesma linha do trabalho desenvolvido por ele há mais de vinte anos, para tornar realidade o campeão que existe dentro das pessoas. Como ele mesmo diz, "tem poder quem age", e esta obra é um convite para todos nós agirmos agora.

A falta de confiança é um grande calcanhar de Aquiles no sucesso das pessoas. Muitas vezes é o único obstáculo entre uma pessoa normal e um campeão.

Em todos os momentos da sua vida, confie em Deus, confie nos outros e confie principalmente em você

Um grande abraço.

Roberto Shinyashiki
Médico, palestrante e escritor

APRESENTAÇÃO

O livro *O poder da ação* apresenta ampla investigação científica resultante da dedicação de Paulo Vieira ao longo do seu programa de doutorado em coaching, realizado na Florida Christian University (FCU). Boa parte das pesquisas deste material foi pensada e gestada na FCU, onde Paulo defendeu sua tese de Doctor of Philosophy in Coaching (Ph.D.).

Neste livro, o autor socializa conquistas e aprendizados obtidos durante os anos de doutorado como também ao longo de toda a sua trajetória como Master Trainer Coach e como criador da metodologia do Coaching Integral Sistêmico®. Paulo ainda conta com a experiência adquirida ao longo de mais de dez mil horas em sessões individuais de coaching.

Como presidente e chanceler da FCU, tenho o prazer de apresentar esta obra a você, leitor, aproveitando para apresentar brevemente a FCU. Fundada em 1985, é uma instituição de ensino superior de alcance global sediada em Orlando, na Flórida, nos Estados Unidos. Nossa missão é prover educação superior, prática e acessível para profissionais, visando prepará-los para cumprir suas vocações com fundamentação cristã.

A Florida Christian University é reconhecida como membro avançado pelo Florida Council of Private Colleges, Inc. (FCPC) e certificada pelo Council of Private Colleges of America, Inc. (CPCA), agências que representam faculdades, universidades e seus respectivos membros perante o governo norte-americano e a Comissão de Educação Independente da Flórida.

Em relação à obra que você tem nas mãos, são sete capítulos que apresentam conceitos e ferramentas que podem operar mudanças em todos os pilares da sua vida. Este material vai ajudá-lo a alcançar seu melhor e maior potencial. No primeiro capítulo, você é conduzido a uma autoanálise profunda – dentro de você, Perguntas Poderosas de Sabedoria o levarão a uma transformação. Já no segundo capítulo, você entenderá a importância não só de agir, mas de agir com assertividade para deixar definitivamente a zona de conforto.

No terceiro capítulo, o assunto é autorresponsabilidade. Nas palavras do meu amigo Paulo Vieira: "Você é o único responsável pela vida que tem levado, portanto, somente você pode mudar as circunstâncias". Você compreenderá que ninguém além de você mesmo pode comandar seus caminhos, sua trajetória, sua vida. Contudo, para mudanças acontecerem, deve-se ter foco! No capítulo seguinte, o autor mostra que produzir poder e gerar mudanças depende de concentração em um único ponto, confrontando a si mesmo e descobrindo onde colocar seu foco.

Já no capítulo "Comunique-se", você será apresentado a técnicas para reprogramar suas crenças para construir um novo estilo de vida. Nós nos comunicamos por meio de palavras, pensamentos e ações, portanto, é preciso muita atenção para comunicar o melhor que existe em nós, pois a forma como fazemos isso influi diretamente na realidade à nossa volta.

No entanto, não basta comunicar, você deve também questionar. Por essa razão, Paulo Vieira defende, no penúltimo capítulo, que devemos sempre questionar a nós mesmos e a realidade ao nosso redor. Já o último capítulo mostra que mudanças acontecem rapidamente e, para isso, você deve acreditar e dedicar-se a pôr os seus planos em prática.

A mensagem principal desta publicação é a de que devemos nos responsabilizar pela nossa vida, aceitar o desafio de usar sabiamente o livre-arbítrio que Deus nos deu e ir em frente. O mundo inteiro muda quando você muda primeiro e persiste nas suas mudanças. Realizações esperam por você.

A Florida Christian University tem a certeza de que *O poder da ação* é uma riquíssima ferramenta de educação continuada para estudantes, profissionais, gestores e técnicos. O conhecimento ao qual você tem acesso aqui contribuirá para sua atualização, seu aperfeiçoamento e seu crescimento em todas as áreas da sua vida.

Boa leitura!

Professor Anthony Portigliatti, Ph.D.
Presidente e Chanceler
Florida Christian University

INTRODUÇÃO

Há quase vinte anos venho dedicando minha vida a encontrar maneiras de ajudar pessoas a realizarem seus objetivos e suas metas e a superarem seus impedimentos e suas limitações. Isso tem sido como uma obsessão para mim, através de estudo, leitura, pesquisas, modelagens de pessoas e empresas de sucesso etc. Minha história pessoal e profissional traduz isso. Tive a felicidade de ser criador do Método Integral Sistêmico de Coaching e do curso Método CIS® (Coaching Integral Sistêmico), o maior treinamento de Inteligência Emocional de toda a América Latina, e ministrei treinamentos para mais de 250 mil pessoas em quatro continentes. Sou também o fundador da Federação Brasileira de Coaching Integral Sistêmico (Febracis), uma das três maiores instituições de coaching do mundo, com uma equipe de mais de cem colaboradores diretos e com sede internacional em Orlando, nos Estados Unidos.

Como profissional coach, já fiz mais de dez mil horas de sessões de coaching que promoveram resultados mais do que extraordinários na grande maioria dos casos. Minha equipe e eu produzimos conteúdo técnico suficiente para termos os conceitos e as ferramentas do Coaching Integral Sistêmico como base do primeiro bacharelado, mestrado e doutorado em coaching do mundo, que ocorre na Flórida Christian University, Orlando, Estados Unidos, parceira da Febracis e na qual também sou professor.

Por tudo isso que tenho vivido no mundo do coaching e do desenvolvimento humano é que posso afirmar que existe um vencedor em você. Você foi concebido para a vitória e criado para o sucesso. Existem recursos em você suficientes para realizar muito mais do que todas as metas juntas que você um dia sonhou. Acredite, você tem capacidade para fazer um mundo melhor e deixar marcas positivas para as gerações futuras.

Trago neste livro sete princípios, recheados de conceitos, técnicas e ferramentas aplicáveis, que vão ajudá-lo a alcançar seu melhor e maior potencial. Por que não ser mais, fazer mais e ter mais?

Não importa como está sua vida hoje. Ela pode ser melhor, muito melhor.

Nestes quase vinte anos de carreira, tenho convivido com mudanças e conquistas extraordinárias de pessoas normais, como os três casos a seguir, que espero que sirvam como uma motivação para que você continue esta leitura, que, com toda a certeza, mudará sua vida.

Depoimento de Ana Maria

Meu nome é Ana Maria. Eu estive no Método CIS® há dois anos e comecei a ler, a estudar, a repensar e a refletir ao fazer a agenda programada que é proposta no curso[1]*. Na época em que estive lá fazendo o curso, eu não percebia o que estava acontecendo comigo, é como se estivesse cega ou anestesiada. Eu estava vinte quilos acima do peso, e faço esse depoimento olhando para uma foto da época em que eu comecei o Método… Eu me achava linda e vivia como se estivesse tudo certo, mas a verdade é que eu me autossabotava todo o tempo, e mesmo dizendo para mim que era linda não tinha a coragem de passar na frente do espelho. Afinal, essa era mais uma realidade que eu não queria enxergar. Depois do Método CIS®, porém, tudo mudou e fui incutindo na minha vida algumas mudanças.*

Lá, aprendi que mudar era possível, principalmente porque eu tinha uma maneira de viver que eu achava que era maravilhosa: chegar em casa cansada, sentar no sofá e tomar uma cerveja gelada, relaxar… E eu passei a relaxar na sexta, no sábado, no domingo. Depois passei a relaxar na segunda, tomava só duas cervejas e falava: "Que besteira, coisa pouca", relaxava e ia dormir. Depois eu passei para três cervejas, quatro cervejas, depois passei a tomar até cinco cervejas, e minha relação em casa ia piorando.

Não existia mais relação de mãe e filhos, de mulher e marido, e as coisas se complicaram muito. Eles diziam que isso não era bom, que meu jeito não estava dando certo, mas eu não percebia de forma nenhuma. Eu estava cega. Então, depois do Método CIS® muitas fichas caíram imediatamente e outras foram caindo ao longo do tempo. Eu fui lendo os livros do Paulo Vieira, fui observando todas aquelas novas possibilidades que a gente aprende aqui, e a minha mãe sempre me dizia que, se você quer emagrecer, tem de ficar repetindo seus objetivos: "Eu tenho

[1] Agenda programada: ferramenta na qual a pessoa recebe uma programação com filmes, livros, exercícios etc. que vão ajudar a estabelecer e solidificar novos hábitos com o objetivo de gerar uma rotina de excelência.

60 quilos na lei e na ordem divina", e eu brincava com ela que só isso não era o suficiente: "É, mas se eu continuar comendo e bebendo, não vai dar certo".

Então, um dia fui à casa de um casal amigo de muitos anos, e lá bateram uma foto do nosso grupo. Ao vê-la, a venda caiu dos meus olhos e eu finalmente me percebi. Vi a verdade, a minha verdade. Isso foi no dia 26 de agosto de 2013, e ali eu decidi que mudaria de vida, e para isso todo mundo precisa de um incentivo, né? Eu já havia prometido várias e várias vezes deixar a cerveja e emagrecer dizendo: "eu vou emagrecer", "eu vou deixar a cerveja", e isso não acontecia. Contudo, nesse dia 26 de agosto eu cheguei diante do meu marido e do casal que havia visitado e disse: "A partir de amanhã minha vida vai mudar". Aí eles disseram: "Duvido, não acredito. Vamos apostar?". Meu marido me desafiou. Aí eu respondi: "Vamos, sim!". Eles responderam: "50 reais por quilo". E eu disse: "50 reais é muito pouco, eu aposto é 100 reais por quilo". Eles responderam: "Está bom, a gente topa".

Então, a partir dali a minha vida começou a mudar. Eu fui para uma médica endocrinologista que meu marido frequentava e, quando cheguei à primeira consulta, ela me disse: "Ou você vai morrer de cirrose ou de problemas cardíacos acarretados pela obesidade. Vamos partir diretamente para uma cirurgia bariátrica". E eu disse para a médica que não desejava a cirurgia, por ser muito invasiva, não queria me arriscar pois sabia que meus filhos ainda precisavam muito de mim. Ela respondeu: "Na sua idade, você não consegue emagrecer o tanto que precisa, você necessita de cirurgia". Eu, porém, estava com a ideia fixa de que conseguiria emagrecer com reeducação alimentar. E assim eu fiz, emagreci quase dez quilos sozinha, o que impressionou a doutora. E não foi por medicação, e sim por uma reeducação alimentar que só consegui levar adiante por causa das mudanças e dos aprendizados que ocorreram em mim.

Comecei pela primeira coisa que atrapalhava a minha vida: a cerveja. Eliminei a cerveja, como também qualquer outro tipo de bebida alcoólica. Escolhi e selecionei os alimentos que me faziam bem. Como diz o Paulo Vieira durante o curso: eu acordei para mim e para a vida. E hoje, depois de um ano, saí daquela situação para algo extraordinário. O mais importante: sabe quantos quilos eu consegui perder? Trinta e cinco quilos perdidos sem cirurgia ou remédios destruidores; 35 quilos a menos, e eu vou continuar. Resumindo, já eliminei 35 quilos, parei de beber, me tornei uma mãe superpresente e participativa na vida dos meus filhos, hoje sou a esposa que meu marido queria ter ao lado dele. Sem contar que sou mais alegre, feliz, comunicativa, esperançosa. E tenho a segurança de saber que ainda existem muitas coisas a mudar na minha vida. Logo, logo voltarei ao Método CIS® para falar para quem está começando a acordar dos sonhos que conquistarei neste ano. Agradeço, claro, ao meu esposo, aos meus filhos e também ao meu padrinho especial, o professor Saraiva, que é meu mentor, coach e amigo, que foi quem me trouxe ao Método CIS®.

Então, muito obrigado, e acreditem: tudo é possível, principalmente mudar.

Depoimento de Vânia Barroso

Eu nunca tinha ouvido falar do Paulo Vieira, e pensei que estava só indo a mais um curso de Inteligência Emocional. Foi meu esposo, acostumado a fazer cursos e mais cursos, quase um coach formado, quem me convidou para fazer o Método CIS®. Desanimada, disse que não ia, mas ele insistiu que eu fosse porque já havia pagado pelo curso. Mesmo assim, ainda insisti que ele fosse sozinho. Foi quando ele me explicou que o curso começava de manhã e durava até a madrugada, atravessando o final de semana. Eu, muito ciumenta, achei o horário muito estranho e decidi que iria com ele. E somente por causa do ciúme fui fazer o Método CIS®.

Quando o curso começou, não consegui pensar em mais nada. Vivi o momento. Muitas fichas caíram no primeiro dia. Meu marido se sentiu da mesma forma. No segundo dia, compreendi ainda melhor a mudança que era proposta ali. Quando o Paulo Vieira falou de família e filhos, percebi que eu não era uma boa mãe.

Lembro que foi um choque levar minha filha à pediatra, ser questionada sobre qual remédio minha filha estava tomando e ter de perguntar isso para a babá. A babá sabia mais sobre minha família do que eu mesma! Bem cínica e séria, a médica perguntou qual das duas era a mãe. Aquilo foi uma facada terrível.

Nessa época, eu ainda não tinha feito o Método CIS®. Foi apenas no curso que comecei a fazer uma autocrítica. No Team Coaching Life, eu tomei a decisão de demitir a babá, mas eu fiz isso com amor nas palavras. Eu a demiti abraçando-a e chorando com ela. O que eu sentia era gratidão por ela ter me servido a vida inteira, mas, a partir daquele momento, decidi ser tudo para os meus filhos, do jeito que ela havia sido por vários anos. Foi uma despedida mui-

to difícil, porém ela entendeu que eu precisava ocupar o espaço de mãe. Aquilo era muito novo para mim.

Acordar cedo era novidade, olhar a agenda era novidade, arrumar mochila era muito novo. No primeiro dia que eu arrumei a mochila da minha filha, eu me esqueci de colocar o uniforme escolar dela. Foi vergonhoso quando eu cheguei à escola e a professora veio me dizer isso. Pedi desculpas à professora. Foi um momento constrangedor, mas aquele dia também foi de vitória. Aquele era o meu primeiro dia de mãe.

Hoje, sou empresária, dona de uma gelateria que em menos de cinco meses já saiu na revista Veja *como a melhor da cidade. As filas dobram a esquina a partir da quinta-feira. Ninguém nunca imaginou que eu fosse trabalhar com meu marido, mas hoje ele é meu sócio. Nosso negócio é um sucesso não só pelo gelato, pelas filas, mas também pelo que os clientes falam sobre a empresa. Já ouvi pessoas comentarem que não é só o sorvete, mas algo mais que faz com se sintam bem. Eu acredito que nossa missão é dar sorte para todas as pessoas. E Paulo Vieira usa esta frase: "Isso dá uma sorte" em todos os cursos como um bordão bem-humorado. E na minha gelateria nossos atendentes, que também fizeram o Método CIS®, dizem a mesma coisa: "Isso dá uma sorte". Aqui, entrega-se o sorvete com amor e acreditando na frase: "Isso dá uma sorte!".*

Eu levo isso para a minha vida e tem dado muita "sorte".

Fiz todos os exercícios e me dediquei de verdade, e realmente vale a pena. Foi por causa dessa agenda de exercícios pós-curso, dos filmes e dos livros a que tive acesso no treinamento que decidi ser a mãe que sou: uma mãe presente na vida dos filhos. Também me tornei uma esposa totalmente diferente. Ciúme? Essa palavra não existe mais no meu vocabulário!

Sempre falo para as pessoas que Deus usa anjos, e Ele usou o Paulo Vieira na minha vida e na da minha família. Sou muito grata.

Depoimento de Maximiliano Roriz

Desde que decidi mudar, pude ver grandes revoluções na minha vida. Há muito tempo, eu tentava e não conseguia, mas hoje eu consigo! Minhas conquistas acontecem. As críticas pesavam mais. Hoje, pesam menos. Penso de forma positiva. Não me comparo mais com os outros. Sei que sou capaz e pago o preço necessário para alcançar meus sonhos e objetivos.

Quero compartilhar com você, leitor, os ganhos que tive na minha vida após o Método CIS®.

Há pouco mais de um ano, um amigo, cuja família tinha feito o curso, convidou-me para o CIS®. Nunca acreditei nesse tipo de treinamento. Ainda que meio desconfiado, eu fui.

No primeiro dia, continuei com um pé atrás. Achei tudo muito estranho, senti-me desconfortável. Mas, com o passar do tempo, aquilo foi me tocando. As fichas foram caindo.

Na sexta-feira, fui para casa refletindo sobre tudo o que vi e ouvi. No sábado, eu gostei bem mais. No domingo, as fichas realmente caíram. Fiquei impressionado com a quantidade de pessoas que tinham evoluído através do Método. Elas estavam lá compartilhando suas conquistas com todos. Também me impressionou a paixão do Paulo no curso. Fiquei maravilhado com a dedicação dele, com o fato de ele tornar aquilo forte, impactante. Como ele mesmo diz: o CIS® é tremendo!

Logo que comecei o Método CIS®, eu tinha ido ao nutricionista e decidido fazer uma dieta. Eu era sedentário, tinha dor nas costas e outros problemas relacionados à obesidade. Na época, eu pesava 112 quilos, hoje peso 91. Perdi 21 quilos em três meses!

No período do CIS®, comecei a fazer atividades físicas. Algo que eu não fazia havia um bom tempo. Antigamente, eu não corria nada, hoje eu consigo correr seis, sete quilômetros. Isso todo dia! Hoje, eu acordo cedo com a maior boa vontade para correr. Sou determinado a atingir os objetivos e as metas que defini dentro do meu pilar de saúde. Estou muito feliz por causa disso. As pessoas me veem e se impressionam com meus resultados.

No pilar profissional, há poucos dias, consegui inaugurar um negócio próprio com meu irmão. Está sendo um sucesso, os clientes estão adorando. Apesar de o começo ter sido muito cansativo, dado muito trabalho, hoje eu não trabalho mais reclamando dos funcionários. Eu me porto como um vencedor diante dos clientes.

E, quanto à minha contribuição para a sociedade, finalmente consegui colocar em prática o objetivo de ajudar uma instituição de caridade. Há tempos, eu combinava isso com minha namorada e deixávamos para depois. Sempre havia uma desculpa. No final do ano passado, porém, no dia 25 de dezembro, fizemos a primeira doação e continuamos a fazer doações todos os meses.

Também fiquei mais próximo de meus amigos e familiares. Consegui aproximá-los sem cobranças, sem críticas. Eu não cobro carinho e atenção, eu dou o carinho e o amor de que a pessoa precisa. Essa atitude melhorou muito minha relação com os outros.

Antes do Método CIS®, eu não acreditava mais em mim, não me achava capaz de alcançar o que eu queria e sonhava. Eu tinha vários diálogos internos ruins.

A cada dia, eu me sinto mais capaz, mais forte. Acordo todos os dias dizendo que quero mais. Eu tenho certeza de que vou alcançar meus objetivos porque estou focado neles. Vou conquistá-los cada um a seu tempo, pois estou determinado. Ainda tenho muito para conquistar.

Trago no começo deste livro a história de três pessoas que foram impactadas pelo método apresentado nestas páginas porque acredito no que está aqui com toda a força. Conviver com milhares de casos de conquistas e transformações de vida como esses tem sido uma maravilhosa realidade na minha vida em todos esses anos. E são justamente essas pessoas com seus casos de sucesso e todo esse mundo de mudanças que me fizeram escrever este livro para você. Isso mesmo, este livro é para você. E não é por acaso que você está com ele agora nas suas mãos. Existe um porquê, uma força poderosa e divina que quer mais para você e sua vida. E creio que este é o seu momento de ruptura, um avançar para um novo e mais elevado patamar de vida. Um momento de realização e de conquistas sem igual. Aproveite este livro e este momento que chamamos de presente. Algo grandioso vai acontecer. Ou melhor, algo grandioso já está acontecendo.

Finalmente, peço que você o encare não apenas como uma leitura racional e explicativa, e sim como um manual prático para alta performance e grandes conquistas. Aqui, além de um conteúdo profundo, moderno e embasado cientificamente, você encontrará muitos exercícios, questionários e testes. E para que você tenha os melhores e maiores resultados, peço que sublinhe e marque tudo o que achar necessário, mas, sobretudo, que você faça e responda dedicadamente cada um dos exercícios propostos. Desejo uma ótima leitura e grandes mudanças.

CAPÍTULO I
ACORDE

Quem quer atingir seus objetivos precisa partir de uma autoanálise profunda, uma vez que seu processo de transformação exigirá firmeza de pensamentos e de objetivos, e nós só atingimos esse tipo de certeza ao definir muito bem o que nos faz feliz e o que nos derruba na vida cotidiana. O primeiro passo é se propor alguns questionamentos. Pare agora e seja sincero consigo mesmo, qual tem sido sua atitude diante da vida? Como você tem se colocado diante da família, das pessoas, dos desafios, das oportunidades? Como as pessoas que mais lhe conhecem definem sua atitude diante da vida? Sinceramente, como você se coloca no mundo: com autonomia e ação ou de forma passiva e acovardada? Aceitando os desafios ou se escondendo deles? "Topando a parada" ou buscando uma desculpa para não ir adiante? Sinceramente, como você se vê na questão de atitude e autonomia diante da vida?

Observe-se ao longo da semana ou do mês que passou e, dessa forma, responda com toda a sinceridade. Você foi para a academia e assumiu o comando da sua saúde ou deixou mais uma vez para recomeçar na segunda-feira ou no mês que vem? Quando você olha para a forma do seu corpo sente prazer e orgulho, vergonha e tristeza ou finge que não está nem aí? Você tem sido referência na empresa em que trabalha, gerando grandes resultados, desempenho tremendo e, dessa maneira, conduzindo sua carreira e seu sucesso profissional? Ou você é mais um que preenche uma vaga de emprego e reclama do chefe e da empresa? Você continua estudando e aprendendo como um jovem aprendiz sedento por mais informações e saberes ou acredita que já aprendeu tudo o que precisava para ter o melhor da vida e mal lê um livro por ano, deixando seu destino à deriva? Em casa você é um pai/uma mãe presente, que dedica tempo de qualidade a seus filhos e conduz sua família a uma vida abundante? Você senta no chão com eles, brinca e gargalha? Ou seu trono real na frente da TV ou do seu smartphone o impede de ser um pai ou uma mãe capaz de formar verdadeiros campeões?

Com base nessas perguntas, assinale como você sinceramente se percebe hoje no contexto de autonomia de ser, fazer e ter o melhor:

( ) Como capitão do barco da sua vida *ou*
( ) como o marinheiro à espera de ordens?

( ) Como o diretor do filme da sua vida *ou*
( ) como um coadjuvante que espera sua vez de entrar em cena?

( ) Como o escritor do livro da sua vida *ou*
( ) como um personagem à espera do próximo capítulo?

Qual foi o resultado gerado por essas perguntas dentro de você? Como você se sente depois de respondê-las e autoavaliar-se? Quais “fichas caem”? Você está dando o seu melhor? Você está usando seu tempo para construir uma vida extraordinária?

Sem querer ser redundante, mas buscando profundidade em suas mudanças e conquistas, peço que responda de próprio punho às perguntas poderosas que vêm a seguir.

Qual tem sido sua atitude diante da vida?

____

Como você tem se colocado em termos de autonomia e ação diante de:

Família: ______________________________________

Profissão: _____________________________________

Dificuldades e ameaças: __________________________

Oportunidades: _________________________________

Sinceramente, de 0 a 10, quanto você se sente no comando do barco da sua vida?

____

Os resultados que você tem colhido na sua vida estão de acordo com o que você gostaria de ver para si mesmo?

____

E quantos desses resultados se devem à sua falta de atitude e autonomia?

____

A abordagem é muito simples; cada um tem a vida que merece. Mude sua atitude e você mudará sua vida e seus resultados. Acredite, tenho visto milhares de pessoas mudarem suas atitudes diante da vida. Pessoas que decidiram pagar o preço das mudanças. Pessoas que decidiram acreditar que podiam ser, fazer e ter mais da vida.

Convido você a acordar e assumir sua real identidade, e garanto que este livro vai ajudá-lo a descobri-la. Entre nesta viagem para conseguir trazer à tona uma nova atitude, desvencilhada dos resultados que você obteve no passado, assim como da autoimagem que os gerou. O que importa agora é que você pode despertar o gigante adormecido dentro de você. Então, vamos lá: ACORDE. Acorde para viver o melhor da sua vida hoje, acorde para ser feliz agora, acorde para realizar as suas metas mais importantes e as menos importantes também – afinal, elas são suas.

Convido-o a pegar o leme do barco da sua vida e gritar bem alto: "Velas ao mar, soltar as amarras!". Aconselho que bata forte a claquete e diga para todos dentro e fora do set de filmagem: "Luz, câmera e ação...". E que tal, com os dedos firmes e decididos, ser você a digitar o próximo capítulo do livro da sua vida? Vamos, acorde esse poderoso gigante adormecido dentro de você e venha comigo nesta jornada de conquistas e realizações.

ACORDANDO PARA UMA VIDA ABUNDANTE

QUALQUER COISA DIFERENTE DE ABUNDÂNCIA É DISFUNÇÃO

Existe uma passagem bíblica que me faz muito bem e que produz em mim uma gigantesca crença de possibilidades. Nela Jesus Cristo diz: **"... mas eu vim para que tenham vida e vida em abundância"** (João 10:10). Pessoalmente, acredito completamente na veracidade literal dessa passagem. Creio que você e eu estamos aqui para ter e viver o melhor deste mundo aqui e agora.

Como também foi dito por Jesus: "Neste mundo tereis aflições" (João 16:33), e de fato teremos revezes, quedas e problemas ao longo de nossa vida, isso é algo que não escolhe classe social, raça ou gênero, as dificuldades existem para todos os seres humanos. Contudo, mesmo assim, continuo acreditando que até as piores aflições podem e devem produzir aprendizados e mais abundância ainda na nossa existência. O CIS® na sua base teórica, filosófica, ferramental e prática busca em seus processos produzir abundância em todas as áreas. E acredita que tudo o que não for abundância é disfunção. E de forma obstinada trabalha para eliminar ou diminuir qualquer disfunção na vida das pessoas. O bordão usado por todos nós do CIS® diz assim:

... Eu vim para que tenham vida e vida em abundância...
(Jesus Cristo – João 10:10)

E tudo o que não é abundância na sua vida é disfunção. E toda disfunção deve e merece ser tratada.
(Paulo Vieira)

Meu grande amigo e mestre, doutor Anthony Portigliatti, contou-me uma história que fala dessa visão abundante da vida.

Certa vez estava um senhor em seu barquinho pescando. O primeiro peixe que pega com seu anzol é um grande tucunaré. Ele olha para o peixe, analisa bem e o devolve para o rio. Logo em seguida ele pega um grande tambaqui, com mais de dez quilos. Novamente ele olha bem para o peixe, mede o tamanho dele e o devolve para o rio. O terceiro peixe que ele captura é uma pequena tilápia. Ele olha para ela com uma cara de satisfação, analisa e põe no cesto dentro do barco. E novamente volta a pescar e logo pega outro peixe grande e devolve para o rio. E mais uma vez ele pega um peixe pequeno e o coloca no cesto dentro do barco. Vendo aquilo e não entendendo nada, outro pescador se aproxima e pergunta ao senhor: "Ô, amigo, não estou entendendo nada. Quando o colega pega um peixe grande devolve para o rio e quando pega um peixe pequeno põe no cesto para levar para casa. Não era para ser o contrário?". Ao que o pescador responde: "Sabe o que é? Lá em casa a frigideira é bem pequenininha e não cabem nela esses peixões".

Tenho visto muitas pessoas adormecidas para o seu potencial e vivendo aquém de suas possibilidades; elas são como o senhor que devolve os peixes grandes para o rio. Que tal aumentar o tamanho da sua frigideira e querer mais de si e da vida? Que tal ir ao mercado agora comprar uma frigideira bem maior e pescar os mais saborosos peixes do rio?

Tenha claro para você o que é abundância. Ter pouco dinheiro é abundância? Não ter dinheiro no final do mês para poupar, para investir ou para ajudar o próximo é abundância? Certamente não. Essas situações são algo que chamamos de disfunção.

Abundância não é ter um corpo nem bonito, nem feio, por exemplo. Abundância é ter um corpo saudável e forte independentemente da idade, um corpo que lhe traga prazer e lhe ajude a chegar aos seus objetivos, um corpo que celebra este que é o maior presente que você recebeu.

Pessoas com uma frigideira financeira pequena acreditam que pagar as contas, mesmo que não sobre nenhum dinheiro, já é uma vitória. Vitória, na verdade, é pagar as contas e ainda ter dinheiro para ajudar o próximo. Isso sim é abundância. Como é cômodo e egoísta ter dinheiro para pagar suas contas quando você poderia ajudar tantas pessoas ao seu redor!

Preciso dizer isso a você, leitor, com firmeza: nem eu nem você estamos aqui para ter uma vida mediana. Você pode ler estas palavras e pensar: "Ah, mas eu não tenho problemas em casa...". Não é sobre problemas que estamos falando, mas sobre a necessidade de existir amor, afeto, proximidade e respeito abundantes.

Você diz estar tudo bem com as pessoas da sua casa, mas como vai ser possível ajudá-las se lhe falta capital? Como você vai amparar àqueles a quem ama se não tem condições financeiras para isso? Afinal, seu dinheiro não falta, mas também não sobra.

Reitero que não se trata da falta. O desejo de não faltar não significa ter abundância. O que eu desejo para você é que não apenas não lhe falte dinheiro, mas que você tenha dinheiro sobrando. Desejo a você uma vida abundante.

Eu não quero saber se está conseguindo apenas "o suficiente", eu quero saber de abundância na sua vida. Não quero saber se no seu casamento não existem brigas, o que importa é a abundância no seu casamento. Se o nosso destino é ter uma vida abundante e qualquer coisa diferente de abundância na sua vida é disfunção, por favor, aumente sua frigideira e pesque peixes maiores e mais saborosos.

Por que não pensar a vida a partir de agora em termos de abundância e possibilidades? E por que não ter aquela casa maravilhosa? Por que não ser algo comum rolar na grama com os seus filhos? Por que não? E por que não ter os seus filhos o beijando e você beijando-os todos os dias, sem precisar de uma data especial para isso?

Por que não ter uma saúde abundante, para correr, pular, subir? Por que não caminhar ou correr alguns quilômetros por dia aos 50, 60, 70, 80, 90 anos?

Uma vez, ao viajar, eu estava embarcando na fila de prioridade do avião com meus filhos ainda bem novinhos e ao meu lado estavam dois senhores. Um deles forte, altivo, nitidamente musculoso com uma postura ereta, o outro senhor notoriamente acima do peso, ombros arqueados, semblante cansado, e andando com certa dificuldade. Na hora que o comissário anunciou nossa entrada aquele senhor musculoso disse: “Por favor, jovens, podem passar na minha frente”. Achei estranho ele chamar a mim e ao outro senhor de jovens e perguntei: “Com licença, senhor, mas qual a sua idade?”. Ao que ele respondeu com um sorriso no rosto que tinha 85 anos. Só me restou dizer uma coisa: “Uau, sério? Oitenta e cinco anos e em forma desse jeito. Parabéns!”.

Depois de sentado e acomodado no avião, aquele outro senhor da fila se sentou ao meu lado e disse com ar de inveja ou orgulho ferido: “Você viu aquele velho convencido na fila do embarque? Ele só disse aquilo para aparecer”. Como não podia deixar de ser, eu perguntei a esse senhor: “E você, quantos anos tem?”. Meio envergonhado ele respondeu que tinha 63. De fato aquele senhor forte e altivo tinha toda a razão em nos chamar de jovens, afinal ele era 22 anos mais velho que o outro senhor e 45 anos mais velho que eu, porém estava na mais perfeita forma.

Ainda na fila, aquele senhor supersaudável me explicou o segredo de sua saúde. E me disse que aos 40 anos teve um infarto e quase morreu. E aquilo fez com que ele acordasse para sua vida, e desde então passou a se alimentar com rigor, malhar todos os dias, nadar duas vezes por semana e caminhar com um grupo de jovens amigos (todos na faixa entre 40 e 50 anos) duas vezes por semana.

Será que o que eu estou falando é utopia? Será que o que estou falando é impossível? Será que o que estou falando é inatingível para alguém? Veja que não estou falando de uma vida sem aflições ou problemas. Vamos ter problemas, sim. Vamos ter dificuldades, sim. Então, por que não aprender com cada chuva como fazer um telhado melhor para nossa casa? Por que não aprender com cada tormenta como construir um barco mais forte? E esse é o ponto deste capítulo, olhe no espelho e pergunte-se: Por que não?

ESTILO DE VIDA ABUNDANTE

E agora você pode me perguntar: “O que é um estilo de vida abundante?”. Imagine que você acorda cedo, vai malhar, faz amor logo de manhã cedo com o homem ou a mulher da sua vida, brinca com o filho, deixa ele no colégio. Vai trabalhar, ama o trabalho e gosta do que faz. E por isso faz com prazer, faz bem-feito, é reconhecido, ganha dinheiro mais do que apenas o suficiente para sua sobrevivência. Despede-se dos colegas de trabalho já com saudade deles. Vai dar uma corrida, encontrar com a família, e ainda encontra os amigos para um jantar em um bom restaurante. Depois vai para casa, ama seus filhos, é amado por seu marido ou por sua esposa, dorme gostoso e acorda no dia seguinte e grita: *Yes!*

Não é pedir demais, e eu não estou falando de uma vida egoísta, eu coloquei nesse contexto seus filhos, sua esposa ou seu esposo, você fazendo essas pessoas felizes e buscando que essas pessoas sejam felizes. Um estilo de vida no qual tudo é abundante: o dinheiro, o amor, a felicidade, a paz. Quando foi que paramos de acreditar nisso? Se observarmos uma criança emocionalmente saudável, ela vai falar de abundância em todas as suas brincadeiras, representando isso com suas bonecas felizes, cheias de filhos, também felizes. Ela terá a sua casa colorida cheia de amigos, ela fará no seu fogãozinho comidas deliciosas. Quando foi que algo tão natural na nossa infância se tornou tão distante e utópico, a ponto de aceitarmos tão pouco da vida?

A resposta para esse distanciamento de uma perspectiva de vida abundante vem quando olhamos para a TV, para a mídia tradicional, para as telenovelas, os telejornais, para a maioria dos filmes e para o diálogo da maioria das pessoas e percebemos que a tônica e os temas centrais giram em torno de morte, dor, medo, perda, traição, tristeza, mentira, vingança, ódio, violência, cobiça, inveja, inversão de valores, e assim por diante. Todas essas informações e todos esses estímulos vêm de várias direções, mas principalmente da mídia. E quando falamos de mídia, além de vir carregada de alta precisão cognitiva no que deseja comunicar, vem também abarrotada de forte e impactante conteúdo emocional, que atinge profundamente o ser humano nos dois hemisférios cerebrais, no esquerdo cognitivo e no direito emocional, fazendo com que pela repetição incessante nosso cérebro passe a acreditar que todo esse lixo de informações compõe uma vida normal. E, assim, vamos nos anestesiando com tantas informações ruins e vamos recebendo todo esse material cada vez com menos crítica, menos questionamento e mais "normalidade". Resumindo: nosso cérebro, que não resiste a estímulos repetitivos sem que haja mudança nele, passa a acreditar que tudo isso de fato é real, aceitável e, por fim, normal.

Lembro uma matéria publicada sobre uma foto tirada na praia Vermelha no Rio de Janeiro, onde um casal de turistas fazia uma selfie com o Pão de Açúcar ao fundo e um cadáver afogado estirado ao lado deles. O incrível era a normalidade com que eles posavam ao lado do cadáver para não perder o melhor ângulo da paisagem. De forma muito clara, para aquele casal, a morte se tornou algo normal, para não dizer banal. Um ser humano afogado, uma vida encerrada precocemente, uma família sem um integrante, uma mãe sem filho e (provavelmente) filhos sem pai. E mesmo assim, nenhuma estranheza, nenhum choque, uma vida vista de forma banal e sem importância. São tantas reportagens de assassinatos, sequestros, mortes, violência, catástrofes, guerras que tudo isso vai se tornando comum, tão comum que inconscientemente vamos dando um status de "normal" para todas essas informações que não param de chegar.

E a mesma coisa vemos com relação à pobreza no Brasil, que de tão comum se tornou "normal". Ônibus e trens lotados carregando pessoas amontoadas, entulhadas e imprensadas umas sobre as outras, e isso também é completamente "normal" no Brasil dos dias de hoje. Não conto com quantas pessoas conversei e tentei mostrar que nada disso era normal. Não consigo contar quantas vezes eu disse: "Acorda, eu, você e o Brasil merecemos mais do que isso".

E vou deixar por sua conta identificar outro tanto de valores e conceitos que a mídia tradicional tem nos empurrado goela abaixo como normais. E, mais uma vez, as pessoas expostas a esses estímulos passam a viver bem aquém de suas possibilidades e de seus potenciais, como que adormecidas por um anestésico superpotente chamado mediocridade.

Por que tanta aceitação? Por que tanta banalidade com coisas tão importantes? Para fechar a explicação, a Neurociência mostra que nosso cérebro acaba por aceitar e até mesmo procurar o padrão que mais se repete. Quando nossa mente, buscando segurança e subsistência, compara nossa vida a telejornais, telenovelas, noticiários, filmes e a tudo que as cerca, ela passa a acreditar que a média dos acontecimentos, que de antemão foram tão corriqueiramente apresentados, é de fato normal, aceitável e até desejável. Então, depois de tantos e tão impactantes estímulos, temos um cérebro programado para procurar e produzir uma vida "normal" e conhecida tal qual os modelos aos quais fomos expostos. Assim, resta-nos viver uma vida medíocre sem questionamentos e sem maiores expectativas. Uma vida abaixo das nossas reais possibilidades e potenciais.

DIFERENCIANDO O QUE É NORMAL DO QUE É COMUM

Para ilustrar esta questão, imagine o seguinte caso de uma vida "normal".

Um pai de família já contagiado e contaminado por esses estímulos negativos comunicados pelo mundo ao seu redor chega à casa exausto, cansado, estressado depois de dez horas de trabalho. Ao passar pela sala, um dos seus filhos que está ouvindo música acena para o pai apenas com um sutil levantar das sobrancelhas e nada mais. Na mesma hora, uma voz interna, chamada voz da consciência, questiona esse pai que acabou de chegar à casa dizendo: "É assim que o seu filho recebe você em casa depois de um dia inteiro de trabalho?". E o pai imediatamente responde à voz com um tom de gozação: "Jovens, jovens. Jovens são assim mesmo. Vivem cada um no próprio mundo. Isso é **normal**". Depois de passar pelo filho, ele vai em direção a seu quarto e passa pela filha, que está atenta ao seu celular e não o cumprimenta. E novamente a voz interrompe seu caminhar e pergunta: "E sua filha, que não é mais tão jovem assim, não vai te cumprimentar com uma palavra ou um abraço?". E novamente ele responde: "Filhos são assim mesmo. Cada um no seu mundo. Isso é **normal**". Então, no corredor da casa, ele finalmente trava o primeiro diálogo com alguém. Sua esposa, sem olhar para ele e sem entusiasmo nenhum, pergunta: "Trouxe o pão?". Dessa vez a voz fala mais forte e inquisitiva: "Nem a sua esposa se levanta para te recepcionar depois de um dia de trabalho?". E com uma resposta pronta ele fala: "São vinte anos de casamento. Você acha que as esposas vão receber seus maridos na porta com um beijinho, dizendo eu te amo depois de anos de casados? A vida é assim mesmo. Isso é **normal**!".

Ao passar por toda a sua família ele vai tomar banho. Ao sair do banheiro, ele se dirige para a cozinha, tira seu prato do forno, senta-se sozinho à mesa e começa sua refeição silenciosa, se não fosse pelo barulho dos carros que vem da janela. Novamente a voz diz: "Você vai jantar só? Toda a sua família está em casa e você vai jantar sozinho?". Ele novamente responde: "Cada um tem sua vida, seus afazeres. Você sabe que é assim mesmo. As famílias hoje em dia são assim. Isso é **normal**".

Ao acabar o jantar, ele se senta à mesa da sala e começa a separar as contas do mês que vai pagar e as que ele não vai conseguir pagar. A voz reaparece e pergunta com um ar de cobrança: "Você vai deixar de pagar todas essas contas neste mês?". E novamente, com uma resposta pré-fabricada, ele interrompe a voz e rebate dizendo: "Na vida que levamos hoje, atrasar uma conta ou outra é **normal**!".

Entretanto, a jornada desse pai de família na sua casa não para por aí. Depois de separar as contas a que serão pagas e as que não serão, ele vai para o seu quarto, deita-se na cama, liga a TV e assiste a um filme de ação só para relaxar, enquanto sua esposa está vidrada em uma rede social. Agora, em tom de desespero, a voz o questiona: "Você não vai conversar sobre o seu dia com sua esposa, fazer carinho nela ou fazer amor?". E de forma ríspida o homem responde à voz que questiona toda a sua vida: "Você não percebe que temos vinte anos de casados, que é assim mesmo? Todo mundo vive assim! E pela milésima vez: "Isso é **normal**! Minha esposa gosta de rede social e eu gosto de filmes de ação, e pronto".

Passada uma hora, o filme de ação se transformou em filme de pornografia, a esposa já está dormindo e ele, mesmo exausto, não sente sono, tenta dormir, mas não consegue. Desliga a TV e permanece com os olhos abertos. Sem conseguir relaxar, a alternativa é tomar um "remédio para dormir". Ele toma um comprimido, que não faz efeito. Depois de tomar o segundo comprimido, a voz já cansada de seu dono e seu estilo de vida pergunta mais uma vez: "Vai tomar dois comprimidos para dormir?". E, também cansado de ter sua vida confrontada por essa voz que não lhe dá trégua, ele responde pesadamente: "Quem não toma remédio para dormir? Hoje em dia todo mundo toma. Isso é **normal**". Então, uma hora depois de tomar o segundo comprimido o sono vem. Um sono superficial, respiração pesada e uma apneia noturna assustadora.

O celular desperta indicando 6h30 da manhã. Ele levanta cansado e atrasado para ir ao trabalho e sai apressado sem se despedir dos filhos e da esposa. E a voz não perdoa e pergunta: "Você não vai sair sem se despedir dos seus filhos e da sua esposa, vai?". Ao que ele responde rispidamente: "Você não vê que estou atrasado, que não tenho tempo para isso? Nesse mundo corrido, ninguém tem tempo para essas besteiras. É assim mesmo, isso é **normal**?".

E antes de chegar ao trabalho ele já discutiu duas vezes no trânsito, sem contar os sinais obscenos que fez para outro motorista que tomou a sua frente. Dessa vez, a voz se cala, não pergunta nem questiona. Apenas o deixa seguir seu caminho de todos os dias. A voz da consciência se calou, foi vencida. E no lugar dela surgiu uma nova voz. Uma voz que faz piada com a própria desgraça. Uma voz negativa, irônica e justificadora.

Ao chegar ao seu trabalho, estressado e zangado, ele para à porta, suspira, respira fundo e entra de cabeça baixa. Entra sem falar com ninguém, sem olhar para ninguém, sem cumprimentar seus colegas, e vai direto para sua sala. Afinal, ele vai passar as próximas dez horas fazendo o que não quer fazer, com pessoas com quem não gosta de estar e recebendo bem menos do que se acha merecedor. E, antes que a voz da consciência o traga para a sua dura realidade numa tentativa de acordá-lo para as boas possibilidades da vida, vem a voz pessimista e negativa do senso comum. E, de forma irônica e acusadora, ela diz: "Isso é **normal**. Quem é que gosta do seu trabalho? A vida é assim mesmo. Tem de aguentar essa droga de trabalho chato enquanto não aparece nada melhor. Família para sustentar e contas a pagar. Isso é **normal**". Agora é uma voz negativa, pessimista que falava. E tudo o que ela faz é dizer que aquilo tudo é normal.

Ao final do expediente, no começo da noite, esse homem entra no seu carro, pega os mesmos engarrafamentos e chega à sua casa. Ali, parado diante da porta, olha para baixo, respira fundo e entra. E, como quem assiste ao mesmo DVD, o filme se repete mais uma vez. Mais um dia em que aquele homem vive a própria e triste rotina. Um homem que na verdade não está vivendo e sim sobrevivendo à própria vida, agindo muito mais como coadjuvante do que como autor da história da sua vida. E por isso aceitando qualquer papel disponível.

Você conhece alguém que de uma maneira ou de outra tem a vida parecida com a do personagem acima? Você conhece alguém que vive uma vida precária ou limitada e talvez nem se dê conta disso? Você conhece alguém cuja voz da consciência fala, grita, adverte, aconselha e implora por mudanças até o ponto de se calar? Uma coisa é certa e posso lhe garantir: NADA DISSO É NORMAL. Nós não podemos confundir o que é normal com o que é comum. Falar com a esposa friamente pode ser comum, mas não é normal. Tomar remédio para dormir pode ser comum, mas não normal. Não haver diálogo em casa pode ser comum em muitos lares, mas de jeito nenhum é normal. Estar acima do peso é comum, mas não é normal. As pessoas estão confundindo "comum" e "normal" e transformando o primeiro no segundo.

Não se deixe levar pelo mundo ao seu redor e o que ele comunica. Não acredite que limitação é normal. Não acredite que solidão é normal. Não acredite que tristeza é normal. Tudo isso pode ser comum e corriqueiro na vida de muitas pessoas que permitiram, por ação ou omissão, contaminar-se e cair na zona de conforto dessa pseudonormalidade. No entanto, para você que está lendo este livro nada disso é normal. Lembre-se: **"... mas eu vim para que tenham vida e vida em abundância", e qualquer coisa diferente de abundância na sua vida é disfunção. E toda disfunção deve e merece ser tratada.**

A experiência de vida e os resultados das outras pessoas pertencem a elas. Nem é a sua experiência, muito menos sua realidade. Seus resultados é você quem vai produzir. Não é porque muitas pessoas vivem de determinada maneira que você também tem de viver assim. Você é dono da sua vida e deve viver de acordo com aquilo que acredita ser o melhor para você, e não da maneira que parece ser comum às outras pessoas.

Vou narrar a seguir o caso descrito anteriormente, porém de maneira incomum e talvez pouco vivida pela maioria das pessoas. E aí sim você vai compreender o que de fato quero explicar sobre o que é uma vida normal de verdade.

Um homem chega de sua jornada de trabalho e, ao entrar em casa, seu filho mais novo corre à porta e o abraça, encosta a cabeça em seu peito, beija seu rosto e com interesse diz: "Oi, paaai". E com um abraço e um beijo pergunta como foi o seu dia. Creia: esse relacionamento de pai e filho é o normal. O pai mal consegue dar cinco passos, sua filha deixa o celular de lado e com muito carinho e doçura abraça seu pai, beija-o e o acompanha até a sala. Ao chegar à sala, é recebido pela esposa com um beijo apaixonado e um abraço terno, e com os olhos ela diz quanto o ama. Mais uma vez, isso, sim, é normal. Vou repetir: essa é uma vida normal. Tudo diferente disso é anormal, disfuncional e medíocre. Depois de tomar banho, ele se senta à mesa da cozinha na companhia dos filhos e da esposa. E seu jantar é um momento especial de diálogo e amor em família ao redor da mesa, e não ao redor da TV. Isso é uma família normal. Depois do jantar ele senta com a esposa à mesa da sala e juntos planejam o orçamento do mês seguinte e veem que no mês corrente também houve uma boa sobra no orçamento, que usarão para investir e para realizar os sonhos da família. Acredite, isso é possível e é uma vida financeira normal. Depois de fechar o orçamento do mês, toda a família senta-se junta à mesa da sala para jogar, brincar, conversar e talvez assistir a um filme que de fato valha a pena. Não tenho como não dizer mais uma vez: "Isso é normal". Com certeza, isso não é muito comum para a maioria dos filhos e dos pais. Verdadeiramente, porém, isso é o normal. Como já disse, qualquer coisa menos que isso é anormal, disfuncional e medíocre.

Após o momento em família, é chegada a hora de dormir. O pai vai ao quarto de cada filho, faz um carinho, tem uma breve conversa particular, abençoa o sono e se despede com um boa-noite. Ele volta ao seu quarto e encontra a esposa na cama e ali eles conversam, compartilham seu dia, falam de suas dúvidas, de seus planos, de suas conquistas, das aflições e alegrias. Ali, naquela hora e naquele lugar, sem a distração da TV ou do smartphone, eles se amam com a maneira de olhar, com a maneira de falar, fazer carinho e talvez até se amem fazendo sexo. O fato é que eles se amam.

Isso é uma vida conjugal normal. Não importa se eles têm três anos de casados, sete anos de casados, quinze anos de casados ou cinquenta anos de casados. Definitivamente, isso é o normal de uma vida conjugal.

Ele dorme cedo com uma sensação de preenchimento, de completude, de que sua vida vale a pena ser vivida. No dia seguinte, acorda cedo, pensa em seus planos e sonhos futuros, vai fazer atividade física e depois saboreia um saudável café da manhã com boa parte da família. Depois vai trabalhar com entusiasmo e energia. Como isso é maravilhosamente normal. Ao chegar à empresa, ele entra de maneira triunfal. Cumprimenta cada colega de trabalho com olhar sorridente, sorriso sincero e palavras de otimismo. Ele é solícito e apoiador, querido, respeitado e reconhecido por todos como um perito no que faz. Esse homem sente enorme prazer em trabalhar e produzir. Ao acabar sua jornada de trabalho, ele é invadido por uma sensação gostosa de dever cumprido, de um dia superprodutivo. E, antes de sair do trabalho, despede-se dos colegas e sai com um sorriso no rosto e ávido para chegar em casa, sabendo que existem pessoas que esperam por ele no aconchego do seu lar. Isso é de fato normal. Quando ele chega em casa, tudo se repete, de maneiras diferentes, mas com a mesma qualidade emocional, com os mesmos sentimentos. Essa é uma vida bem vivida, uma vida verdadeiramente normal e nada comum.

Não importa a situação em que sua vida esteja hoje. A primeira coisa que deve fazer para mudar a forma como vive é ACORDAR e entender a diferença entre normal e comum. Depois, saber que é possível ter uma vida maravilhosamente normal. E, por fim, estar disposto a construir um padrão de vida baseado em uma rotina de excelência.

Durante os meus eventos, é muito comum participantes perguntarem à minha equipe se de fato eu vivo o que prego. Se minha família é assim. Se meu relacionamento com meus filhos é recheado de amor, afeto, carinho, respeito. Se eu e minha esposa somos de fato um casal feliz e amoroso. A resposta é um alto e sonoro sim. Somos felizes, sim, temos uma vida dinâmica e apaixonada, sim. Aparecem desafios ao longo de nossa caminhada? A resposta também é sim. Contudo, mesmo com os desafios crescemos, melhoramos e nos tornamos ainda mais felizes.

Agora que você sabe que existe uma tremenda diferença entre uma vida normal e uma vida comum, volto a convidá-lo: ACORDE. Ouça a voz que vem de dentro de você, ouça a voz de Deus e não aceite nada menos do que uma vida realmente abundante. Vamos, pule da cama já e venha para uma vida normal, incomum e maravilhosa, disponível a todos os que verdadeiramente se dispõem a construí-la.

SERÁ QUE PRECISO MUDAR ALGO EM MIM?

Muitas pessoas andam dizendo que felicidade é algo muito particular, pois cada um tem uma definição para felicidade. Eu não concordo com essa ideia. Acredito que as pessoas possuem maneiras diferentes de se divertir e que cada um busca sua maneira de se sentir alegre. No entanto, alegria, além de ser passageira, não é nosso foco. O que falo aqui é sobre estilo de vida abundante, sobre felicidade perene, real e existencial. E entendo que, para sermos verdadeiramente felizes, precisamos potencializar cada uma das áreas da vida. Afinal, cargo alto em uma empresa por si só não faz ninguém verdadeiramente feliz. Ter muito dinheiro e não ter uma família harmônica não adianta muito no contexto de felicidade.

Então, fique alerta. Sua vida não é o que você diz que ela é, e sim o que é percebido, visto e presenciado na prática. Não adianta você dizer que é um bom pai e que seus filhos são felizes se você não dedica tempo, e tempo de qualidade, a eles. Não adianta dizer que você é um bom pai, se seus filhos não são fortes emocionalmente, vigorosos e felizes. Então, não importa o que eu ou você dizemos, não importa nossa visão, às vezes até nossas certezas sobre o que acontece no dia a dia. O que importa são nossos comportamentos e, em especial, os resultados gerados e percebidos por todos.

Você quer saber se é bem-sucedido financeiramente? Então lembre-se de que não é o que você diz ou mostra às pessoas que determina seu patamar financeiro. O que determina se você é bem-sucedido financeiramente é quanto você ganhou no último ano. O que diz se você é próspero financeiramente ou não é quanto tem nas suas aplicações financeiras e em imóveis.

Quer saber quem você tem sido como cônjuge? Olhe para seu casamento, olhe quantas vezes o seu marido (ou esposa) lhe dá um beijo, olhe o respeito que existe entre vocês, observe como dormem e como acordam. Quantas vezes vocês se olharam nos olhos? Quantas vezes ao longo do dia vocês se abraçaram?

Seja sincero e corajoso para olhar para sua vida como de fato ela tem sido. Avalie com a mente bem aberta. E se ela não está abundante é hora de acordar e começar a agir.

CAPÍTULO II
AJA

Até quando tu dormirás, ó preguiçoso? Quando te levantares do sono, a pobreza te atacará como um bandido, e a necessidade te atacará como um homem armado.
(Provérbios 6:9-11)

Imagine um grande tonel de madeira, como um barril de madeira gigante. Ele mede três metros de altura por dois de largura. É feito de madeira escura e com amarrações de metal ao seu redor. Diferentemente de um tonel comum, esse não tem tampa na parte superior; fica sempre aberto. Vamos lá, gostaria que você visualizasse esse tonel com todos os detalhes. Não importa se você não é bom desenhista, o que importa é o fato de o seu cérebro estar representando essa imagem internamente. Não pense, porém, que é uma brincadeira desnecessária, pois na verdade é uma etapa muito importante chamada Representação Metafórica Interna, mais comumente conhecida como RMI. Afinal, a compreensão do mundo externo acontece primeiramente dentro de nós. E grandes mudanças ou fichas que caem se dão através da maneira pela qual representamos internamente a realidade ao nosso redor. Conhece algum personagem da história que, com suas histórias e parábolas, contadas há milhares de anos, mudou o mundo em que nós vivemos hoje?

Veja aqui o grande tonel de madeira.

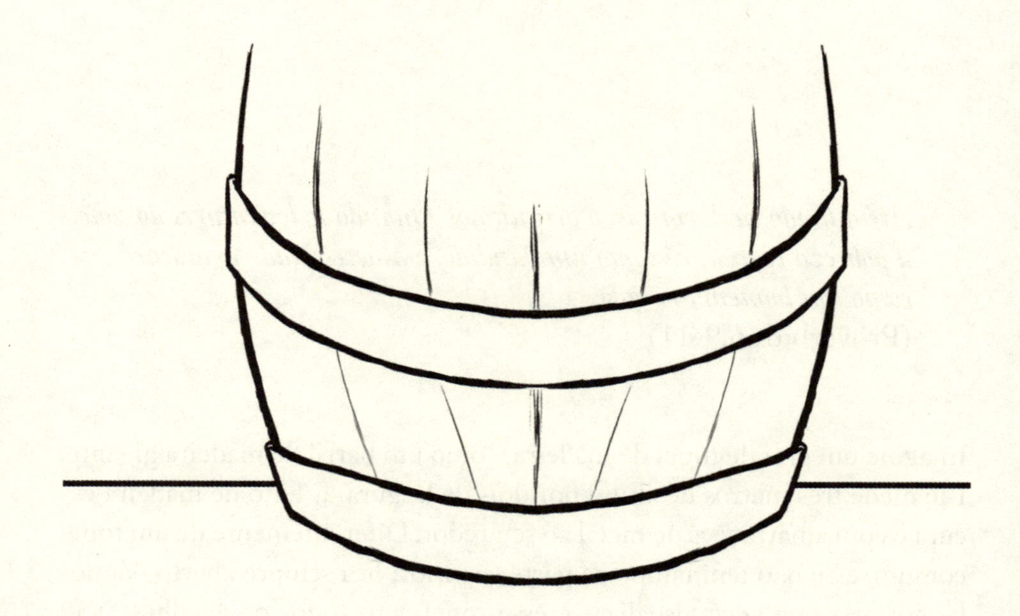

Ok. Você já tem o desenho do tonel. Fique à vontade e livre para que, à medida que eu for dando mais características e informações, você vá compondo mais detalhes na imagem do tonel.

Dando mais informação a essa representação, peço que você veja esse tonel cheio e transbordando de uma substância muito fétida. Uma substância pastosa e pegajosa de cor marrom-escura. Muitas moscas e muitos insetos sobrevoam o tonel e pousam nele e na substância pastosa. Lembre-se de que o cheiro é insuportável a ponto de ter afastado a maioria das pessoas que estavam ao redor dele. Desenhe mais essa série de detalhes que complementam a imagem do tonel.

Então, de repente você vê uma pessoa querida dentro do tonel apoiada na beirada. Ela está suja, fétida e exposta a toda a podridão contida nele. Você, preocupado e angustiado, grita para essa pessoa: "Saia daí. Por favor, saia daí de cima. Isso está lhe fazendo mal, muito mal. Saia daí". E você continua: "O tempo está passando e nada vai mudar para melhor enquanto você estiver aí, venha!". E você não para e diz: "Enfrente a vida, tenha coragem. Ficar aí parado não vai ajudá-lo em nada. Não adianta disfarçar. Quem o conhece sabe dos seus medos, da sua paralisia, da sua omissão diante da vida. Mexa-se, ouse sair daí, venha para cá. Se não der certo, você pode recomeçar... Venha, por favor, venha para cá". E a pessoa a que você tanto quer bem continua lá, sem se mover. Às vezes acusando, às vezes justificando, às vezes ficando em silêncio. Talvez você esteja travando outro diálogo com outra pessoa em cima do tonel. Talvez você diga assim para essa pessoa: "Venha para cá. Desça daí... Pare de beber, o álcool está matando você. Por favor, pare e olhe para sua família, para seus pais, para seus filhos. Eles sabem que você é alcoólatra. Todos sabem. Eles não dizem para você, mas sabem, comentam... Pare com isso, venha para cá. Você fede a álcool. Você está perdendo o respeito das pessoas, pois a admiração você já perdeu há muito tempo". E você não desiste dessa pessoa, e continua: "Desça daí, eles não merecem isso de você. Venha para cá. Você merece mais da vida. Nós estamos aqui por você, largue a bebida, venha... Enquanto você estiver aí em cima, nós não podemos ajudar você. Olhe para os seus filhos, eles merecem mais de você. Limpe-se, venha para cá. Aqui é o seu lugar, venha".

Ou será que o seu diálogo com essa pessoa é assim: "Saia daí. Esse não é o seu lugar. Você pode mais, muito mais do que isso. Desça daí. Venha assumir a responsabilidade pelo seu futuro financeiro e profissional. Saia de cima do muro. Faça algo de verdade por você e pelos seus. Pare de fingir que está fazendo as coisas. Pare de fingir que está tentando. Ninguém mais acredita nas suas desculpas. Faça alguma coisa e deixe de ser um peso para as outras pessoas. Elas não merecem isso. Saia daí e venha trabalhar e produzir de verdade, venha ganhar dinheiro. Desça daí e construa sua independência financeira e profissional. Por mais que você fique aí dando desculpas ou usando disfarces de bem-sucedido, todos sabem onde você está e quem você tem sido. Por favor, pare de decepcionar as pessoas, assuma uma postura decidida e faça algo, desça daí...".

Na minha jornada profissional de coach, vi muitas pessoas que queriam ajudar seus amigos e familiares a descer de cima do grande tonel usando todos os meios e todas as estratégias. Uma vez ouvi um amigo dizer mais ou menos assim: "Amigo, saia daí. Desça daí. As pessoas estão comentando o seu caso extraconjugal. Desça daí antes que sua esposa e seus filhos saibam. Eles não merecem isso de você. Olhe para sua filha, olhe para seu filho. Olhe para sua esposa fiel, dedicada e que sempre o apoiou. Pare com isso antes que seja tarde. Amigo, você está fedendo a sexo e todos sentem esse cheiro. Por favor, faça isso por você e por sua família, venha para cá. Deixe que eu o ajude a se limpar. Venha. Esse tonel não é o seu lugar". Outra vez ouvi um irmão dizer para sua irmã: "Irmã, saia daí. Por favor, desça daí. As pessoas percebem e comentam como você tem sido relapsa com seus filhos. Seus filhos estão sofrendo, eles estão largados. Você está sujando tudo ao seu redor com seu estilo de vida. Pare de gastar dinheiro com roupas e bolsas. Pare de ir a tantos shows, festas e viagens. Fique em casa com seus filhos; eles precisam de você e você precisa ainda mais deles. Saia daí, desça desse tonel. Ficar em cima desse tonel está destruindo a sua vida. Acredite, não é nele que você vai achar o que tanto procura. Seus filhos não têm culpa se seu casamento acabou, volte para casa, assuma sua maternidade enquanto você pode, enquanto eles são crianças e precisam de uma mãe. Volte. Venha. Desça daí...". Em outros casos, ouvi pessoas preocupadas chamar aquela pessoa em cima do tonel e até implorar para que ela deixasse as drogas. Outras imploravam para aquela pessoa sentada no topo do tonel parar de fumar. Outras, ainda, suplicavam para que ela comesse menos e fizesse alguma atividade física, antes que tivesse outro AVC.

O fato é que todas essas pessoas que citei, por um motivo ou outro, estavam na zona de conforto. Em nossa metáfora a zona de conforto é representada pelas pessoas paradas no topo do tonel, mas, na verdade, zona de conforto é o lugar onde encontramos desculpas para não fazer o que sabemos que devemos fazer. A zona de conforto parece um lugar supostamente seguro, mas na prática ela nos acorrenta e nos mantêm presos, inertes, imóveis enquanto o mundo está acontecendo lá fora e nós envelhecendo aqui em cima. Uma ótima definição para zona de conforto é uma combinação de mentiras paralisantes com prazo de validade vencido. Pois o conforto de não agir certo e na hora certa logo se tornará uma prisão de muros altos.

> *Zona de conforto é a combinação de várias mentiras paralisantes com prazo de validade vencido.*
> (Paulo Vieira)

Afinal, não precisamos ser paranormais nem videntes para imaginar qual será o destino daquela pessoa que nunca encarou a vida profissional. Não precisamos ser muito inteligentes para acertar como será o futuro do alcoólatra ou como será a família do adúltero. Ou como será a saúde do glutão sedentário ou a vida daquela mulher que trocou os filhos pelos colegas de balada e seu futuro financeiro por bolsas e sapatos. Certamente é bem mais fácil e cômodo dizer como será a vida das pessoas presas na zona de conforto. Afinal, estamos de fora, analisando suas ações e as consequências de seus atos e de suas omissões. Contudo, precisamos olhar para dentro de nós mesmos e nos perguntar:

Em quais áreas da minha vida me percebo na zona de conforto?

____

____

____

Como será a minha vida se continuar, por ação ou por omissão, na zona de conforto?

____

____

____

Entendendo a metáfora do tonel e entendendo o que é zona de conforto e as consequências dela na vida das pessoas, mas sobretudo na sua vida, posso então lhe fazer meu segundo convite: AJA. Vamos, deixe o tonel. Venha para cá e se afaste dessa terrível zona de conforto. Aja. Não importa se certo ou errado. Apenas aja. E depois se aplique para agir cada vez mais acertadamente.

O bordão diz: "Tem poder quem age, e mais poder ainda quem age certo". Peço que memorize esse bordão que venho repetindo nos últimos anos e depois compartilhe com outras pessoas.

Tem poder quem age, e mais poder ainda quem age certo.
(Paulo Vieira)

A única coisa que pode tirar alguém da zona de conforto é a ação direcionada. Direcionada para suas metas, seus objetivos e seus desejos. No entanto, veja bem: para tirá-lo da zona de conforto, não precisa ser a melhor ação, não precisa ser a ação mais acertada nem a mais eficaz a ser posta em prática. Qualquer ação direcionada sutilmente para seus objetivos já inicia o processo de mudança e libertação da zona de conforto. Existe, porém, algo, uma força paquidérmica, que sustenta e mantém as pessoas aprisionadas na zona de conforto. E nosso foco agora é identificar, qualificar e em seguida destruí-la, e quando isso acontecer você vai se encontrar sobrevoando e pronto para aterrissar nos seus objetivos mais importantes, milhas e milhas distante daquilo que antes você chamava de zona de conforto. Vamos a essa força.

HISTORINHAS E HISTÓRIAS

Acredito, como já falei, que fomos criados por Deus para uma vida abundante em todos os aspectos. E que os acontecimentos da vida de qualquer pessoa, por si só, deveriam levá-la a esse padrão de excelência. São como as águas de um rio que naturalmente fluem em direção ao mar. Essa é a natureza e o normal para um rio. Para represá-lo, será necessário um esforço muito grande de fazer barragens ou desviar o curso natural das águas. A abundância é a natureza de Deus e, consequentemente, a natureza humana. Se, porém, você não está vivendo essa abundância e plenitude é porque existe uma barragem, um desvio, que impede o fluir dessa natureza abundante para você. E, por incrível que pareça, somos nós que, através de comportamentos muitas vezes "inocentes e despretensiosos", criamos verdadeiras barragens e desvios de todo o bem que deveria chegar até nós. Na prática, bastaria não atrapalhar para que as coisas boas viessem até nós. A boa notícia que trago aqui é que, além de não atrapalhar, podemos também usar essa força gigantesca para acelerar esse fluir de coisas boas em nossa vida. O nome que daremos a essa força é historinhas.

Historinhas são estruturas linguísticas, verbais e mentais que validam, explicam e justificam nossos fracassos, nossas falhas e nossos insucessos. Uma maneira às vezes sutil e outras vezes explícita de não nos responsabilizarmos por resultados, ações e comportamentos que não deram certo em nossa vida. Como é cômodo ou menos oneroso ser demitido e ter toda uma historinha ensaiada para explicar, ou melhor, justificar o porquê do ocorrido. Como é mais fácil e mais confortável encarar o diretor do colégio do filho que acaba de ser expulso e contar a historinha de que criou os dois filhos da mesma maneira e só um é problemático. Aparentemente, as historinhas trazem conforto, mas na realidade elas causam duas consequências devastadoras na vida das pessoas. A primeira é que elas atacam a autorresponsabilidade (conceito que vamos explicar melhor no Capítulo 3), ou seja, elas tiram a autonomia de seu autor, deixando-o como refém da situação. No caso do pai diante do diretor, a historinha o coloca como vítima impotente da situação, como se não tivesse o que fazer. Afinal, o outro filho nunca teve problemas na escola, e os dois foram criados da mesma maneira. E a segunda consequência é o fato de essa historinha ser interpretada como verdade pelo cérebro. E quanto mais vezes for contada e com mais intensidade emocional for dita, mais presa dentro dela a pessoa ficará. O cérebro não escolhe no que acreditar, assim, o que você mais comunicar, mais verdadeiro será. Nesse caso, esse filho será de fato a ovelha negra da família, o menino-problema provavelmente sem solução. Quantas historinhas temos contado para justificar nossos fracassos? Quantas historinhas temos criado e contado para justificar ou explicar nossa permanência no grande tonel da zona de conforto?

É comum acreditarmos que historinhas são mentirinhas ou disfarces simples para algo do qual queremos fugir ou sobre a qual não queremos reconhecer nossa responsabilidade. Na verdade, existem três categorias de historinhas: mentiras e exageros, verdades e, por fim, brincadeiras. As historinhas mentirosas são justificativas inventadas com o objetivo de diminuir a culpa. Já as historinhas verdadeiras são uma tentativa de acusar o outro e se eximir da responsabilidade pelos próprios atos. As brincadeiras fazem a pessoa fechar os olhos para o problema, tirar o foco do assunto por meio de uma piada ou de algo engraçado dito sobre o problema. Seja qual for o tipo de historinha, elas destroem a autoimagem e deixam seus autores impotentes na questão da ação e do comportamento e certos da impossibilidade de realizar.

Para entender melhor as historinhas, vamos a três exemplos reais.

Caso 1

Certa vez, encontrei um antigo parceiro comercial e começamos a conversar até que chegamos ao assunto saúde. Nesse momento, ele olhou para mim com um tom de seriedade e impotência e confidenciou: "Você sabe, eu não como nada e mesmo assim não paro de engordar". Sua esposa, que estava com ele, olhou para baixo e ensaiou um sorriso irônico. E ele continuou: "Meu médico disse que meu metabolismo é muito lento para a queima de gordura, por isso é que estou assim tão acima do peso". Com respeito e com certa firmeza o indaguei: "Que exame seu médico fez para avaliar seu metabolismo e a queima calórica?". Ao que a esposa do meu ex-parceiro respondeu: "Historinha, Paulo Vieira, tudo historinha. Nem médico ele tem. A questão é que ele come muita besteira, principalmente à noite, na hora de dormir. Na verdade, nossa cama é a mesa de piquenique dele e a TV é a paisagem".

Nessa primeira historinha, como a própria esposa denunciou, toda aquela conversa era mentira do marido. Primeiro, ele de fato comia muito, principalmente à noite. Segundo, nenhum médico falou que ele tinha o metabolismo lento na queima calórica. Era apenas uma inverdade para explicar sua obesidade, tirando dele a culpa ou a responsabilidade pelos quilos a mais. E como o problema de sua obesidade não era responsabilidade dele, afinal, o responsável era o metabolismo lento, por que mudar? Por que adotar um estilo de vida saudável, uma vez que seu metabolismo queima calorias na velocidade de uma tartaruga de aquário?

Essa historinha se classifica da seguinte maneira:

- Categoria: mentira.
- Comportamento: justificação e diminuição de culpa pela aparência obesa.
- Resultado primário: obesidade.
- Resultados secundários possíveis: problemas de saúde, problemas conjugais, baixa produtividade profissional, pouca atividade sexual etc.

Caso 2

Conversando com um empresário em dificuldades, ele se abriu e me contou o porquê de todas as suas dificuldades financeiras. Ele disse em tom de vitimização e também de impotência: "Este país quebra qualquer um. Um dia o dólar está alto, no outro está baixo. Fiz uma importação porque o dólar estava baixo e agora ele subiu 40%. Como vou pagar isso? Estou pedindo dinheiro emprestado a juros altíssimos. Sem contar que tenho mercadoria parada nos portos há mais de dois meses. E o pior é a operação tartaruga que temos no órgão fiscalizador. No Brasil é assim mesmo, tudo é difícil para o empresário".

De fato, o que ele falou era verdade. Um país sem regras claras e, pior, regras que podem mudar do dia para noite, muita burocracia e uma completa ineficiência dos mecanismos e das estruturas governamentais. Sem contar corrupção em níveis alarmantes etc. Entretanto, se o problema da empresa dele era apenas esse, então por que seu concorrente, que na verdade começou bem depois dele e sem capital, está indo tão bem e crescendo tremendamente apesar do governo e de todo o chamado Custo Brasil[1]?

Diferentemente do exemplo anterior, esse caso é verdade: de fato todas as acusações ao governo brasileiro procedem. Contudo, quando olhamos para

[1] Custo Brasil: Todos os gastos e características internos que oneram a produção e os investimentos feitos no país, tais como más condições das estradas, corrupção, tributação, energia etc.

o setor a que ele pertence, vemos empresas que prosperam apesar de todos os problemas conjunturais do país. E por que justamente ele não prospera? O que seus concorrentes vitoriosos estão fazendo que ele não está? Conhecendo os dois, ele e sua empresa, posso dizer com certeza três coisas: primeiro, ele é muito centralizador e não permite que ninguém aja ou pense em soluções sem sua presença. Segundo, ele tem uma liderança autocrática e muito dura; é comum perder a cabeça e ofender sua equipe. E, por último, como já disse a ele, falta gestão empresarial. Então, por que mudar tudo isso, começando por ele próprio, se o problema é a ineficiência governamental?

Classificando essa historinha:

- Categoria: verdade.
- Comportamento: acusação e tentativa de se eximir da responsabilidade pela crise financeira.
- Resultado primário: crise empresarial.
- Resultados secundários possíveis: problemas financeiros, problemas emocionais, dificuldade nos relacionamentos, problemas de saúde por causa do estresse etc.

Caso 3

O terceiro exemplo foi uma conversa que presenciei entre dois professores no lançamento do livro de um amigo em comum. Um deles olhou para o outro, que tinha um porte atlético mesmo aos 55 anos, e disse em tom de brincadeira: "Você está bem, hein, Alberto?!". E o amigo respondeu: "Obrigado, Carlos, tenho me esforçado para isso". Carlos, que estava bem acima do peso, sem perder tempo e muito menos a piada completou em forma de brincadeira: "Essa minha superbarriga na verdade é calo sexual de tanto fazer amor". Os dois riram e a conversa tomou outro rumo.

Quando brincamos com algo, fazemos com que esse tema não tenha um peso maior, trazemos leveza e ausência de importância para ele em nossa mente. Até aí tudo bem. A questão é quando o tema é relevante e pede ação massiva e clara. O cérebro não distingue o que é real do que é uma brincadeira inocente. Cada vez que aquele homem repete a brincadeira do calo sexual, seu cérebro acredita que aquela barriga desproporcional de fato é algo sem importância e que não oferece nenhum ônus. Assim, não existe uma mobilização intelectual nem emocional na busca de uma mudança de hábito ou de comportamento. Na verdade, a história é que, apesar de acima do peso, a barriga desproporcional daquele professor se devia ao fato de ele beber cerveja em quantidades extraordinárias e, diferentemente do que preconizava em sua brincadeira, não se devia a muitas noites de sexo.

Classificando essa historinha:

- Categoria: brincadeira.
- Comportamento: fechar os olhos para o problema tirando sua importância e o foco daquele assunto.
- Resultado primário: corpo disforme.
- Resultados secundários possíveis: problemas de saúde, problemas financeiros, dificuldade nos relacionamentos amorosos, baixa autoestima, sentimento de inferioridade etc.

Em mais de 15 anos fazendo coaching e tabulando o estado atual de cada um dos meus clientes e conhecendo seus comportamentos, ficou claro para mim que as historinhas eram o fundamento da incapacidade de mudar atitudes, hábitos e até resultados. Percebi de forma empírica, porém com muita consistência, que mesmo as mais simples mudanças comportamentais eram impedidas pela contação dessas historinhas. Em outras palavras, a contação dessas historinhas tornava meus clientes incapazes de promover qualquer tipo de mudança na direção de seus objetivos. Ao observar isso, passei a seguir um caminho no processo de mudança tanto de meus clientes individuais de coaching como no próprio Método CIS®. E fui obtendo muitas mudanças, cada vez mais profundas e rápidas. Mas como é possível mudar? Simples: trocando as historinhas por histórias. As histórias nada mais são que narrativas verdadeiras que colocam você como responsável pelos atos que geram consequências para sua vida. Não basta a história ser verdadeira, é preciso que você entenda com ela que você é o único dono da sua trajetória, que são suas ações que trazem resultados. E que, portanto, cabe a você mudar o que não está dando certo para chegar a um objetivo desejado e muitas vezes mais do que necessário e urgente. Assim, não fique contando historinhas. Ainda que sejam verdadeiras, você deve entender que elas não são nada benéficas e você não deve ficar repetindo por brincadeira, acreditando que elas não terão efeito prático e negativo em sua vida.

Vamos à compreensão do processo de mudança por meio das historinhas e das histórias:

1º passo: Identificar em quais áreas da vida está obtendo resultados ruins.

2º passo: Identificar quais resultados indesejados são esses.

3º passo: Identificar, para cada resultado indesejado e negativo que você vem obtendo, qual ou quais historinhas você vem contando para justificar, explicar ou se desresponsabilizar por eles.

4º passo: Para cada historinha, identificar a classificação (categoria, comportamento linguístico, resultado primário e resultados secundários):

Categoria: a) historinha mentirosa; b) historinha de brincadeira; ou c) historinha verdadeira que não precisa ser contada, e sim superada.

Comportamento linguístico: a) dar explicação real; b) justificar o ocorrido; c) eximir-se da responsabilidade pelo resultado; d) fechar os olhos para o problema; e) tirar o foco do assunto indesejado; ou f) outros.

Resultado primário: o que de fato essa historinha produz de negativo na vida de quem conta.

Resultados secundários: que resultados negativos têm ocorrido ou poderão ocorrer por causa dos resultados primários?

5º passo: Contar uma nova história. Este passo é a última etapa do processo de mudança. Essa nova história deve ser feita baseada nos comportamentos desejáveis e nos resultados que queremos conquistar. Em outras palavras, você precisa criar uma profecia (autorrealizável) que traga não só novos resultados como também novos comportamentos.

Vamos usar os três exemplos anteriores para exemplificar o quinto passo.

O meu ex-parceiro de negócios que não parava de engordar deveria deixar de contar a historinha destruidora que dizia que ele comia pouco e engordava por causa do metabolismo com baixa queima calórica e falar algo profético do tipo: "Sou forte, saudável e magro. Eu me alimento com excelência e como o melhor, na hora certa e o suficiente para estar saudável e disposto".

Para o caso do empresário com problemas em sua empresa a nova história deveria ser mais ou menos assim: "Independentemente de governo, minha empresa é próspera, lucrativa e crescente. Tenho a melhor equipe e minha liderança é superеficaz. Nós planejamos e executamos com primazia. Minha empresa é número 1 no seu segmento e eu sou reconhecido pela gestão empresarial que aplico".

Para aquele professor, era necessário mudar toda a abordagem sobre sua saúde. Em vez de repetir frequentemente a brincadeira, ele deveria pelo menos se calar e não tirar a importância de algo sério, pois a barriga pode representar muito em termos de autoestima, relacionamento conjugal e saúde.

Agora que você entendeu o que são as historinhas e os resultados que elas produzem, peço que se dedique e preencha todo o questionário a seguir para que, além da compreensão cognitiva, haja também mudanças reais e palpáveis em sua vida. Siga o modelo e os exemplos citados para preencher toda a classificação e substituição das historinhas. Reforçando: não passe adiante sem antes fazer o exercício proposto. Se necessário, repita esse exercício para cada área negativa e as historinhas destruidoras causadoras dos problemas.

CLASSIFICAÇÃO E MUDANÇA DE HISTORINHAS

Historinha 1: ______________________________

Categoria: ( ) Verdade ( ) Mentira ( ) Brincadeira

Comportamento: ______________________________

Resultado primário: ______________________________

Resultados secundários possíveis: ________________________
Historinha 2: ________________________
Categoria: ( ) Verdade ( ) Mentira ( ) Brincadeira
Comportamento: ________________________
Resultado primário: ________________________
Resultados secundários possíveis: ________________________

Historinha 3: ________________________
Categoria: ( ) Verdade ( ) Mentira ( ) Brincadeira
Comportamento: ________________________
Resultado primário: ________________________
Resultados secundários possíveis: ________________________

EXERCÍCIO: IDENTIFICAÇÃO E ELIMINAÇÃO DE HISTORINHAS

Passo 1: Identifique qual área da sua vida está deficiente.

____

____

Passo 2: Identifique quais resultados negativos você vem obtendo nessa área.

____

____

Passo 3: Identifique quais historinhas você vem contando a respeito daquela área que estão produzindo esses resultados negativos.

____

____

Passo 4: Identifique a classificação de cada historinha (categoria, comportamento linguístico, resultado primário e resultados secundários):
Categoria: ________________________
Comportamento linguístico: ________________________
Resultado primário: ________________________

Resultados secundários possíveis: ______________________________

Passo 5: Crie novas e restauradoras histórias em substituição às historinhas.

____

____

____

Apenas por zelo, peço que você responda a todas as perguntas a seguir que tenham a ver com o que você vive atualmente.

Que historinha você conta sobre o sucesso que ainda não tem?

____

____

____

Que historinha você conta para justificar suas dificuldades financeiras ou o fato de não ter ainda realizado suas metas e seus sonhos financeiros?

____

____

____

Que historinhas você conta para continuar sendo grosseiro(a) ou impaciente com seus filhos?

____

____

____

Que historinhas você conta para continuar bebendo, fumando ou se drogando?

____

____

____

Que historinhas você conta para si e para os outros para explicar a obesidade ou um corpo fora de forma?

____

____

____

Que historinhas você conta para você e seu cônjuge para justificar a falta de sexo na relação e/ou falta de harmonia?

____

____

____

Que historinhas você conta para estar fora de casa por tanto tempo, seja com amigos, seja trabalhando?

____

____

____

Que historinhas você conta para explicar o fato de não estar trabalhando no que deveria e poderia?

____

____

____

Que historinhas você conta para gastar tanto dinheiro com coisas fúteis e supérfluas?

____

____

____

Que historinhas você conta para estar em dificuldades na sua empresa ou em sua carreira profissional?

____

____

Agora que você respondeu a essas Perguntas Poderosas de Sabedoria (PPSs), fica mais fácil executar a ferramenta completa. Você sabe qual área está ruim na sua vida, como também sabe quais são as historinhas que o levam e o mantêm nesses resultados negativos. Seu maior desafio, porém, começa agora.

Em primeiro lugar, você precisa entender e levar a sério o impacto dessas historinhas na sua vida para que, quando indevidamente repetir suas historinhas do passado, reconheça todo o mal que elas produzem na sua vida. Em segundo lugar, sempre que você falar ou repetir essas historinhas, você deve ter à mão a nova história e repeti-la com ênfase pelo menos cinco vezes. E, por último, essa nova e profética história deve ser repetida cinco vezes por dia em voz alta, até que, por repetição, ela seja uma verdade em seus comportamentos e resultados.

TEM PODER QUEM AGE E MAIS PODER AINDA QUEM AGE CERTO E MASSIVAMENTE

Eu já o convidei a agir. Não importa se de maneira completamente acertada, mas agir é o primeiro passo para a conquista de seus sonhos e objetivos. E agora, sem as historinhas que o impediam de agir e agir acertadamente, ficou mais fácil pôr para fora todo o poder da ação que existe dentro de você.

Muitas pessoas acreditam que o que as separa de seus objetivos é o tamanho deles e onde elas se encontram naquele momento. Por isso vemos com frequência essas pessoas estabelecerem objetivos tacanhos, pequenos, medíocres e muitas vezes insignificantes. Afinal, elas dizem: "Se eu estabelecer um objetivo muito ousado, vai demorar muito tempo para realizá-lo, ou talvez ele nunca aconteça". Essa afirmação parece ser verdade, mas, na prática, não é. Humanamente falando, a única coisa que nos separa de nossos objetivos é a nossa capacidade de agir. A qualidade de nossas ações e a somatória delas são os fatores que determinarão quanto tempo levaremos para realizar uma meta. Não importa se seu objetivo é ousado ou muito fácil de conquistar. Vejo constantemente pessoas que demoram uma eternidade para realizar um objetivo simples e pequeno e tenho visto outras pessoas que, em tempo recorde, realizam o extraordinário. O que vai realmente importar é o que de fato você fará para conquistar seu objetivo, ou seja, a quantidade e a qualidade das ações implantadas.

Vamos ao exemplo de dois jovens vendedores em uma empresa atacadista que decidem estabelecer suas metas pessoais. O primeiro decide comprar um carro popular de mil cilindradas. O segundo estabelece a meta de comprar uma Mercedes zero-quilômetro. O primeiro vendedor usa a lógica cartesiana tradicional e começa a fazer contas do tipo: poupando 200 reais por mês, precisarei de sessenta meses ou cinco anos para juntar 12 mil reais, e assim poderei dar a entrada no meu carro popular e restarão 18 mil reais, que poderei dividir em 72 prestações mensais de aproximadamente 250 reais. Resumindo: o primeiro vendedor precisará de cinco anos para dar a entrada no seu carro popular e mais seis anos para quitar o automóvel, totalizando 11 anos. Esse vendedor de pensamento lógico e cartesiano estabeleceu apenas uma ação para cumprir sua meta: pagar pequenas e quase infinitas prestações. Já o segundo vendedor teve o seguinte raciocínio: primeiro vou me dedicar e trabalhar de maneira ultrafocada para bater todas as metas e ganhar todos os prêmios das campanhas de vendas. E também vou fazer dois cursos de vendas e gerência de vendas e estudar os manuais dos produtos que vendemos para ter mais conhecimento sobre eles e mais argumentos na hora da venda. Essa primeira etapa levará quatro meses e dobrará meus rendimentos atuais. Com isso, espero ser promovido a coordenador de equipe comercial com uma retirada mensal duas vezes maior que meu salário atual. O segundo passo será entrar em uma faculdade tecnológica e me formar em dois anos. E assim que tiver completado minha graduação entrarei em uma pós-graduação em gestão comercial. Essa etapa levará dois anos e então me candidatarei a gerente comercial da nova unidade da empresa que está sendo construída na cidade vizinha. Nesse momento, já estarei ganhando entre salário fixo e comissão aproximadamente quatro a seis vezes mais do que o valor original. Meu próximo passo será propor à diretoria que eu monte uma equipe de telemarketing terceirizada para atender às pequenas vendas da empresa, aquelas que não compensam mandar vendedor em rota. Afinal, esse é hoje o grande gargalo da empresa. Com isso, poderei montar uma equipe para fazer televendas em quatro estados, e isso poupará muito dinheiro para a empresa em termos de custos de vendas, rota, combustível, automóvel etc. Atendendo à carteira de pequenos clientes, o estimado total de vendas é de 4 milhões de reais por mês. E, se a comissão da minha empresa de telemarketing for de 7%, seu faturamento será de 280 mil reais e terá um lucro líquido de aproximadamente 80 mil reais por mês, conforme os cálculos do consultor do Sebrae que me orientou. Já no quarto mês, depois de fazer os cursos de vendas, estudar os manuais dos produtos e me dispor a pagar o preço de estar superfocado em vender, comprarei meu carro, que dessa vez será um carro popular. Ao ser promovido a coordenador comercial no sexto mês e mais que dobrar meu salário e minhas comissões, poderia comprar um carro melhor, mas não farei isso. Vou guardar e aplicar o dinheiro para montar no futuro a minha empresa de telemarketing. Depois de me formar e cursando uma pós-graduação em gestão comercial, serei promovido a gerente-geral da nova unidade, que está em construção, e novamente dobrarei meu salário. Mais uma vez poderia comprar um carro melhor, mas não farei isso. A última etapa para comprar minha Mercedes será conquistar uma parceria com a empresa em que hoje sou vendedor. Assim me tornarei dono da minha própria empresa e comprarei meu carro dos sonhos.

Quando observamos os dois vendedores, vemos que suas ações são determinadas por suas decisões. Estas, porém, são determinadas pelo tamanho dos seus sonhos. (Vimos a metáfora do pescador e sua frigideira e como é determinante na vida e nas escolhas.) O primeiro vendedor sonhava com um carro popular, já o segundo sonhava com uma Mercedes. O primeiro se contentou em ter apenas um tipo de ação, que se resumia em uma pequena e medíocre poupança, que jamais o desafiaria a ser melhor. Já o segundo, olhando para sua meta ousada e desafiadora, optou por várias ações que o tirariam completamente da zona de conforto.

Qual é seu objetivo? Está certo sobre ele? É isso mesmo? Excelente! Então, agora você precisa andar (agir), e na direção certa (com ações efetivas). Quanto mais depressa eu andar e de maneira mais direcionada ao meu objetivo, mais rápido eu o atingirei. Não importa se meu objetivo é ganhar 1 milhão de reais e eu não tenho nenhum real hoje.

Não importa se você pesa 120 quilos e quer pesar 70: o que importa é se você está indo na direção certa, com os comportamentos certos, e se vai na melhor velocidade possível. Conheço pessoas que começaram a ganhar dinheiro muito tempo depois de outras, e no espaço de três, cinco, seis anos já se tornaram milionárias, enquanto as pessoas que tinham começado dez ou quinze anos antes a sua jornada financeira não conseguiram atingir o mesmo resultado. Muitas pessoas estão falando em sucesso, mas são poucas as que de fato estão agindo.

Em 2014, corri a minha primeira meia maratona do Rio de Janeiro. Depois de completar a prova com prazer e bem-estar físico, eu disse ao meu amigo e treinador: "Edge, não foi difícil como eu pensava que seria. Na verdade foi fácil!". E ele respondeu: "Completar os 21 quilômetros de uma meia maratona é fácil, o difícil é se preparar para ela". Aquilo ficou ecoando na minha cabeça e me deu muita clareza sobre o caminho do sucesso.

O difícil é agir na direção certa, como acordar cedo para os treinos, fazer musculação e alongamento. O difícil mesmo é treinar fazendo os tiros de velocidade e subir as ladeiras correndo. O duro é acordar todos os sábados às 5 horas da manhã e correr em média 15 quilômetros. Na verdade, o difícil é me preparar por meio de ações massivas e consistentes. Pois o sucesso em si é apenas consequência das minhas ações.

> *Na verdade, o difícil é me preparar por meio de ações massivas e consistentes. Pois o sucesso é apenas consequência das minhas ações.*
> (Paulo Vieira)

Se o meu objetivo era fazer 21 quilômetros na maratona, para conquistá-lo eu precisava agir com ações massivas de preparação. Então, corri todas as terças e quintas-feiras e no sábado o treino era dobrado. Entretanto, não era apenas cumprir os dias de treinamento. A questão também é: eu fiz o treinamento adequado? Eu me empenhei? Fui até o meu limite?

Segui a orientação do meu treinador ou coach? Dei o meu melhor? Eu me alimentei de acordo com o que havia sido combinado, seguindo meu cardápio para criar massa magra, musculatura, resistência nas articulações? Completar uma corrida de 21 quilômetros pode ser algo muito fácil ou algo desastroso. Isso depende das suas ações. O fato é que qualquer um pode. Tanto que vi pessoas com 70 e até mais de 80 anos completarem a prova.

A minha pergunta é: você está agindo na direção de seus objetivos e com ações consistentes? Essa é a pergunta essencial para você alcançar seus objetivos.

Reflita sobre estas afirmações:

- Ganhar dinheiro é fácil. O difícil é aprender e fazer o certo para isso.
- Ter sucesso é fácil. O difícil é se preparar para ele.
- Ter um corpo escultural e saudável é fácil. O difícil é abdicar dos prazeres.
- Ter filhos felizes e prósperos é fácil. O difícil é aprender e se dispor a educá-los da maneira certa.

Vou lhe contar um caso que aconteceu comigo. Em 2008, eu estava na cama à noite lendo, e minha esposa estava atualizando nossas planilhas financeiras. E com certa decepção ela disse que naquele ano nós não bateríamos nossa meta de aplicação financeira. E eu lhe perguntei: "Por que não vamos conseguir?". Ela respondeu que o ano estava acabando, já estávamos em setembro e não teríamos tempo suficiente para atingir nossas metas. Naquele momento eu disse em tom de brincadeira, mas também de discordância: "Mulher de pouca fé, o ano nem começou, pois ainda temos setembro, outubro, novembro e dezembro. E nesse período dá para fazer muita coisa e ganhar muito dinheiro! Se dá para fazer coisas grandiosas em um dia, imagine em quatro meses. Nós vamos, sim, bater nossa meta em termos de poupança e aplicação financeira". E, olhando descrente para mim, ela disse: "Está bom, amor".

No dia seguinte, nós ganhamos um carro no sorteio de dia dos pais de um grande shopping center, foi um Honda Accord no valor de 120 mil reais. Logo depois fechamos grandes negócios, abrimos uma nova área da empresa, investimos fortemente no setor de educação a distância com uma tremenda plataforma de ensino a distância e ainda iniciamos um congresso de coaching nos Estados Unidos. E tudo isso aconteceu em quatro meses. Quem está de fora procurando uma historinha para justificar seu insucesso poderia dizer que meu sucesso se deu pelo acaso ou porque sou uma pessoa de sorte. Veja bem, não nos tornamos a maior instituição de coaching da América Latina por sorte. A verdade é que agimos com precisão, eficácia e diligência. Atribuir à sorte o crescimento do CIS® seria como negar que em 2008 eu já tinha mais de cinco mil horas de sessões de coaching. Seria negar que a cada ano a Febracis faz uma verdadeira revolução no contexto de inovações e gestão. Acredito que quanto mais trabalho com dedicação, quanto mais aprendo e mais inovo, mais sorte eu tenho.

Vou contar uma parábola que certamente você já ouviu, mas que se adapta perfeitamente ao tema que abordo aqui. E explica até o porquê da minha sorte.

Porque é assim como um homem que, ausentando-se do seu país, chamou os seus servos e lhes entregou os seus bens. A um deu cinco talentos, a outro deu dois, e a outro um, a cada um segundo a sua capacidade; e seguiu viagem.

O que recebera cinco talentos foi imediatamente negociá-los, e ganhou outros cinco; da mesma sorte, o que recebera dois ganhou outros dois; mas o que recebera um, foi e cavou na terra e escondeu o dinheiro do seu senhor.

Ora, depois de muito tempo o senhor daqueles servos voltou, e prestou contas com eles.

Então, o que recebera cinco talentos apresentou-lhe outros cinco talentos, dizendo: "Senhor, entregaste-me cinco talentos; eis aqui outros cinco que ganhei".

Disse-lhe o seu senhor: "Muito bem, servo bom e fiel; sobre o pouco foste fiel, sobre muito te colocarei; entra no gozo do teu senhor".

Chegando também o que recebera dois talentos; disse: "Senhor, entregaste-me dois talentos; eis aqui outros dois que ganhei".

Disse-lhe o seu senhor: "Muito bem, servo bom e fiel; sobre pouco foste fiel, sobre muito te colocarei; entra no gozo do seu senhor".

Chegando por fim o que recebera um talento, disse: "Senhor, eu te conhecia, que és um homem duro que ceifas onde não semeaste, e recolhes onde não joeiraste; e, atemorizado, fui esconder na terra o teu talento; eis aqui, tens o que é teu".

Ao que lhe respondeu o seu Senhor: "Servo mau e preguiçoso, sabias que ceifo onde não semeei, e recolho onde não joeirei?

"Devias então entregar o meu dinheiro aos banqueiros e, vindo, eu teria recebido com juros.

"Tirai-lhe, pois, o talento e dai ao que tem os dez talentos.

"Porque a todo o que tem, lhe será acrescentado em abundância; mas ao que não tem, até aquilo que tem lhe será tirado.

"E lancei o servo inútil nas trevas exteriores; ali haverá choro e ranger de dentes."

Essa passagem é chamada parábola dos talentos e está na Bíblia no livro de Mateus, no capítulo 25.

E você, o que tem feito com seus dons e talentos? Tem agido e aproveitado? Ou tem ficado estático, inerte e acomodado? E suas ações e seus comportamentos são cheios de dedicação e esforço? Ou você age de qualquer maneira sem se preocupar com a qualidade ou o resultado? Sei que não foi uma coincidência eu e minha esposa termos ganhado o carro no sorteio. Foi apenas Deus recompensando aos seus servos dedicados, responsáveis e diligentes. Ele nos entregou tamanha dádiva, pois sabia que nós não enterraríamos o presente, pelo contrário, nós o usaríamos para produzir ainda mais impacto e mudança na vida de muitas e muitas pessoas.

Não tenha medo de estar acima do peso ou sem dinheiro. Você precisa ter um medo na sua vida: o medo de não estar agindo na direção certa e na maior velocidade possível. "Paulo, eu posso emagrecer?" Pode. "E quanto eu posso emagrecer?" Não sei, você pode se alimentar bem, mas não na intensidade necessária. Você pode perder 35 quilos ou 350 gramas. Você pode perder 50 gramas por dia e pode também perder 200 gramas por dia, e com saúde.

Amigo, pague o preço, aja na direção certa e vá na maior velocidade possível: casamento, filhos, trabalho, dinheiro... Nós estamos falando de ação. Só tem poder quem age. Se você está obeso, então planeje e calcule como vai fazer para perder 150 gramas por dia, quanto vai perder em um mês, quanto você vai perder em seis meses. E quando acabar o planejamento simplesmente aja.

"Paulo, mas eu não sei como!" Então saia da zona de conforto, pague o preço, vá buscar um ótimo nutricionista, compre os melhores livros de nutrição e de emagrecimento, e em três ou seis meses você terá o corpo dos seus sonhos, a saúde dos seus sonhos. "Paulo, eu queria tanto ter 1 milhão de reais..." Pague o preço, vá atrás de orientação, dos melhores cursos sobre finanças e reprogramação de crenças financeiras, e esse material vai ensiná-lo a andar na melhor velocidade possível e na direção certa.

Depois de tudo o que falei, não acredite que é só agir para ter sucesso. Por mais de 13 anos eu agi consistentemente, porém sem sabedoria e sem conhecimento. Durante 13 anos da minha vida tive muito poucos fins de semana e muito pouco descanso. Trabalhei desesperadamente de 12 a 14 horas por dia e não conquistei absolutamente nada além de uma manutenção precária da minha vida. Eu me desgastei e até adoeci pela combinação de trabalho intenso e falta de descanso. Então, não acredite que sucesso é só acordar cedo e trabalhar duro. Tenho visto muitas pessoas enganadas por essa meia verdade. É necessário trabalhar com dedicação e empenho, porém, se as ações não forem sábias e efetivas, você se mexerá muito e não sairá do lugar.

Onde estão as informações e os saberes para levar você a cada ação e ao comportamento para guiá-lo na direção certa? Busque essas informações! Por que agir certo aqui e depois agir errado ali? Por que não acertar muito mais do que você tem errado? Se você precisa de conhecimento, pague o preço pelo conhecimento. Vá atrás desse conhecimento, e ele fará você andar na direção certa. Busque atitude emocional para que você não só siga na direção certa, mas também ande depressa, com a atitude certa, sem perder tempo, focado, sem dispersão e distração. Posso garantir: vale a pena.

Uma vez que tem poder quem age e mais poder quem age certo, pense nas cinco primeiras ações que mudarão drasticamente sua vida para melhor e escreva-as nas linhas a seguir.

1ª ____

2ª ____

3ª ____

4ª ____

5ª ____

Para que suas ações sejam acertadas, contextualizadas, direcionadas, complementares e sequenciais, peço que as tome seguindo o padrão de um plano de ação convencional usado por muitas empresas chamado plano de ação modelo 5W 2H.

- O que agir/fazer (*What*)
- Por que agir/fazer (*Why*)
- Onde agir/fazer (*Where*)
- Quando agir/fazer (*When*)
- Quem agirá/fará (*Who*)
- Como agirá/fará (*How*)
- Quanto custará (*How much*)

Neste endereço eletrônico você poderá baixar essa ferramenta com mais explicações: <www.febracis.com.br/opoderdaacao>.

CAPÍTULO III
AUTORRESPONSABILIZE-SE

Você é o único responsável pela vida que tem levado. Você está onde se colocou. A vida que você tem levado é absolutamente mérito seu, seja pelas suas ações conscientes ou inconscientes, pela qualidade de seus pensamentos, seus comportamentos e suas palavras. Por mais doloroso que seja, foi você que levou a sua vida ao ponto em que está hoje. Sendo assim, só você poderá mudar essa circunstância.
(Paulo Vieira)

A afirmação acima pode parecer muito dura, pode parecer até uma acusação. Entretanto, peço que entenda essa afirmação não como uma acusação, e sim como uma realidade libertadora. A crença de que foi você que se colocou, ou pelo menos se permitiu estar, onde está é muito salutar. Afinal, se foi você que se colocou na situação de vida que está hoje, por pior que ela seja ou esteja, foi você o timoneiro de sua vida, foi o responsável, foi o condutor do seu caminho até aqui. E como condutor, como timoneiro da sua vida, você obteve resultados, e não necessariamente fracassos.

Dentro dessa perspectiva, se você não está satisfeito com os resultados que tem obtido, basta reconhecer o que está errado, reconhecer que suas escolhas e seus caminhos não têm sido satisfatórios, e então redirecioná-los de forma autorresponsável, objetiva e consciente.

Fique certo de que os acontecimentos de sua vida não são coincidências, não são fatalidades do destino e que você não é vítima de ninguém nem das circunstâncias.

Autorresponsabilidade é a capacidade racional e emocional de trazer para si toda a responsabilidade por tudo o que acontece em sua vida, por mais inexplicável que seja, por mais que pareça estar fora do seu controle e das suas mãos.

Quantas vezes você viu alguém em uma situação negativa e debilitada de vida e perguntou a essa pessoa: "Como estão as coisas?". E ela respondeu: "Estão como Deus quer". Se você estiver alerta, perceberá que sutilmente ela está tirando de si a responsabilidade pelos seus resultados negativos e culpando e responsabilizando a Deus. Será que Deus anda trabalhando contra as pessoas? Certamente não.

Como diz a Bíblia, porém, "de Deus não se zomba; o que tens semeado, isto será o que colherás" (Gálatas 6:7). Essas pessoas não percebem que seus **comportamentos, pensamentos** e **sentimentos** estão criando a vida delas, e normalmente buscam explicações externas para explicar suas desventuras e seus azares. Por isso, responsabilize-se pelas suas atitudes, porque elas trarão consequências. Responsabilize-se pelas suas escolhas, pois elas determinarão seus caminhos, e estes determinarão seu destino. Responsabilize-se pelos seus pensamentos e sentimentos, pois bons sentimentos e bons pensamentos estruturam nossas crenças e realizações.

> *Autorresponsabilidade é a crença de que você é o único responsável pela vida que tem levado; sendo assim, é o único que pode mudá-la.*
> (Paulo Vieira)

EXERCÍCIO 1

Reescreva, com as próprias palavras e trazendo-as para a primeira pessoa, as duas definições de autorresponsabilidade que aparecem em destaque neste capítulo.

Exemplo: Eu sou autorresponsável; logo, sou o único...

Nova Definição 1:

___

___

___

Nova Definição 2:

___

___

___

Pensando dessa maneira, sendo e se comportando como o autor de sua história, você poderá se colocar em qualquer outro lugar, poderá escrever e reescrever seus caminhos e suas escolhas. A autorresponsabilidade retrata o fato de que você tem se colocado onde quer que esteja, de forma consciente ou inconsciente.

A atitude de autorresponsabilidade o empodera e o capacita a mudar o que deve ser mudado para continuar a avançar na direção de seus objetivos conscientes e de um equilíbrio de vida. É importante você saber que todas as nossas mudanças intencionais e as conquistas planejadas se iniciam após assimilar e passar a viver de acordo com o conceito da autorresponsabilidade.

Como tudo na vida, acreditar ou não em qualquer coisa é uma questão de escolha. Acreditar que você é o único responsável pela vida que tem levado e que você constrói as circunstâncias e os acontecimentos de sua vida também é uma questão de escolha. Da mesma forma, também é uma escolha acreditar que as coisas vão acontecendo de maneira completamente aleatória e imprevisível, que somos vítimas ou prisioneiros dos nossos destinos e que vamos apenas reagindo ao mundo e aos acontecimentos.

Eu, particularmente, prefiro acreditar que criamos nossas experiências por palavras, comportamentos e/ou pensamentos, e que tudo o que comunicamos, pensamos e sentimos gera resultados e objetivos palpáveis na nossa vida.

Pessoas de sucesso sabem utilizar não apenas sua estrutura mental para colher resultados como também sua linguagem corporal, como defende a psicóloga e pesquisadora de Harvard Amy Cuddy.

Quando os resultados são ruins, essas pessoas aprendem com eles e responsavelmente optam por uma estrutura mental correta: passam a falar e a pensar de modo diferente e a se comportar também de forma diferente.

Após uma derrota, pessoas de grandes conquistas não culpam as circunstâncias, as outras pessoas ou o destino. Elas assumem a responsabilidade pelos resultados e se perguntam: o que eu devo fazer de modo diferente para que da próxima vez os resultados sejam melhores? Uma das áreas de atuação da nossa empresa é a de recolocação profissional, e é incrível ver como, entre as pessoas que buscam se recolocar no mercado de trabalho, a maioria absoluta tira de si toda a responsabilidade pelo seu desemprego. As desculpas travestidas de explicações são sempre as mesmas:

- "Houve um corte na empresa e eu tive o azar de fazer parte dele, você sabe como é, eu tinha apenas seis meses de empresa."
- "O meu superior se sentiu ameaçado pelo meu desempenho e me perseguiu."
- "A crise está grande e houve redução do quadro, você sabe..."
- "Eles me prometeram uma coisa e quando cheguei lá era tudo diferente, aí fiquei desmotivado... Na verdade fui demitido, mas já queria mesmo pedir demissão."

Poucos são os que reconhecem seus erros, demonstrando maturidade e possibilidade de aprendizado. Essas pessoas se comportam assim:

- "Não trabalhei bem, não dei o meu melhor e fui demitido. Contudo, hoje, reconheço onde errei, afirmo que não vou mais cometer essa falha, e por isso quero muito essa oportunidade para..."
- "Não tive humildade suficiente para receber ordens do meu superior, e o relacionamento entre nós foi se deteriorando até que fui

desligado. O aprendizado, porém, foi grande e estou pronto para recomeçar da maneira correta."

- "Houve um corte por causa da crise e, por não estar batendo minhas metas, eu fui demitido. A partir de agora, estou disposto a fazer tudo de modo diferente, alcançar minhas metas e ser motivo de orgulho para as pessoas que me amam."
- "Quando entrei nessa empresa, eu estava buscando um emprego com hora de entrar e sair e em que não precisasse de muito empenho. Quando cheguei lá, porém, era uma loucura, um trabalho intenso, para onde eu olhava existiam metas e resultados. Eu não quis entrar nesse barco, minhas prioridades eram outras e meu ritmo também não era aquele, então fui demitido e estou buscando agora algo mais parecido com meus objetivos."

O fato é que, enquanto as pessoas não reconhecerem que foram demitidas por suas falhas, em algum momento elas estarão repetindo os mesmos acontecimentos na vida delas, e com o tempo estarão se perguntando se fizeram algo contra elas, se é um carma ou se é Deus que não as ama.

A incapacidade de viver de forma autorresponsável nos faz reviver as mesmas circunstâncias de dor ao longo da vida.
(Paulo Vieira)

Se você não acredita que tem livre-arbítrio para criar e escrever sua história presente e futura de vida, se você não acredita que está criando o seu mundo a cada pensamento e a cada decisão que toma, se você ainda acha que seus sucessos e fracassos independem de você, isso tudo demonstra que você está à deriva no mar das circunstâncias e vivendo perigosamente à mercê dos outros e do mundo. Para você, que acredita que a vida é uma sucessão de acasos, resta a pergunta: quem está direcionando a sua vida? Quem é o responsável pelos frutos que você tem colhido? Certamente alguém está no controle. E, se é Deus que está no controle de sua vida, lembre-se de que desde o Éden Ele deu o livre-arbítrio ao ser humano.

Você é do tipo de pessoa com quem as circunstâncias e os fatos vão simplesmente acontecendo e você vai vivendo, não como o protagonista, e sim como um coadjuvante, uma marionete que depois, sem pedirem licença, é convidada a rir ou a chorar?

Os compositores Bernardo Vilhena e Lobão criaram uma música que dizia mais ou menos assim: "Vida louca vida/vida breve/ Já que eu não posso te levar/Quero que você me leve...". A pergunta é: levar para onde? Para uma vida bandida, como diz o compositor mais à frente, ou para a felicidade?

> *Ser autorresponsável é ter a certeza absoluta, a crença de que você é o único responsável pela vida que tem levado. Consequentemente, é o único que pode mudá-la e direcioná-la.*
> (Paulo Vieira)

Pensar dessa maneira é uma das melhores formas de avaliar e desenvolver seu nível de maturidade emocional e, como consequência, aumentar exponencialmente sua capacidade de realização. É a certeza de possuir uma crença que valida todas as outras crenças fortalecedoras que você possui. É a garantia de ser uma pessoa não apenas de ideias, mas também de ação, uma pessoa realizadora – enfim, uma pessoa capaz de construir uma vida feliz e plena.

O psicólogo e pesquisador Daniel Goleman, no livro *O poder da inteligência emocional*, afirma, com os outros dois autores do livro, Richard Boyatzis e Annie McKee, que 2% das pessoas são as que de fato produzem mudanças, 13% veem as mudanças acontecer e às vezes até apoiam e auxiliam as outras 2%. E 85% da massa mundial não percebe o que está acontecendo e simplesmente vai seguindo o grande rebanho na direção que lhe é impingida.

Esses percentuais não se referem a classe social, cultural ou econômica, pois existem pessoas muito ricas, assim como pessoas muito pobres, fazendo parte dos 85%. Também encontramos pessoas que vêm da base da pirâmide social fazendo parte desses 2%, e é formidável vê-las mudando o mundo com suas ideias, seu trabalho e sua visão.

A minha pergunta é: onde você tem colocado a sua vida? Assinale abaixo onde você se encontra.

Eu faço parte dos: 2% ( ) 13% ( ) 85% ( )

Se você faz parte desses 2% que produzem mudanças, você é um grande líder, tem pessoas ao seu redor que o seguem, suas palavras e ações fazem diferença na vida de inúmeras pessoas. Você é reconhecido e admirado por aqueles que o rodeiam. Se faz parte desses 13% que percebem e até apoiam as mudanças, você tem um líder ou segue uma ideia de valor e a repassa. De alguma maneira, mesmo sem muito empenho, sem se expor, você contribui para um mundo melhor.

As pessoas que fazem parte dos 85% são manipuladas e conduzidas pelo sistema. Vivem o prazer imediato, possuem uma visão de mundo estreita e curta. Seu horizonte de visão futura não passa da farra da sexta-feira e do sábado.

Essas pessoas não enxergam as mudanças que estão acontecendo ao seu redor porque na verdade também não se reconhecem, não sabem ao certo quem são, muito menos quão grande é o valor que sua essência divina possui.

EXERCÍCIO 2

Escreva nas linhas a seguir uma visão extraordinária da sua vida. Escreva sobre a vida que você sempre sonhou. Sem limites para sonhar. Defina o que você gostaria de **ser, fazer** e **ter.** Descreva seus sonhos mais fantásticos, sem crítica ou julgamento do que é possível ou impossível. Apenas relate a sua visão de sua vida extraordinária.

____

____

____

____

____

____

Agora, compare a visão de vida extraordinária que você acabou de descrever com a vida que você tem levado, aquela que você escreveu no capítulo anterior.

Esteja certo de que as circunstâncias são criadas por você e, dessa forma, só você pode mudá-las. Entretanto, para mudar as circunstâncias, antes será necessária forte decisão de romper com o passado, como também a persistência e a perseverança para manter a mesma visão e o comportamento de vitória independentemente das condições externas.

Foi isso o que fez Nelson Mandela, que passou 27 anos na prisão, muitos deles na solitária. Enquanto vários de seus colegas de cela se lamentavam, colocavam-se como vítimas do *apartheid* e dos colonizadores brancos, Nelson Mandela se colocava como autor de sua história. Ele responsabilizava a minoria branca pelo fato de estar preso; entretanto, ele se considerava o único responsável pelos seus sentimentos, seus pensamentos e suas atitudes na prisão, e também pelo que faria quando saísse de lá.

Enquanto ele via seus amigos de cela e prisão sucumbirem, ele estava se preparando para ser o primeiro presidente negro da África do Sul. Estudou Administração Pública, aprofundou-se em Direito Internacional e Direito Penal e em muitas outras matérias importantes para o seu futuro, e tudo isso aconteceu enquanto estava encarcerado.

Quando seus colegas e até os guardas o viam com tanto bom humor e tanta felicidade, alguns diziam: "Mandela, acorda, você está na prisão, e daqui você só sai para o seu funeral". Outros, querendo entender tanta determinação e felicidade, questionavam: "Como você faz para estar sempre tão bem?". Ao que ele respondia: "Meu corpo eles podem ter prendido, mas a minha mente (pensamentos e sentimentos) sou eu que controlo". E ele continuava:

> *Posso responsabilizá-los pelas suas atitudes, porém eu sou o único responsável pelos meus sentimentos.*
> (Nelson Mandela)

Que tal você trazer para a sua vida esse poderoso conceito presente na vida das pessoas de grandes realizações?

Quando os acontecimentos não geram os resultados que esperamos, quando nossa vida não está como gostaríamos, temos basicamente duas opções: a primeira é assumir a responsabilidade pelos resultados, aprender com eles e mudar. A outra é achar um culpado e, de uma forma ou de outra, sempre se eximir da autorresponsabilidade, colocar nos outros e/ou nas circunstâncias a responsabilidade pelo que acontece na própria vida.

Tenho treinado, acompanhado e feito coaching com centenas de executivos e gestores. Percebo cada vez mais a diferença entre os prósperos e os limitados; os fazedores de dinheiro e os batedores de ponto. Os limitados normalmente pensam muito, refletem, sobretudo no que pode não dar certo, e dessa maneira se tornam peritos em justificar suas falhas e explicar por que as coisas não deram certo como eles haviam calculado.

Em geral, são pessoas de grandes ideias, porém de pouca realização. Esse tipo de profissional costuma ajudar seus colegas, dar ideias e mostrar onde eles estão errando e o que precisam fazer para ter êxito. E, por incrível que pareça, eles costumam estar certos, suas ideias são boas e suas análises são coerentes – no entanto, são apenas ideias. E o mais crítico: suas ideias geralmente só servem para os outros. Para eles, resta a justificativa e a explicação do porquê de suas ações e seus planos, e até de seu imobilismo, não produzirem resultados valorosos.

> *Uma grande ideia oriunda de profunda reflexão sem uma ação para colocá-la em prática é o mesmo que frustração.*
> (Paulo Vieira)

Por outro lado, as pessoas que realizam geram boas ideias. Talvez não sejam as melhores ideias, talvez nem sejam suas, mas são capazes de pô-las em prática, de fazer acontecer. E, se não obtiverem os resultados esperados, não reclamam, muito menos se justificam. Pessoas de sucesso simplesmente assumem que estão onde se puseram e, com humildade e sabedoria, buscam aprender com seus erros, para que da próxima vez possam obter resultados melhores.

Lembre-se de que as pessoas de sucesso não costumam desistir dos seus sonhos: elas aprendem com seus erros e perseveram, persistem focadas em seus objetivos, mas da próxima vez fazendo diferente, comportando-se de modo diferente, agindo, pensando e sentindo de maneira diferente.

Estudos da cientista Jill Bolte Taylor, autora do livro *A cientista que curou seu próprio cérebro*, mostram que o hemisfério esquerdo é o lado do cérebro responsável pela lógica, pela memória, pela sistematização e reflexão. É aí que reside toda a nossa capacidade de elaborar ideias, e também é aí que residem nossas habilidades de planejar, criar e compreender. É onde está o tão falado Quociente de Inteligência (QI). O hemisfério esquerdo é o lado matemático, classificador, exato, linear, analítico, estrategista, prático e realista, além de ser o responsável pela linguagem. Já o lado direito do cérebro é o responsável pelas emoções, pelos sentimentos, pelos pensamentos involuntários, pela inconsciência, pela intuição e pelas crenças. É o lado responsável pela nossa capacidade de realização. É onde reside o atualmente famoso Quociente Emocional ou Inteligência Emocional (QE), assunto tão abordado hoje em dia pelo famoso psicólogo, Ph.D. de Harvard, Daniel Goleman e muitos outros cientistas e pesquisadores pelo mundo. O hemisfério direito é o lado criativo, que desenvolve a arte e a poesia. É o lado que sente paixão, saudade, tristeza, além de ser o responsável pela imaginação.

Próspero e vitorioso é o ser humano que consegue integrar essas duas áreas do cérebro, ter grandes ideias e conseguir agir para colocá-las em prática. Entretanto, se eu tivesse de escolher entre ter grandes ideias e reflexões ou ser realizador, eu elegeria o hemisfério direito e a capacidade de realização, mesmo que fosse um realizador de ideias medíocres.

É muito melhor realizar ideias medíocres do que ter grandes e espetaculares ideias e não pô-las em prática. Tenho visto pessoas prosperar muito colocando ideias velhas e batidas em prática, ou mesmo colocando em prática ideias abandonadas pelos seus criadores.

Certa vez, ministrei uma palestra sobre excelência pedagógica através do CIS® para duzentos professores de uma organização educacional de nível superior, quando uma professora de Administração, aparentemente muito capacitada do ponto de vista intelectual, discordou com firmeza de ser responsável por tudo que vinha vivendo e fundamentalmente discordou do conceito da autorresponsabilidade.

Ela protestou e disse: "A vida do ser humano é determinada pelo seu conhecimento e a reflexão que se faz sobre esse conhecimento". Em seguida, ela começou a falar de Karl Marx e de vários teóricos do socialismo e do capitalismo, sobre Einstein, Newton, Rousseau e outros pensadores. E falou efusivamente que somos o que sabemos e a reflexão que fazemos sobre esses conhecimentos.

De certo modo, ela estava certa, ou melhor, ela estava 50% certa. Realmente, a reflexão é muito importante. Como já disse, porém, sem a capacidade de executar e realizar meus planos e minhas ideias, só me restará a frustração.

Num contexto macro, são de vital importância esses pensadores e suas teorias; no entanto, num contexto pessoal e prático, nenhuma teoria vale absolutamente nada se ficarmos atados e imobilizados por reflexões e pensamentos, em especial se essas teorias intelectuais reforçam que somos meros espectadores e que não podemos mudar ou reescrever nossa história. Depois de ela ter se pronunciado com tanta fúria, sentindo-se acusada, apresentei a todos o que Albert Einstein pensava sobre o assunto:

> *Penso 99 vezes e nada descubro; deixo de pensar, mergulho no silêncio, e a verdade me é revelada (...). Precisamos tomar cuidado para não fazer de nosso intelecto o nosso Deus. Ele tem músculos poderosos, mas não tem nenhuma personalidade (...). Realidade é meramente uma ilusão, embora bastante persistente (...). A imaginação é mais importante do que o conhecimento (...). Uma pessoa só começa a viver quando consegue viver fora de si mesma.*
> (Albert Einstein)

Após deparar-se com essas ideias de Einstein, a professora que havia me contestado pensou, fez uma série de diálogos internos e ansiosamente pediu que eu continuasse. Depois ela me confidenciou: "Talvez a solução dos meus problemas existenciais esteja por aí...".

Quando essa professora falou de sua discordância, outra tentou puxar aplausos junto aos outros participantes, indo contra o conceito de autorresponsabilidade. Importante dizer que essa outra professora que também não concordava com o conceito chegou ao auditório com uma postura totalmente reativa, não participou de nenhuma dinâmica, sua postura e sua fisiologia corporal demonstravam total rejeição à instituição em que trabalhava e ao momento.

Para essas duas professoras, a vida delas certamente não estava sob seu controle. As coisas não estavam como desejavam e provavelmente continuarão assim até que elas se tornem capazes de se responsabilizar por sua vida e seu destino, até elas pararem de achar culpados por seus insucessos e suas frustrações, até elas pararem de se sentir vítimas da situação. Para prosperar, precisarão parar de odiar o mundo, como se ele fosse o algoz da vida delas; precisarão parar de se tratar como vítimas e eliminar a atitude de autocomiseração.

Como criador do CIS® e palestrante internacional, tenho passado por todo tipo de empresa e conhecido muitos estilos de profissionais. Os autorresponsáveis são otimistas e motivados, independentemente das circunstâncias. Mesmo que não estejam sendo remunerados a contento, eles dão seu melhor; mesmo que não sejam tão valorizados, continuam sendo produtivos e alegres.

Quando as circunstâncias se tornam adversas e não interessantes, eles optam por não reclamar, não criticar, muito menos culpar a empresa ou os dirigentes por se sentirem como se sentem. Eles buscam em si a solução e, se não a encontram, eles simplesmente vão em busca de seus objetivos e de maneira ética pedem licença para fazer seu caminho e criar responsavelmente sua história – e, com certeza, uma história de sucesso.

CASOS DA VIDA REAL

Relato um depoimento que ilustra exatamente essa atitude de autorresponsabilidade: Carlos é hoje gerente de loja de um dos maiores varejistas de calçados do Brasil. A história que ele relatou foi a seguinte.

"Eu era gerente de uma das lojas de moda masculina de um grupo local. E tudo ia muito bem, até o dia em que o supervisor das lojas pediu demissão e foi substituído por outra pessoa da empresa. Logo ao entrar, o supervisor novato anunciou que os gerentes que eram amigos do antigo supervisor seriam todos substituídos. E assim foi: aos poucos ele foi trocando os amigos do ex-supervisor, até que chegou a minha vez". Após muita perseguição, Carlos foi demitido.

As pessoas ao redor ficavam espantadas com sua atitude. Não havia nele raiva, muito menos sentimento de revanche. "Se esta empresa não reconhece todo o meu trabalho e meus resultados, é porque aqui não é o meu lugar, é porque existe um lugar melhor para mim", dizia ele. E não seria buscando culpados e criticando o novo supervisor que ele continuaria crescendo. O que para muitos significaria um problema para ele foi uma oportunidade.

Assim, menos de um mês depois de ser demitido, o supervisor de um grande grupo calçadista, sabendo da história de Carlos e de sua postura madura e impecável, contratou-o para gerenciar uma de suas lojas. "Faz dez anos que isso aconteceu, faz dez anos que trabalho neste grupo, faz dez anos que sou muito mais feliz pessoal e profissionalmente. Minha primeira loja aqui tinha 12 vendedores, a atual tem 90 pessoas. Nunca parei de crescer. Hoje sou valorizado de verdade", concluiu Carlos. Certamente foi sua atitude de autorresponsabilidade que lhe possibilitou essa conquista.

Costumo dizer que tem poder quem age. Os autorresponsáveis são assim: eles agem, não se imobilizam pensando nas injustiças ou nos fracassos. Eles sabem que, consciente ou inconscientemente, criaram essas situações, seja por comportamento, por pensamento, por ação, seja por omissão. Por isso, eles se reconhecem como os capitães da vida deles, reconhecem quando a rota por eles escolhida não gerou bons resultados, e só lhes resta optar por uma nova rota e um novo caminho a seguir. Eles agem de forma ativa e vivem em primeira pessoa. São eternos aprendizes.

Tenho visto muitos vendedores que reclamam de suas empresas, dos preços não competitivos de seus produtos e serviços, da má qualidade do que vendem, criticando superiores e chefes. Entretanto, tenho visto outros, dentro das mesmas empresas e das mesmas equipes, que vendem os mesmos produtos e geram grandes resultados com as mesmas condições, as mesmas circunstâncias e os mesmos recursos, porém com uma grande diferença: a atitude e a crença de que eles próprios são os únicos responsáveis pela vida que têm levado – assim, são os únicos capazes de mudar a vida deles.

Um gerente me relatou: "Para que eu fosse um grande gerente, minha equipe deveria ser mais proativa e comprometida. Eles preencheriam seus relatórios e resumos de desempenho sem precisar de cobrança. O marketing da empresa seria mais agressivo e, principalmente, meu diretor seria mais compreensivo e menos exigente". Depois do seminário de inteligência emocional e de algumas sessões de coaching, seu discurso mudou, e com ele todo o seu comportamento e sua atitude.

Ele passou a falar e agir assim: "Sei que tenho sido relapso e omisso. A maior parte de minha equipe é muito boa, mas precisa de mais acompanhamento e cobrança. Uma pequena parte da equipe, porém, não tem atitude nem potencial para estar na empresa e eu deveria ter tido a coragem moral de substituí-la".

"De qualquer maneira, todos precisam da minha experiência e de treinamento. E, na verdade, meu diretor já me deu várias chances e ainda não fui capaz de aproveitá-las. Desta vez não vou tentar, muito menos fazer o meu melhor, simplesmente vou agir, vou fazer o que deveria ter feito há muito tempo. Vou assumir a responsabilidade pelos resultados da minha equipe e, se não obtivermos os resultados esperados, sei que fui o responsável."

"Estou em um momento em que continuar justificando e explicando os insucessos não me ajudará nem neste emprego nem em nenhum outro. Agora é minha vez! Minha carreira e minha vida só dependem de mim. Estou indo, é chegada a minha hora!"

Em um mês, esse gerente provou que seu discurso era verdadeiro: com mudanças em suas atitudes e em seus comportamentos, toda a equipe mudou de forma inimaginável. Ele próprio se surpreendeu, pois não acreditava que suas mudanças tivessem tanto poder, que gerassem mudanças tão fortes e profundas na equipe em relação às vendas, aos procedimentos e ao clima organizacional.

Em outro caso, um vendedor de uma concessionária, em um momento de desabafo, relatou-me: "Tudo nesta empresa é difícil: o salão de vendas é antiquado e muito apertado, a marca que nós vendemos está em declínio, nossa assistência técnica é a pior do mundo, ela só faz piorar a situação. Como é que se pode vender desse jeito? O problema não sou eu, o problema são os outros, que não me deixam fazer meu trabalho direito".

Ele continuou: "Paulo Vieira, quem precisa de treinamento e consultoria não sou eu nem a equipe de vendas, e sim os diretores. Se eu pudesse mudar a empresa, se eu fosse o gerente ou o dono daqui, aí sim, tudo seria diferente. Mas, como Deus não dá asa à cobra, sabe como é que é... Então, vou levando como Ele quer".

Para mim, estava tudo muito claro: era um caso típico de um vendedor sem autorresponsabilidade, um vendedor que se sentia injustiçado, vitimado pelo mundo, pelas circunstâncias e pela empresa. Todo o seu fracasso era provocado pelos outros, e ele "infelizmente" não tinha meios de mudar a sua "pobre existência".

Depois de tanta lamúria e autocomiseração, já não aguentando mais, perguntei: "Há quanto tempo você está na empresa?". "Há oito anos", ele respondeu. "Quer dizer que você já fez muitos treinamentos e conhece tudo sobre esses automóveis e essa marca?" Ao que ele respondeu: "Duvido que alguém aqui entenda mais dessa marca e de vendas do que eu", afirmou ele de forma categórica.

"Então, por favor, me responda: por que os novatos, jovens com pouca experiência em veículos e em vendas de carros, estão vendendo mais do que você?" Com toda a prontidão, como se já estivesse esperando pela pergunta, ele respondeu em um tom agressivo e vitimizado: "Se eles estivessem aqui desde o começo, estariam também como eu, desmotivados e cansados de remar contra a maré".

Escondendo minha impaciência por tanta autocomiseração, continuei o processo de coaching: "E por que você continua nesta empresa há tanto tempo se não concorda com as políticas internas, estratégias e estrutura física? O que o impede de ir buscar algo melhor, mais compatível com seu potencial e seu estilo, se você é tão bom? Por que você não foi em busca de uma empresa que saiba reconhecer seu valor e sua experiência?".

Ele permaneceu calado por algum tempo, sem responder a nenhuma dessas perguntas, olhou para cima em busca de uma resposta convincente, depois ficou com o olhar perdido no horizonte, quando, enfim, olhou para baixo. Sua fisiologia corporal se tornou mais humilde, e seus olhos se encheram de lágrimas.

Então falou: "Na verdade, tudo está diferente. Antigamente havia muito mais clientes, não havia tantas marcas competindo conosco, era só Ford, Fiat, Chevrolet e Volkswagen. Agora, é uma loucura: Toyota, Renault, Peugeot, Honda, Mitsubishi, Nissan, são mais de 30, muitas delas com fábricas aqui no Brasil, fora todas as outras que são importadas".

Com ar de nostalgia, ele continuou: "Na época em que o fundador era quem tocava a empresa, não existia tanta cobrança, a gente tinha mais liberdade. A verdade mesmo é que era muito mais fácil vender um carro. Eram os clientes que compravam, ao vendedor bastava estar atento e tirar o pedido. A cada dia que passa está mais difícil, os clientes são cada vez mais exigentes, é necessário um esforço muito maior".

"E, para piorar, vêm vocês da consultoria com essa história de pré-venda, pós-venda, prospecção, resumos de desempenho, quadros de metas, estão até cobrando adicional de vendas. São muitas mudanças. E eu... não sei se sou capaz..."

Nessa hora ele parou, refletiu um pouco mais e continuou: "Acho que estou meio acomodado, talvez até viciado no passado. Não sou mais nenhuma criança, não sei se sou capaz de me adequar a tantas mudanças". Visivelmente emocionado, pela primeira vez ele se permitiu refletir sinceramente sobre sua vida profissional e seu futuro. Permitiu-se pensar sobre seus defeitos e suas falhas, sobre o que vinha fazendo e o que deveria fazer.

Diante de suas colocações, falei: "O início de sua virada já começou a acontecer, pois você foi capaz de olhar para dentro de si e usar a autoconsciência, enxergar o que está bom e o que está ruim, o que deve ser mantido e o que pode ser mudado. Parabéns! Sua vida começou a mudar neste instante". E, para dar mais ênfase à sua possibilidade de mudança, apresentei a ele dois pressupostos utilizados no CIS®:

Pressuposto 1: Todos temos os recursos de que necessitamos para prosperar e ser felizes.
Pressuposto 2: Se alguém pôde, você também pode.

Seu semblante começou a melhorar, sua cabeça se ergueu, seus ombros se projetaram para trás e um sorriso surgiu. Então, ele perguntou: "Você acha mesmo que posso vir a ser um dos melhores vendedores da empresa?".

"Certamente. Se pessoas sem experiência podem, imagine você, com toda a sua bagagem e vivência. Mas, para que seu sucesso ocorra, depende apenas de uma coisa: que você continue e persista nessa postura de autorresponsabilidade, reconhecendo que o que você está vivendo é o resultado de como você tem pensado, falado, se comportado, trabalhado e encarado a vida."

"Mude a si mesmo, e todo o mundo mudará ao seu redor", continuei. Mude a você mesmo e experimentará uma nova vida. E essa é uma decisão que só cabe a você. É importante, porém, você saber que os frutos das suas mudanças virão no momento apropriado. É fundamental você persistir na autorresponsabilidade e não desistir no meio do caminho."

Dei de presente a esse vendedor o meu livro *Eu, líder eficaz* e em pouquíssimo tempo pude apreciar e me deleitar com uma nova pessoa que surgiu, um novo profissional, um cabedal de mudanças capazes de redirecionar toda a sua vida: familiar, conjugal, social, até melhorar sua saúde e sua aparência física.

Em conversas posteriores, ele me relatou que a ferramenta que ele mais usou foi o conjunto das seis leis para a conquista da autorresponsabilidade.

As seis leis para a conquista da autorresponsabilidade:
1) Se for criticar as pessoas... cale-se.
2) Se for reclamar das circunstâncias... dê sugestão.
3) Se for buscar culpados... busque a solução.
4) Se for se fazer de vítima... faça-se de vencedor.
5) Se for justificar seus erros... aprenda com eles.
6) Se for julgar alguém... julgue a atitude dessa pessoa.

Essas seis práticas, transformadas em hábitos diários, trarão tantas mudanças que as pessoas ao seu lado e você mesmo perceberão que uma nova pessoa está surgindo e que novas oportunidades e possibilidades estão batendo à sua porta. Elas perceberão que coisas muito boas estão acontecendo sem explicação, e então você perceberá que a mágica da autorresponsabilidade chegou até você. E verá que a autorresponsabilidade, quando incorporada à forma de viver de alguém, produz verdadeiras maravilhas.

Vamos entender melhor cada uma das leis da autorresponsabilidade.

LEI 1: NÃO CRITICAR AS PESSOAS

Na língua portuguesa, criticar significa: examinar com critério, notando a perfeição ou os defeitos. Significa também: dizer mal ou censurar algo ou alguém.

Por favor, não venha me dizer que as suas críticas são construtivas e que o objetivo real é ajudar o outro. Nunca vi em toda a minha vida alguém que criticava o outro pensando realmente em ajudar. Como você se sente quando alguém olha para você e, com um tom de quem sabe mais do que você sobre o assunto, diz: "Olha, vou fazer uma crítica construtiva, mas é para o seu bem!". Basta que estas duas palavras – crítica construtiva – sejam pronunciadas para que o semblante caia, o olhar baixe e a pessoa se prepare para a "bordoada" que está por vir.

Se o foco e a intenção fossem de fato positivos, a pessoa não faria uma crítica. Ela se calaria ou daria uma ideia, diria algo cujo foco fosse o acerto, e não o erro; algo que colocasse o ouvinte para cima, e não para baixo. Se você é daqueles que adoram criticar e analisar tudo, e continua achando a crítica um mal necessário, experimente, em vez de fazer a crítica, dar uma sugestão ou ideia. Você verá que os resultados obtidos serão muito maiores, e as pessoas farão questão de sua companhia e da sua orientação, algo que não acontece com os que gostam de criticar.

Lembre-se: é muito fácil criticar, é muito cômodo falar do cisco nos olhos dos outros, porém isso nos impede de ver a trave nos nossos olhos. Quando paramos de criticar, nosso foco passa a ser a solução, e não o problema. Nossa mente subconsciente passa a se responsabilizar pelos acontecimentos e, de forma mágica e inconsciente, as decisões e as atitudes se tornam mais acertadas, mais proativas, mais maduras e finalmente mais produtivas.

LEI 2: NÃO RECLAMAR DAS CIRCUNSTÂNCIAS

A definição da palavra "reclamar" é muito clara e não dá margem para outra interpretação. Reclamar é exigir para si, reivindicar e, em outra abordagem, significa também queixar-se, protestar e lamuriar. Infelizmente, existem pessoas que pautam a vida por reclamações e cobranças desenfreadas, criando para si uma existência pobre e carente.

Na Bíblia, existem muitos relatos do poder das palavras proferidas pelas pessoas, mas mesmo assim muitos cristãos continuam com uma total imprudência verbal, usando palavras de reclamação e lamúria como uma faca sem empunhadura, que, quanto mais tentam pegar para usar, mais se ferem. Em 1 Coríntios 10:10 está escrito o seguinte: "Que não se lamentem e lamuriem como fazem alguns, pois estes foram destruídos pelas mãos do anjo destruidor".

A única coisa real que se consegue com reclamação e lamentação é provar a imperfeição e a incapacidade da outra pessoa, tentando fazer com que quem reclama seja supostamente superior e mais capaz.

O que ganha uma mãe apontando constante e frequentemente os erros do filho e reclamando deles? Como o filho se sente tendo apenas seus erros apontados? Existe algum ganho nessa situação, a não ser o filho perceber que a mãe é capaz, inteligente e ele exatamente o inverso disso?

O que ganha um funcionário quando o chefe o humilha e frequentemente aponta só suas falhas? Nessa situação, o chefe se lamenta e se vitimiza por causa do funcionário. O chefe culpa o funcionário pela falta de crescimento da empresa, em vez de assumir a responsabilidade pelo que acontece.

Como se sente um aluno que nunca recebeu um elogio do professor, apenas reclamações do docente que está cansado de explicar e apenas diz que o aluno não atende às suas expectativas?

Outra, dentre centenas de passagens bíblicas que falam sobre o perigo de proferir palavras contaminadoras, está em Efésios 4:29. Diz assim: "Não saia de vossa boca nenhuma palavra torpe (suja, contaminadora), e sim unicamente a que for boa para edificação, conforme a necessidade, e assim transmita graça aos que ouvem". Veja bem, essa passagem nos diz para falar apenas palavras que edifiquem, conforme a necessidade de quem ouve, e não para satisfazer o ego de quem fala.

Certamente a característica mais forte e perigosa da reclamação é a fuga da autorresponsabilidade, é se eximir dos acontecimentos. É olhar o que acontece consigo e ao seu redor como se não tivesse nenhum poder ou influência. É tirar o foco das coisas erradas e indesejadas de si e colocar nos outros ou nas circunstâncias. É se fartar na reclamação, eximindo-se da ação. É sentar e observar o circo pegar fogo em vez de concentrar seus esforços em apagar o incêndio, independentemente de quem o tenha causado. Não existem muitas opções: ou reclamamos e colocamos nossa força e nosso poder no problema, ou agimos com nossa atenção e nosso interesse na solução. Qual lhe parece melhor? O caminho que gera resultados positivos ou o caminho inócuo?

Pessoas vitoriosas não perdem tempo reclamando e destacando o problema. Seu precioso tempo é demandado na solução, no foco nas possibilidades, e não nas impossibilidades e nas consequências delas. Quando nos detemos mais nos problemas e nos erros, são essas sementes que vão florescer; o mesmo acontece quando damos atenção às soluções e às possibilidades – e muitas vezes as possibilidades florescem tanto que os problemas se tornam irrelevantes.

Isso não quer dizer que pessoas equilibradas e autorresponsáveis não confrontem os outros com a verdade. Não impede que olhem nos olhos de seu filho e, sem reclamar, digam o que esperam dele e que determinado caminho não será de felicidade, se o filho persistir nos erros. Se o filho não estuda, o pai não precisa ser omisso. Nessa situação, é preciso deixar claras as consequências do problema, e não só estimular e motivar, mas cobrar um comportamento adequado. Não reclamar não significa se calar diante de um erro ou mau desempenho de um funcionário, fingir que não viu. É fundamental para o sucesso das seis leis que você possa confrontar as pessoas com a verdade, dizer-lhes suas expectativas e o que de fato elas realizaram, falando muito mais de fatos e dados do que de sentimentos e percepções.

Muitas pessoas usam a reclamação como uma forma de chamar a atenção, nem que seja se fazendo de vítima e praticando a autocomiseração.

Um chefe que reclama da sua equipe cria um cenário para tirar a responsabilidade dele, colocando-se como refém da sua equipe quando na verdade ele é o responsável por recrutar, treinar e gerenciar as pessoas.

Da mesma forma, o pai que reclama do comportamento do filho é o mesmo que inicia um processo em que a responsabilidade vai para a criança ou o jovem, esquecendo-se de que foi ele, o pai, que não educou o filho. A criança é fruto ou resultado do que recebeu dos pais e do ambiente proporcionado por eles.

Já as pessoas plenas, realizadas e realizadoras optam por olhar e se deter prioritariamente nos pontos fortes, pois sabem que palavras são sementes adubadas.

Como tudo na vida, a qualidade das palavras proferidas por você é uma opção: serão palavras de crítica e cobrança ou serão elogios e validação? Exerça o livre-arbítrio e fale bem, fale com prudência. Olhe com positividade e clareza as circunstâncias e colha os frutos da intencionalidade das suas ações.

LEI 3: NÃO BUSCAR CULPADOS

Assim como criticar, buscar culpados é uma maneira simples e rápida de se desresponsabilizar pelo mundo em que vive, pelos acontecimentos, por fatos e resultados obtidos em sua vida. É muito fácil olharmos para os erros dos outros, porém é bem mais difícil percebermos os nossos.

Neurologicamente é um grande perigo, pois o hemisfério direito, que é o lado realizador do nosso cérebro, ao receber a mensagem de que o resultado (insatisfatório) obtido foi por culpa dos outros, cria o seguinte diálogo interno: "Por que mudar e fazer diferente se o resultado negativo obtido foi por culpa do outro?".

Dessa maneira, a pessoa continua a repetir os mesmos erros, sem, no entanto, aprender com eles – afinal, se são os outros os responsáveis por tudo isso estar assim, por que eu deveria mudar? Os outros que mudem! Quer ver alguns exemplos típicos desse raciocínio?

- Por que mudar se os políticos é que são corruptos?
- Por que mudar se o problema é meu professor, que é ruim?
- Por que mudar se o problema é minha esposa, que é crítica e reclama de tudo?
- Por que mudar se o problema é a minha equipe, que é desmotivada e não corre atrás das vendas?
- Por que mudar se o juiz de futebol é que é ladrão e meu time sempre perde?

Enquanto você não abolir essas justificativas e desculpas intelectuais de sua vida, nada vai mudar. Tenho visto muitos vendedores chegar de uma venda – ou melhor, de uma tentativa de venda – reclamando, criticando e culpando os clientes por seus resultados ruins: eles só querem descontos impossíveis, prazos enormes etc.

Afinal, se são os clientes os culpados, por que esse vendedor deveria mudar? Por que esse vendedor deveria usar novas técnicas? Por que se capacitar mais, fazer novos treinamentos, se o problema e a culpa pelos seus fracassos são dos outros?

Não busque culpados. Busque soluções e aliados, parceiros de uma aprendizagem eterna.

Conheci um empresário que, desde o primeiro momento, demonstrou a sua disfunção no comando da liderança de sua empresa. Lá, todos os gerentes repetiam o comportamento agressivo e acusador apresentado por ele. A atitude era a de sempre buscar culpados. A equipe comandada estava o tempo todo tensa, nervosa e acabava reproduzindo o comportamento dos seus líderes, afinal, todos sabiam que, se errassem, seriam acusados, criticados, mas, principalmente, seriam vistos como culpados. Na empresa, fazia-se o mínimo necessário, pois as pessoas não queriam correr o risco de errar. Quando erros eram cometidos, dava-se um jeito de ocultá-los pelo maior tempo possível, para que, quando as falhas fossem descobertas, ninguém fosse responsabilizado e punido. Quando um serviço não era bem-feito, por exemplo, o produto e a ordem de serviço simplesmente desapareciam. A equipe não se empenhava em fazer um bom trabalho ou aprender o máximo da sua função, dedicava esforços apenas para se defender das culpas, que vinham como pedras arremessadas sobre ela.

LEI 4: NÃO SE FAZER DE VÍTIMA

Muitas pessoas possuem o terrível hábito de se fazer de vítima, seja criticando e reclamando, seja se colocando em uma situação de inferioridade e sofrimento.

Por que tantas pessoas se fazem de vítima e praticam a autocomiseração? Existem várias explicações e diversos motivos; um deles é o seguinte: as pessoas, quando crianças, precisam se sentir amadas e importantes. Contudo, por incapacidade afetiva ou por falta de tempo dos pais, essas crianças não obtiveram esse alimento emocional.

Então um dia a criança adoece e, quando os pais percebem que era uma doença um pouco mais grave, voltam-se totalmente para ela, com carinho, atenção e cuidado: justamente o amor que a criança tanto almejava. Passam-se dias, ela fica sã, e mais uma vez as coisas voltam a ser como eram antes: os pais já não têm mais aquele cuidado com ela, aquela atenção, aquele carinho, e ela já não percebe mais o amor que desejava deles.

E, como é normal na primeira infância, mais uma doença surge, e novamente todas as atenções se voltam para a criança: carinho, atenção, cuidado, gostos e vontades. Mais uma vez, ela sente a plenitude de ser amada e importante. A repetição desse ciclo deixa um aprendizado inconsciente nessa criança: "Quando sofro, fico doente, debilitada, eu passo a ser amada, amparada e querida; quando estou boa e sã, ninguém liga para mim".

Crescemos e nos tornamos adultos "racionais", porém aquela criança continua lá dentro de nós, ansiando por atenção e carinho, querendo se sentir importante e ser amada. E, para conquistar tudo isso, o caminho já foi aprendido na infância: basta sofrer ou mostrar que está sofrendo que supostamente as pessoas prestarão mais atenção em nós, cuidarão de nós e nos darão mais carinho.

Isso costuma até ser verdade, mas por um curto espaço de tempo. E, como um vício, novamente esse adulto carente e infantilizado sairá em busca de se sabotar e de levar a sua existência ao declínio, prejudicando--se somente para colher a atenção que deseja. Para isso, mostrará a quem lhe der ouvidos que está sofrendo, que está em crise, que sua vida é muito difícil, relatará com uma incrível riqueza de detalhes como as coisas estão difíceis em casa, as contas atrasadas, carestia e sofrimento, abandono, casamento fracassado, e assim por diante.

O afeto e a atenção obtidos dessa maneira, porém, são fugazes. Logo as outras pessoas retomam seus afazeres e sua vida, esperando que a outra pessoa faça a mesma coisa. Contudo, ela está tão envolvida em sua vitimização que apenas fica à deriva, aguardando a próxima oportunidade de se apresentar como grande sofredora das circunstâncias.

Quantas oportunidades são perdidas com esse comportamento? Quantos relacionamentos são prejudicados e mal vivenciados por causa dessa negatividade?

Se você, de fato, quer chamar a atenção, ser querido, amado e admirado, viva como um vencedor, aja como um vencedor, fale como um vencedor. Que da sua boca só saiam palavras de vida e construção, palavras que edifiquem. Ninguém consegue a atenção e o carinho de outras pessoas por um longo período falando de seus sofrimentos e suas angústias, a não ser que essa outra pessoa também seja acometida do mesmo mal: a vitimização. Aí serão duas pessoas debilitadas emocionalmente servindo de muleta uma à outra. Um ciclo vicioso, maléfico e autodestrutivo.

LEI 5: NÃO JUSTIFICAR SEUS ERROS

O erro é uma etapa fundamental no processo de aprendizagem, parte integrante do desenvolvimento humano. Se não houver reconhecimento do erro, não haverá aprendizado. E, não havendo aprendizado, não existe mudança.

Quando leio a Bíblia no livro do Gênesis, entendo onde todos os problemas da raça humana começaram. Deus, vendo Adão solitário no Jardim do Éden, providenciou uma companheira, e da costela de Adão veio Eva. E lá os dois viviam muito bem e felizes com toda a autonomia e a liberdade. No entanto, Deus havia alertado que bem no centro do Jardim do Éden existia uma árvore que produzia o fruto do conhecimento do Bem e do Mal, e que eles dois poderiam comer de todas as frutas menos daquela, pois, se fizessem isso, teriam esse conhecimento e não mais poderiam viver dentro do Jardim.

Passado um tempo, uma astuta serpente abordou Eva e a convidou a experimentar do fruto do conhecimento do Bem e do Mal. Ela inicialmente recusou, mas logo depois caiu na tentação e comeu do fruto. Eva levou o fruto da árvore proibida para Adão, e ele, desobedecendo a Deus, comeu também o fruto.

Tendo visto tudo, Deus questionou Adão e Eva, que estavam escondidos, cobertos por folhas. Deus perguntou a Adão se ele havia comido o fruto da árvore proibida, e ele confessou que havia comido, mas que a culpada era a mulher que o próprio Deus havia posto no Paraíso. Então Deus foi ter com Eva, que, tal qual Adão, justificou seu erro dizendo que a responsável pela sua desobediência era a serpente que Deus havia posto no Paraíso.

Resumindo: Adão e Eva não só justificaram seus erros como jogaram a culpa das próprias falhas em Deus. E o desenrolar dessa história, o não se responsabilizar pelos próprios erros e resultados, estamos vendo até hoje.

Muitas pessoas, já debilitadas emocionalmente e acostumadas a ser criticadas e até humilhadas ao errar, foram programadas de modo inconsciente a negar e fugir de seus erros, evitando tanto quanto possível reconhecê-los, evitando olhar para si e, como consequência, evitando se sentir mais uma vez diminuídas e invalidadas.

É compreensível que essas pessoas se sintam assim. Contudo, são elas mesmas as prejudicadas quando não transformam o erro em aprendizado, o que só é possível quando reconhecemos que o erro existe e somos nós os responsáveis por ele. Sem esse processo, não há como evoluirmos, não há como conquistarmos mais.

Para nos livrar desse terrível hábito de sempre fugir da responsabilidade dos nossos erros, é muito importante compreendermos o seguinte pressuposto da comunicação:

"Não existem erros, apenas resultados."

Pessoas de sucesso trazem esse pressuposto arraigado na vida delas, em suas atitudes. Pessoas realizadas e autorresponsáveis acreditam de verdade que tudo de ruim que acontece a elas não são erros, muito menos fracassos: são efeitos, são apenas resultados. Dessa maneira, podem aprender com eles e sabem que, para não colher os mesmos frutos, basta fazer diferente na próxima vez.

Existe um ditado que afirma: "Loucura é continuar fazendo a mesma coisa e esperar resultados diferentes". Todas as pessoas alcançam algum tipo de resultado. Se estou gordo, não preciso entender como frustração ou fracasso; posso entender como o resultado da minha maneira de viver e me alimentar. E, se quero outro resultado, basta mudar, encontrar outra maneira de me ver, viver, alimentar e me exercitar.

Se as vendas neste mês não foram satisfatórias, isso não precisa ser encarado como uma derrota, pois, se fizer isso, ficará debilitado, desmotivado, e provavelmente no mês seguinte será ainda pior. Você pode encarar os resultados fracos como um aprendizado sobre a maneira de não agir em relação às suas vendas no próximo mês. Se você não prospectou novos clientes, mude e faça isso; se você não usou técnicas de vendas, use-as; se sua fisiologia corporal não foi tão atraente, eleve os ombros, crive um belo sorriso no rosto. Enfim, aprenda com tudo e com todos e, a partir do resultado obtido, mude a si mesmo na busca de novos e melhores resultados.

LEI 6: NÃO JULGAR AS PESSOAS

Quando alguém nos ofende, a reação normal da maioria das pessoas é se magoar e entender a ofensa como algo pessoal e direto. Quando alguém nos fecha no trânsito, o mais comum é xingar, reclamar e até fazer sinais imorais, agressivos e obscenos, entendendo a fechada como algo proposital e pessoal, algo que o suposto barbeiro fez diretamente contra você.

Essa maneira de levar a vida é muito pesada e nada produtiva. É como dar força e poder a alguém que não deveria ter esse impacto sobre sua vida. É deixar um desconhecido mandar em seus sentimentos e suas emoções.

A pessoa autorresponsável não julga os outros, e sim o comportamento deles. Seu diálogo interno é mais ou menos assim: "Que barbeiragem aquela pessoa fez, podia até causar um acidente". Já uma pessoa com um nível baixo de autorresponsabilidade diria – ou melhor, gritaria – assim: "Ei, seu irresponsável, tá querendo me matar? Seu cretino, seu imbecil! Comprou a carteira onde?". E dali sairia completamente irritada e zangada, tendo suas próximas horas influenciadas de modo negativo por aquela pessoa que fez uma besteira no trânsito. Se agredir verbalmente funcionasse, não teríamos mais barbeiros no trânsito.

Observe como apenas mudar o foco já altera a maneira como você processa a situação. Assim, em vez de julgar e condenar as pessoas ao seu redor, tente compreender as atitudes delas, mesmo que não sejam as melhores. A diferença no resultado é impressionante.

Dessa maneira, você pode compreender que pessoas que cometem barbeiragens podem ser maravilhosas; que pessoas que nos magoam podem se tornar nossos melhores aliados; que pessoas que não são tão verdadeiras conosco podem virar nossos protetores. E se cada um de nós, em vez de procurar erros e falhas nos outros, procurasse identificar em que poderia ser melhor, certamente o mundo também seria melhor, com menos ofensas e com mais verdade.

Quando julgamos as pessoas, nunca nos posicionamos a favor, não olhamos na mesma direção, criamos barreiras e não pontes, afastamento e não aproximação. Quanto mais julgamentos e avaliações, mais o julgador acredita estar certo da falha do outro e mais distante está de ser o próprio juiz. Avalie as falas seguintes:

– João! Você faz tudo errado! Você errou de novo! Assim não dá! Essa é a quarta vez que mostro seus erros! Quantas vezes eu já te falei sobre isso?

O que essas falas causam? Apontar os erros e as falhas de João acrescenta o que na vida não só dele como também na de quem o acusa? E, se em vez de julgar, você falar apenas do comportamento e dos resultados, ajudando a trazer uma solução e mostrando quanto você confia em quem essa pessoa é e no que ela faz? Veja maneiras mais produtivas de confrontar o erro de João:

- – Oi, João! Aqueles dois consertos que você fez não ficaram tão bons. Diga-me o que você pode fazer para que a regulagem fique precisa.
- – Desta vez já ficou melhor, João, parabéns! Na próxima, vamos usar o calibrador eletrônico para dar mais precisão ainda, ok?
- – Parabéns, João! Desta vez, o serviço ficou muito bom. Nosso desafio agora é cumprir os prazos. Topa encarar esse desafio comigo?

É como diz na Bíblia (Mateus 7:2): "Com a mesma moeda que julgas serás julgado"; ou ainda outra passagem, que diz que só Deus pode julgar os vivos e os mortos. A nós só compete julgar os comportamentos e as ações – e de preferência começando por julgar as nossas.

COMO USAR AS SEIS LEIS DA AUTORRESPONSABILIDADE

Como tudo em nossa vida, o que falamos e como falamos são hábitos, algumas vezes produtivos e engrandecedores, outras vezes destrutivos e limitantes. Aplicando a autorresponsabilidade em nossa vida, podemos optar pelo que nos faz bem.

Com um pouco de esforço racional e disciplina, você pode começar a mudar esses hábitos. Para isso, aconselho que imprima as seis leis em um papel e deixe-o nos lugares que você mais frequenta, onde for mais fácil visualizar, por exemplo: cole no espelho do banheiro, pendure no retrovisor do carro, anexe à tela do computador, fixe na parede do escritório e em qualquer outro lugar que o auxilie a se manter atento às leis.

Tenho visto não apenas uma ou duas pessoas, e sim centenas de pessoas mudarem incrivelmente a vida delas em apenas uma semana, praticando unicamente as seis leis da autorresponsabilidade. Vá lá, imprima, leia, faça bom uso e comece agora a sua transformação de vida. Lembre-se de que tudo muda depois que você muda.

Uma pessoa que muito admiro, dona de uma madeireira, colocou as seis leis em cartazes espalhados pela empresa, inclusive nos banheiros. O cartaz começa com o título: URGENTE! Abaixo dele iam as seis leis da autorresponsabilidade. Outros clientes transformaram-nas em adesivos. E você, o que fará para disseminá-las?

Agora, escreva o nome de quem tem sabotado sua vida, seus sonhos e escolhas.

____

Se não foi o seu nome que escreveu, significa que ainda está negando a autorresponsabilidade. Significa que ainda olha para o lado e vê culpados pela situação em que se encontra, ignorando, intencionalmente ou não, o papel que você representa em sua própria vida.

É hora de parar de fingir que você não tem nada a ver com tudo isso. Que os seus problemas são causados por outros, que está tudo fora das suas mãos. É chegada a hora de assumir seus erros e seus acertos e, assim, aprender a fazer de maneira diferente. Como já falamos antes, só desse modo é possível conquistar novos resultados, aqueles com os quais você vem sonhando há tanto tempo.

AH, SE EU TIVESSE TIDO OPORTUNIDADE...

Pessoas com baixa autorresponsabilidade culpam a falta de oportunidade como fator imobilizador e responsável pela mediocridade de sua vida, dizendo assim: "Se eu tivesse dinheiro...", "Se eu tivesse a chance...", "Se meu pai tivesse sido...", "Se eu tivesse mais estudo...".

Como o "se" tem sido mal aplicado... "Se eu tivesse isso, se eu ganhasse aquilo, se fosse promovido, se os clientes fossem mais fáceis, se meu preço fosse mais competitivo, se eu tivesse mais tempo, se o dia tivesse 30 horas..." O fato é que tudo seria diferente na vida dessa pessoa se não justificasse tanto, se não reclamasse tanto, se não esperasse tanto dos outros.

Durante um seminário para professores universitários, uma professora de Educação Física, visivelmente triste e desesperançosa, afirmou categoricamente que seus fracassos e seus insucessos só ocorreram pela falta de oportunidades. "Infelizmente a sorte não me sorriu", ela disse, toda cheia de pena de si mesma.

E o pior nisso tudo é que não era apenas uma justificativa pelos seus insucessos: ela acreditava profundamente que oportunidade acontece ao acaso, uns têm e outros não. No caso dela, porém, as oportunidades apareciam apenas para os outros. Entretanto, ela nunca se perguntou por que as oportunidades surgiam para os outros e não para ela. Ela nunca parou para pensar o que especificamente os outros faziam de maneira diferente dela para ter essas oportunidades.

Infelizmente, ela não foi capaz de perceber que os outros – aqueles que tinham oportunidades – agiam, pensavam e sentiam de forma radicalmente diferente da dela, e que era justamente essa combinação de **comportamentos, pensamentos** e **sentimentos** que geravam essas oportunidades.

As pessoas de sucesso não esperam as oportunidades aparecerem, muito menos reclamam quando não aparecem, porque elas sabem que estão no controle do barco da vida delas, sabem que tudo o que acontece é criado por elas próprias, consciente ou inconscientemente. Elas estão certas de que nada acontece por acaso, que a nossa atitude diante da vida é que vai trazer seus resultados e que tudo, absolutamente tudo, é resultado dos nossos comportamentos, nossos pensamentos e nossos sentimentos.

O que estamos colhendo hoje é o resultado do que plantamos no passado. E pode acreditar: estamos plantando neste exato momento o que colheremos no futuro. Se estou ereto e alegre, certamente estou plantando sementes positivas. Se mantenho pensamentos, sentimentos e palavras positivas, colherei alegrias e conquistas.

Todas as ações geram alguma consequência. Se falo, colherei algo; se me calo, também colherei. Se me faço presente, terei resultados, e se me ausento também. Gerenciando de forma consistente todos os seus comportamentos, pensamentos, sentimentos e as suas atitudes, os resultados positivos simplesmente acontecerão, e as oportunidades aparecerão.

Quando isso ocorrer, muitas pessoas dirão que você é uma pessoa de sorte, e você então saberá que temos meios de influenciar toda a nossa existência, inclusive a sorte e o azar. Veremos no Capítulo V, que fala sobre linguagem avançada, que, quando gerenciamos nosso estado presente (comportamentos, pensamentos, palavras e sentimentos), nós nos tornamos capazes de direcionar com grande margem de acerto nossa vida ao alvo desejado. Isso é poder pessoal ao seu alcance.

Tenho visto que a maioria das pessoas que se julga desafortunada e sem oportunidades está na verdade "cega" pelas suas crenças limitantes. Essas pessoas simplesmente não percebem toda uma gama de possibilidades que esbarram nelas, muitas vezes de forma explícita e escancarada.

Pessoas que esperam pelas oportunidades não sabem absolutamente nada sobre dirigir ou conduzir sua vida, muito menos sobre autorresponsabilidade. Para elas, viver é na verdade sobreviver, e elas vão levando a vida como dá, como "Deus quer", sempre culpando ou esperando que os outros as ajudem ou no mínimo não as atrapalhem. E esteja certo: isso dá um azar...

OPORTUNIDADE SE CONSTRÓI, NÃO SE ESPERA

Conheci há algum tempo um vendedor veterano que continuava esperando pelo "pulo do gato", o grande lance de sorte que mudaria sua vida, a ideia que transformaria toda a sua existência. Ele nunca pensou em, ou melhor, responsabilizou-se por, construir uma carreira vitoriosa – afinal, ele esperava pelo golpe de mestre, algo fora do seu controle, algo que aconteceria e transformaria sua vida, e aí sim ele poderia dar seu salto quântico e realizar todos os seus objetivos.

Vendo suas dificuldades financeiras e pessoais, convidei-o para fazer um dos meus treinamentos de vendas. Ele me olhou com um incrível ar de autossuficiência e disse: "Paulinho, esses negócios de treinamento não ajudam em nada, ou você é vendedor, ou não é. Olha, eu tenho mais de vinte anos em vendas e nunca precisei fazer nenhum treinamento".

De forma direta, argumentei: "Então me diga: Por que as coisas estão sempre tão difíceis para você? Por que você é vendedor de uma empresa tão pequenina, sem expressão e que paga comissões tão baixas?". Foi aí que ele deixou clara sua falta de autorresponsabilidade. "Sabe como é...", disse ele, "se eu tivesse tido mais oportunidades não estaria hoje aqui, minha vida sempre foi muito difícil... Muitos irmãos, pouco dinheiro... Você sabe..."

Eu tentei mais uma vez: "Você não acha que este curso com que o estou presenteando é uma oportunidade? Afinal, lá estarão gerentes e proprietários de outras empresas, vendedores e consultores de vendas. E, quem sabe, durante esse curso você conhecerá alguém que poderá lhe dar essa tal oportunidade".

Ele finalmente concordou e ainda completou: "E, além de conhecer pessoas da área, poderei aprender alguma coisa que eu ainda não saiba!". Fiquei muito feliz com sua atitude. Dei-lhe as datas e o horário do treinamento, ele agradeceu com aquele costumeiro ar de autossuficiência, despediu-se e combinou de nos vermos no treinamento.

Quando chegou o dia do treinamento, apenas a cadeira número 17 ficou vaga. Olhei na chamada e era justamente a dele, daquele vendedor que não tinha oportunidades na vida. E, como eu havia previsto, a sala estava repleta de proprietários, gerentes e vendedores de grandes empresas. Um mundo de possibilidades, oportunidades e aprendizado que lhe batiam à face, mas ele não era capaz de percebê-las e muito menos de aproveitá-las. Afinal, de acordo com aquele vendedor, seu sucesso não dependia nem dele nem de suas atitudes, e sim de o destino mandar o tão esperado pulo do gato.

Tempos depois, voltei a encontrar esse vendedor, e, como não poderia deixar de ser, ele veio me falar das dificuldades que estava enfrentando, de como as vendas estavam fracas e de como os clientes eram difíceis e intransigentes. Entretanto, ele tinha tido uma ideia que mudaria sua vida, uma ideia revolucionária – e, se dessem a oportunidade de colocá-la em prática, ele seria um novo homem. Obviamente, "eles" não deram oportunidade para esse vendedor colocar sua ideia em prática e, por consequência, nada mudou (para melhor) em sua vida.

Como é frustrante a vida das pessoas que não são capazes de construir suas oportunidades; como são frágeis profissionalmente aqueles que se colocam à mercê do mundo, na fila, à espera de uma oportunidade!

Essas pessoas mal sabem ou preferem não saber que essas oportunidades se manifestam constante e sistematicamente na vida de todos. No entanto, pessoas com a autorresponsabilidade desenvolvida não apenas as percebem como também as criam, e principalmente as aproveitam.

Martin Seligman, um dos pioneiros da Psicologia Positiva (PsP), no livro *Aprenda a ser otimista*, atesta que, quanto mais a pessoa se sente responsável pela vida que tem levado, mais realizada e plena ela é. Traga a autorresponsabilidade não apenas como uma filosofia de vida, mas também como uma crença forte e arraigada em sua mente, suas palavras e atitudes.

Uma boa maneira de encerrar este capítulo é fazer uma analogia com um barco a vela. Nessa história, o barco é nossa vida, nós somos o timoneiro, e o mar e o vento são as circunstâncias que nos rodeiam e sobre as quais não temos controle. Seja o capitão de sua vida, e aproveite o vento que aparentemente soprava contra para impulsionar seu barco, aproveite a maré e as correntes que antes o atrapalhavam para direcioná-lo para os seus objetivos antes que o mundo e as circunstâncias o façam. Você não pode mudar o mar, o vento e as correntes, mas pode mudar a direção do barco, a posição das velas e do leme para atingir seus objetivos.

MUDANDO MINHA EXISTÊNCIA SEM MUDAR AS PESSOAS

Algumas pessoas falsamente autorresponsáveis acham que devem ou precisam mudar quem está ao seu redor para que a vida delas seja produtiva e próspera do modo que esperam. Entretanto, o verdadeiro autorresponsável se basta em relação à atitude e ao bom uso do livre-arbítrio dado por Deus.

As pessoas realmente prósperas sabem por experiência própria que não é produtivo nem frutífero tentar mudar as pessoas à sua volta. Elas sabem que seria um ato de arrogância e prepotência sair por aí, como o sábio do mundo, querendo que as pessoas sejam diferentes, impelindo, coagindo, persuadindo ou até mesmo impondo que as pessoas sejam aquilo que eles, sábios do mundo, entendem como certo.

As pessoas autorresponsáveis sabem que, em médio e longo prazos, os resultados de tentar mudar as pessoas e fazê-las atender às suas expectativas e fazê-las agirem como querem que elas ajam são normalmente desastrosos.

Antes de tentar mudar alguém, devemos mudar a nós mesmos. Se não conseguimos mudar a nós, como conseguiremos mudar outras pessoas? Tenho visto muitos pais que aplicam penas severas a seus filhos por tirarem notas ruins como alunos, quando na verdade essas notas são reflexos diretos de pais descompromissados. Se existisse uma avaliação para pais, certamente estes seriam reprovados de imediato, com notas muito piores que as dos filhos.

Um pai autorresponsável, antes de querer mudar seu filho, muda a si mesmo. Talvez dialogando mais, sendo mais presente, mais amoroso e até sendo mais firme em vez de permissivo. Esse pai poderia ainda deixar de ser tão crítico, tão ditador, tão agressivo e sempre o dono da verdade, que invalida tanto seu filho e o faz crer que é incapaz e inadequado para a vida – inadequado inclusive para tirar boas notas.

Você, gerente de vendas, executivo ou empresário, já pensou em não tentar mudar sua equipe? Já pensou em mudar primeiramente a si mesmo?

Em vez de cobrar que sua equipe se capacite, você poderia e deveria se capacitar primeiro. Em vez de querer que eles sejam os melhores vendedores, você antes deveria ser o melhor gerente ou líder.

Antes de querer que eles fossem objetivos e focados em resultados, você deveria implantar ferramentas gerenciais de vendas que dessem foco e direcionamento não para eles, e sim para você, que é o responsável maior pelos resultados.

Quantos gostariam de mudar a cabeça e o caráter dos políticos que, além de corruptos, muitas vezes são administradores incompetentes... Entretanto, por incompetência emocional, não olham para si, e por isso não percebem que esses políticos não são em nada diferentes da maior parte da população nem de si mesmos.

Em casa, as finanças pessoais são totalmente desorganizadas e mal administradas, até desonestas. Costumam se beneficiar e se apropriar do que não lhes pertence, seja aceitando um troco dado a mais, seja achando uma carteira com dinheiro, ficando com o que é de valor e se sentindo o bom samaritano porque devolveu os documentos.

Em um caso que presenciei, uma vendedora viu quando uma cliente deixou cair sua caneta Mont Blanc, toda de ouro, e esperou que a cliente fosse embora para se apropriar da bela e cara caneta. Depois, contou tudo para os colegas (também corruptos), como se fosse uma grande vantagem ter ficado com o que não lhe pertencia, dizendo: "A grã-fina deu bobeira, e o que é achado não é roubado".

No meu entendimento, esse tipo de pessoa é tão ladrão como qualquer político corrupto. A diferença é seu poder de alcance: certamente, se tivessem mais alcance, estariam roubando a merenda escolar ou desviando o dinheiro do povo. A única coisa que as torna diferentes é o patamar onde elas estão e onde suas mãos conseguem alcançar.

Desse modo, seja diferente: antes de querer ou exigir que os outros mudem, mude a si mesmo, mude sua forma de pensar, de sentir, e tudo ao seu redor vai mudar como em um passe de mágica. Tudo ao seu redor vai se adequar coerentemente a essa nova pessoa que surge: você!

CONFRONTANDO A SI E AOS OUTROS COM A VERDADE

Jesus Cristo é minha grande inspiração, o maior de todos os líderes, o maior de todos os empreendedores, o mestre dos mestres: ele possui o Poder Verdadeiro. E quer nos ensinar. Ele de fato era completamente autorresponsável. Ele não criticava, não reclamava, não buscava culpados, não se fazia de vítima, de modo nenhum julgava as pessoas; entretanto, ele confrontava as pessoas e as situações com a verdade.

Ele era completamente verdadeiro e não fugia nem se calava diante do que precisava ser dito. Ele não se privou de expulsar os vendilhões do templo, ele não se calou diante dos hipócritas fugindo da ira vindoura, ele não se omitiu diante de seus discípulos quando, em vez de orar e vigiar, foram dormir.

Isso também serve para nós, que, ao buscar a autorresponsabilidade, devemos nos alegrar com a verdade, ainda que ela doa em alguém, mesmo que ela doa em nós. A pessoa autorresponsável sabe a importância da verdade ao elogiar um bom comportamento ou resultado, como também ao confrontar alguém pelo seu comportamento e sua atitude inadequados.

Entretanto, devemos estar atentos – afinal, não somos nem de perto como Jesus Cristo em sabedoria e santidade. Por isso, muito cuidado e discernimento ao confrontar alguém. Antes de confrontar quem quer que seja, você deve ser um perito em confrontar a si mesmo com a verdade.

Para que você possa avançar em direção a seus objetivos, peço que nas linhas a seguir escreva um termo de compromisso no qual **você se compromete** a ser autorresponsável e a usar no seu dia a dia as seis leis da autorresponsabilidade. Depois de escrever, você deve decorar sua declaração e verbalizá-la em voz alta por trinta dias seguidos ao acordar.

TERMO DE COMPROMISSO

Eu, ____

____________________________ , declaro para todos e devidos fins ligados ao meu sucesso e à minha felicidade que me comprometo a ser autorresponsável em todas as áreas de minha vida. Para isso, usarei fielmente as seis leis da autorresponsabilidade, que são:

1) ____

____

2) ____

____

3) ____

____

4) ____

____

5) ____

____

6) ____

____

Dessa maneira, colherei os seguintes resultados e mudanças na minha vida:

____

____

____

____

____

____

____________________ ____________________

Data Assinatura

Parabéns, você venceu mais uma etapa em direção às suas mudanças e às suas conquistas. Praticando essa declaração durante trinta dias, certamente você terá aprofundado o conceito da autorresponsabilidade e o transformado em crença.

CAPÍTULO IV
FOQUE

Algumas pessoas acham que foco significa dizer sim para a coisa que você irá focar. Mas não é nada disso. Significa dizer não às centenas de outras boas ideias que existem. Você precisa selecionar cuidadosamente.
(Steve Jobs)

Quando era criança, meu pai chegou do trabalho trazendo uma lupa. Ele me ensinou que com ela eu poderia ver coisas bem minúsculas. E de fato foi uma ótima novidade científica para um menino de 9 anos. Passei a ver os detalhes em insetos, a textura do papel, passei a ver coisas que normalmente não via. Foi muito legal, mas o melhor das minhas descobertas científicas infantis aconteceu quando eu aprendi a fazer poderosos raios com a minha lupa. Percebi que quando estava sob o sol, a lupa fazia convergir para um único ponto todos os raios da luz do sol e vi que aquilo produzia calor, muito calor. Eu me tornei quase um super-herói com poderes sobrenaturais, afinal, sem fósforo ou isqueiro, comecei a queimar folhas, papéis e acabei por testar a força dos meus bonecos de guerra em batalhas terríveis com alienígenas e seus raios de calor. O que mais me alegrava, no entanto, era fazer fogo no papel de pão. A mágica de produzir calor e fogo a partir do nada me fascinava. E, trazendo para a realidade adulta, percebo que foco é isso mesmo: é a capacidade de aproveitar as condições naturais disponíveis a qualquer um e produzir poder ao concentrar atenção em um único ponto.

> *Foco é a capacidade de aproveitar as condições naturais disponíveis a qualquer um e produzir poder e gerar mudanças ao concentrar-se em um único ponto.*
> (Paulo Vieira)

Percebemos que foco é aproveitar a energia disponível e concentrá-la em um único ponto e assim produzir energia suficiente para que haja mudança. Não que não houvesse energia antes, ela apenas estava dispersa. Não que não houvesse luz, ela apenas não estava concentrada em um único ponto. A luz do sol por si só não gera calor suficiente para produzir fogo em uma folha de papel. Contudo, quando coloquei a lupa e ajustei o foco de tal maneira que os raios de sol convergiram em apenas um ponto... *bam*... aconteceu, surgiu então fogo. Foco é, portanto, a capacidade humana de concentrar suas energias em um único ponto com força suficiente para produzir mudança e realizações rápidas.

EM QUE COLOCAR MEU FOCO

A primeira questão é em que ou onde colocar seu foco. Muitas pessoas colocam seu foco em ganhar mais dinheiro. E vem a pergunta: será que nesse momento sua família não precisa mais de atenção que de dinheiro? Outras pessoas estão completamente focadas em seu esporte e hobby, dedicando de três a quatro horas por dia a ele. E de novo a pergunta: será que sua carreira profissional não está necessitando mais de sua atenção e de sua presença do que sua performance atlética? Outras pessoas estão comprometidas com festas e baladas de segunda a domingo. E será que sua vida estudantil ou profissional não está mais carente de atenção do que de prazer festivo?

Como você já sabe, o CIS® acredita em uma vida abundante em todas as áreas. Não creio que potencializar apenas uma ou poucas áreas da vida fará alguém verdadeiramente próspero ou feliz. Acreditamos que devemos e podemos primeiramente equilibrar e depois potencializar a vida em todas as suas nuances. Acreditamos na essência da abundância que diz que para ser feliz em uma área não precisamos ser infelizes em outra. Se você é daqueles que acredita no ditado "Sorte no jogo, azar no amor", está na hora de começar a questionar algumas de suas "verdades".

Para responder à questão de onde devemos colocar nosso foco e nossa energia, precisamos antes basear nossas mudanças em duas questões primordiais; a primeira questão diz respeito aos nossos problemas e às nossas limitações a ser resolvidos ou eliminados; a segunda questão está relacionada aos nossos sonhos e às nossas metas a ser conquistados. Para ajudá-lo, peço que você pare sua leitura por um instante e reflita sobre os problemas que vem enfrentando hoje e que atrapalham sua vida e que o fazem sofrer. E como o desafio do CIS® não é apenas resolver problemas, mas potencializar a qualidade da vida, peço também que você pense sobre os seus sonhos mais ousados. Os objetivos de infância e juventude dos quais talvez você já tenha desistido. Depois de refletir e pensar sobre o que mudar e para que não deixemos as mudanças vagando pelo campo teórico, peço que escreva nas linhas a seguir as duas maiores limitações que você quer resolver ou eliminar na sua vida e os seus dois principais objetivos ou sonhos a ser conquistados. Não importa se seus problemas ou seus objetivos parecem impossíveis de ser realizados. Apenas os escreva abaixo.

Relacione os dois maiores problemas da sua vida que precisam ser resolvidos.

1. ______________________________

2. ______________________________

Relacione abaixo os dois mais importantes sonhos ou objetivos que deseja conquistar.

1. ____

2. ____

O QUE DISTRAI VOCÊ DO SEU FOCO

Todos nós temos 24 horas no dia, 7 dias na semana, o mesmo número de dias no mês e, democraticamente, temos os mesmos 12 meses no ano. Então por que pessoas com o mesmo nível intelectual, cognitivo e potencial produzem resultados tão diferentes na vida? A resposta é: as pessoas verdadeiramente realizadoras não se distraem. Isso mesmo, por não se distraírem elas são capazes de qualificar e manter o foco no que de fato é importante, e assim são capazes de agir e produzir até dez vezes mais e com mais qualidade que seus pares ou concorrentes.

Levando em conta que você identificou coisas importantes a ser mudadas em sua vida e já sabe que seu sucesso está diretamente ligado à capacidade de manter o foco nas coisas importantes, venho com mais uma PPS: você tem sido capaz de manter o foco nas coisas de fato importantes da sua vida? Sinceramente, o que distrai você do seu foco? O que tira o seu foco? O que faz com que você comece uma jornada na direção do seu alvo e de repente se veja parado ou indo em outra direção? O que faz com que você se determine a emagrecer dez quilos e quando chega nos primeiros cem gramas perdidos se esqueça de tudo e volte para o peso anterior? O que faz com que você se determine a fazer atividade física e no segundo mês descubra que jogou dinheiro fora, pagando seis meses antecipados de academia? Como é frustrante se determinar a ser uma mãe melhor e perceber que na primeira desobediência ou traquinagem do filho toda a impaciência e grosseria voltaram, e ainda pior. Como dói perceber que está há oito anos fazendo várias faculdades e ainda não terminou nenhuma.

Daniel Goleman, na obra *Foco: a atenção e seu papel fundamental para o sucesso*, mostra que a capacidade de focar, qualificar o foco e mantê-lo está diretamente ligada à inteligência emocional.

Entretanto, a capacidade de manter o mesmo foco até que a mudança aconteça está intimamente ligada à maturidade emocional. O que quero dizer é que pessoas imaturas não conseguem manter o foco nos seus objetivos. Pessoas imaturas começam e logo perdem a perspectiva do que de fato importa fazer ou conquistar. Essas pessoas são como crianças que querem muito, mas fazem pouco ou quase nada para conquistar seus sonhos ou resolver seus problemas. E pela falta de responsabilidade, típica de uma criança, ficam esperando alguém ou a divina providência fazer algo por elas.

Já observou um menino de 5 anos fazendo o dever de casa? Tudo tira a sua atenção da tarefa do colégio. Se alguém fala, a criança para o que está fazendo para ouvir. Se ouve um barulho na janela, ele vai ver o que está acontecendo. Se a campainha da porta toca, ele vai ver quem é. Sem contar as vezes que ele se distrai com os próprios pensamentos e devaneios infantis. O resultado é que um dever de casa que poderia ser feito em trinta minutos leva mais de duas horas e normalmente fica incompleto e malfeito. Será que você conhece alguém assim? Pessoas que não acabam o que começam levam muito mais tempo para terminar e, quando finalmente acabam, não alcançam a qualidade devida. Por não conseguirem manter o foco no que de fato é importante, levam uma vida com poucas e insignificantes realizações.

> *Daniel Goleman, na obra* Foco: a atenção e seu papel fundamental para o sucesso, *mostra que a capacidade de focar, qualificar o foco e mantê-lo está diretamente ligada à inteligência emocional.*
> (Paulo Vieira)

O primeiro passo para ser uma pessoa focada é identificar esse inimigo silencioso chamado fator de distração, aquilo que o faz olhar na direção oposta de suas metas e seus objetivos. Para isso, peço que responda às seguintes PPSs: que fatores o distraem? O que faz com que você pare de agir na direção do seu objetivo? O que faz com que se esqueça do que é importante para você?

Relaciono a seguir os fatores de distração mais comuns relatados por nossos alunos no treinamento do Método CIS®. E peço que, com uma caneta, você lhes atribua uma nota de 0 a 10: sendo a nota 0 para fatores de distração que não atrapalham você de jeito nenhum e 10 para os fatores que mais o atrapalham e impedem que suas metas sejam realizadas. Se você se lembrar de algum fator de distração que não relacionei, basta escrever nos espaços reservados.

FATORES TÍPICOS DE DISTRAÇÃO

Festas e baladas ( )	Amizades que não agregam ( )	Telenovelas ( )
Telejornais ( )	Jogos na internet ( )	Jogos de azar ( )
Bebida ( )	Relacionamentos amorosos improdutivos ( )	Facebook ( )
WhatsApp ( )	Outras redes sociais ( )	Maconha ( )
Outras drogas ( )	Filmes e vídeos ( )	Caso extraconjugal ( )
Pornografia ( )	Só fazer o que dá prazer ( )	Falar da vida de outras pessoas ( )
Telefone ( )	Esportes e hobbies ( )	Dedicação à igreja ( )
Subserviência ao parceiro ( )	Superproteção aos filhos ( )	Controlar as circunstâncias ( )
Vitimização ( )	Preguiça ( )	Depressão ( )
Ressentimento ( )	Insegurança ( )	________________ ( )
________________ ( )	________________ ( )	________________ ( )

Se você observar bem, esses "ingênuos" comportamentos são responsáveis por destruição de relacionamentos, carreiras profissionais estagnadas, dependência financeira, contas atrasadas, filhos órfãos de pais vivos, empresas quebradas, acidentes e muitos outros danos. Então, talvez não sejam tão engraçados e inofensivos quanto parecem.

Tenho conversado com pessoas que dormem com o celular ligado e a cada toque que indica mensagem na rede social acordam para responder. Com isso, mal conseguem dormir e seu dia se torna improdutivo e exaustivo. Outras pessoas passam seu dia profissional entre cafezinho e conversas improdutivas, e não sabem por que nunca foram promovidas enquanto outras pessoas que entraram depois na empresa se tornaram chefes. Vejo ainda com frequência pessoas que assistem apenas a uma "novelinha" todas as noites. Isso quer dizer que essa pessoa passa mais de uma hora por dia na frente da TV. Sete horas por semana, trinta horas por mês, 360 horas por ano. Em termos de tempo, é a mesma duração de uma pós-graduação. E para piorar, na grande maioria das vezes, essas novelas retratam histórias deprimentes sobre pai que rouba a esposa do filho, irmão que mata irmão, adultério, assassinatos, sequestros, violência, crianças e jovens expostos precocemente à sexualidade vulgar, quase pornográfica. Além de toda a negatividade das mensagens, há também, como já citei, o tempo perdido.

Eu defendo que bastaria que um profissional lesse ou estudasse apenas uma hora por dia algo importante na sua área de atuação para que fosse promovido pelo menos uma vez ao ano e tivesse seu salário acrescido em pelo menos 50% no mesmo período.

Façamos uma conta bem simples. Um profissional que hoje ganha 5 mil reais ao mês, se ele aplicar esse preceito, de estudar uma hora por dia sobre seu trabalho e função, em cinco anos ele estará ganhando 40 mil reais. E nesse momento ele estará no topo da pirâmide da hierarquia, com uma função de alta importância ou como o próprio dono da empresa. Faça a conta e multiplique por oito o que você ganha hoje e perceba o poder do foco.

Vamos começar. Vamos focar. Sabe qual é o melhor momento para plantar uma árvore? A resposta não é hoje, como você deve ter imaginado, e sim há cinco anos. No entanto, se você não fez isso, tudo bem. A hora é agora.

No exercício a seguir, você vai identificar qual é a coisa mais importante em cada pilar da sua vida. Feito isso, vai avaliar e ver se existe alguma distração que vem impedindo você de viver o melhor naquela área. Vamos ao exemplo:

Pilar: filhos e relacionamento conjugal.
O que é mais importante: tempo e tempo de qualidade com a família.
Distração: ir com os colegas de trabalho para um barzinho todos os dias após o expediente.
O que fazer para eliminar a distração: marcar com os colegas a ida ao barzinho apenas uma vez por semana.

Vamos a outro exemplo:

Pilar: saúde.
O que é mais importante: caminhar duas vezes por semana e malhar duas vezes na semana.
Distração: ficar vendo TV até mais tarde e não acordar para fazer atividades físicas.
O que fazer para eliminar a distração: tirar a TV do quarto.

PILAR	O QUE É MAIS IMPORTANTE NESTA ÁREA	DISTRAÇÃO	O QUE FAZER PARA ELIMINAR A DISTRAÇÃO
Espiritual			
Parentes			
Conjugal			
Filhos			
Social			
Saúde			
Servir			
Intelectual			
Financeiro			
Profissional			
Emocional			

Parabéns por vencer esta etapa! Agora você sabe onde e em que focar sua atenção, seu tempo e sua inteligência. Sabe também o que vem drenando o seu foco do que realmente é importante. E já elencou ações para eliminar essas distrações em cada área da vida. Agora é botá-las em prática e efetivar as mudanças que tanto almeja!

FOCO NA ROTINA DE EXCELÊNCIA

Rotina significa fazer sempre as mesmas coisas. E isso não é bom nem mau. Contudo, quando adicionamos uma segunda palavra – excelência –, estamos falando em agir, fazer as coisas certas, da melhor maneira possível e na hora certa. Para nós, coaches profissionais, rotina de excelência é o mesmo que uma vida focada nas coisas importantes. É o mesmo que produzir de cinco a dez vezes mais que a média das pessoas normais, porém, com mais tranquilidade e tempo para usufruir de todo o resto. O que proponho aqui é que utilizemos uma ferramenta chamada no CIS® de Agenda da Vida Extraordinária. É uma agenda como qualquer outra de tarefas semanais, porém, quando introduzimos as regras e os conceitos, ela ajuda a tornar tudo diferente, inclusive você.

Como o próprio nome já diz, esta é uma agenda extraordinária. Não é uma agenda tradicional com as tarefas que devemos fazer a cada dia. Nela, não existem tarefas a ser feitas naquela semana, e sim um estilo de vida abundante. Você decidirá por um conjunto de comportamentos e hábitos que, se você se mantiver focado neles, mudará seus resultados, suas relações e sobretudo a si mesmo. É como um mapa que o conduzirá a resultados realmente extraordinários em muito pouco tempo.

O fundamento da Agenda da Vida Extraordinária é produzir foco no que de fato é importante na sua vida e não deixar que você se distancie dele ao longo do tempo. E assim produzir ações consistentes que gerem uma rotina de excelência e, com ela, um estilo de vida abundante. Devemos ter em mente que uma vida abundante é aquela que contempla ações e comportamentos produtivos em todos os pilares da vida humana. Infelizmente, o que tenho visto em mais de dez mil horas de sessões de coaching são pessoas que dedicam 80% do seu foco a uma ou duas áreas da vida. E por ter ganhos e conquistas nessas áreas, enganam-se achando que têm uma vida de sucesso ou que são felizes. Na verdade elas têm uma vida partida, limitada, e em algum momento esse estilo de vida desequilibrado se manifestará negativamente, mesmo nas áreas que inicialmente estavam positivas. E são vários os exemplos.

Muitos pais são pais apenas no fim de semana, condenando seus filhos a uma longa e cruel espera para brincar, conversar, abraçar. E esse tempo com os filhos acontecerá apenas aos sábados ou domingos, se tudo der certo. Como ser um pai ou uma mãe extraordinário e ter abundância nessa área se só dedico tempo de qualidade aos meus filhos a cada sete dias? Como produzir crianças felizes e vitoriosas se só me conecto verdadeira e profundamente com elas um ou dois dias por semana? Quais serão os resultados dos pais que só se conectam com seus filhos a cada cinco dias?

A mesma coisa acontece com o casal que só tem tempo para estar junto em amor quando chega o domingo. Eles passam toda a semana longe de corpo ou de alma, com sua atenção e sua intenção focadas em outras coisas. Mais uma vez, vemos uma área importante da vida comprimida e relegada apenas ao fim de semana.

Como também aquela pessoa que vai para a igreja uma vez por semana para expiar a sua culpa e pagar sua promessa e durante a semana não se lembra do amor de Deus, muito menos que Ele continua existindo e cuidando dela. Temos aí um domingueiro, aquela pessoa que esquenta o banco da igreja uma vez por semana e nos outros sete dias está desconectada de sua fé e espiritualidade.

Seguindo o raciocínio, temos o atleta de fim de semana, temos o amigo de fim de semana, o filho de fim de semana que apenas aos domingos almoça na casa dos pais e depois passa os próximos seis dias desconectado e afastado da família. Olhando para esse estilo de vida precário, tão difundido principalmente nos grandes centros urbanos, fica claro que uma gigantesca parcela da população mundial concentra e comprime quase todas as áreas de sua vida em apenas um ou dois dias da semana. E tenta compensar desesperadamente no sábado e domingo tudo o que não viveu e usufruiu nos outros cinco dias. Para essas pessoas, o domingo à noite é um momento de tristeza e ansiedade, afinal terão de esperar até sexta ou sábado para se sentir alegres novamente. E, para compensar os cinco ou seis dias de escassez, muito provavelmente durante o sábado e o domingo vão extravasar, passar dos limites em uma busca desenfreada de prazer para compensar os cinco dias nos quais áreas importantes não foram contempladas.

FELICIDADE SE CONQUISTA DE SEGUNDA A SEXTA-FEIRA

Para montar a ferramenta, primeiramente você precisa estar focado em cumprir pelo menos nove a dez áreas da vida[1], de segunda a sexta-feira. Ou seja, você precisa ser pai de segunda a sexta-feira. Tendo tempo e tempo de qualidade para brincar, conversar e amar essa criança ou esse jovem de segunda a sexta-feira. Você precisa ser feliz no seu casamento de segunda a sexta-feira, amando e sendo amado. Você precisa cuidar da saúde também de segunda a sexta-feira. E da mesma maneira em todas as áreas, preenchendo sua vida com ações, comportamentos e atitudes produtivas de segunda a sexta-feira.

Você agora deve estar se perguntando por que apenas de segunda a sexta-feira? Por que não de segunda a domingo? Nossa experiência mostra que quando se tem uma rotina de excelência de segunda a sexta-feira, contemplando todas ou quase todas as áreas da vida, o sábado e domingo serão o plus. Serão dois dias basicamente sem nada agendado, em que você poderá viver o ócio criativo, servir em uma creche ou ir à praia com a família. Dessa forma, o fim de semana deixa de ser uma obsessão a ser vivida e passa a ser o algo mais, passa a ser a cereja do bolo. Afinal, você já é feliz e tem uma vida de realizações de segunda a sexta-feira. E nesse momento você passa a entender a diferença de uma vida alegre e de uma vida feliz.

Vamos a um exemplo que ilustra bem o funcionamento da Agenda da Vida Extraordinária. Confira o planejamento do Carlos:

[1] As áreas da vida trabalhadas no CIS® são: espiritual, parentes, conjugal, filhos, social, saúde, servir, intelectual, financeiro, profissional e emocional.

Segunda-feira		Terça-feira		Quarta-feira		Quinta-feira		Sexta-feira		Sábado		**Domingo**	
7h	Malhar	**7h**	Corrida	**7h**	Malhar	**7h**	Corrida	**7h**	Malhar	**7h**	Corrida		
8h	Deixar filhos no colégio	**8h**	Deixar filhos no colégio	8h	Deixar filhos no colégio	**8h**	Deixar filhos no colégio	**8h**	Deixar filhos no colégio	**8h**			
9h	Trabalho	**9h**	Trabalho	**9h**	Trabalho	**9h**	Trabalho	**9h**	Trabalho	**9h**	Visitar instituição de caridade		
12h	Almoço com amigos	**12h**	Almoço com família	**12h**	Almoço com esposa	**12h**	Almoço com família	**12h**	Almoço com esposa e amigos				
13h	Ligar/ família	**13h**	Ligar/ amigo	**13h**	Almoço com esposa	**13h**	Ligar/ amigo	**13h**	Ligar/ família				
14h	Trabalho	**14h**	Trabalho	**14h**	Trabalho	**14h**	Trabalho	**14h**	Trabalho				
18h	Atender pessoas carentes	**18h**	Atender pessoas carentes	**18h**	Atender pessoas carentes	**18h**	Atender pessoas carentes	**18h**	Atender pessoas carentes				
19h	Organizar finanças	**19h**	Tempo da família	**19h**	Tempo da família	**19h**	Tempo da família	**19h**	Jantar com amigos				
21h	Tempo da família	**21h**	Tempo da família	**21h**	Tempo da família	**21h**	Tempo da família	**21h**	Tempo da família				
23h	Ler sobre trabalho e Bíblia	**23h**	Ler sobre trabalho e Bíblia	**23h**	Ler sobre trabalho e Bíblia	**23h**	Ler sobre trabalho e Bíblia	**23h**	Ler sobre trabalho e Bíblia				

Como você viu na agenda de Carlos, ele corre às terças, quintas e sábados e malha às segundas, quartas e sextas. De fato, ele tem uma baita saúde aos 48 anos. Vai o ok para a área da saúde, pois ele mantém o foco nessa área. Você percebe que o Carlos programou almoço com sua esposa todas as quartas-feiras em um restaurante do qual ela gosta e um jantar com ela e outros casais amigos às sextas. Para não falar de outros momentos mais íntimos não tão planejados. E vemos a área conjugal também contemplada de segunda a sexta-feira. Ok. Complementando o social, toda segunda-feira, Carlos almoça com os amigos para jogar conversa "dentro". Sem contar que ele agendou toda semana duas ligações para amigos com os quais não fala há algum tempo. Com essas três ações, preenchemos o pilar social com ações em vários dias. Mais um pilar contemplado de segunda a sexta-feira. Se nós observarmos, toda noite antes de dormir, Carlos lê um livro sobre seu trabalho e depois lê um capítulo da Bíblia, algo que ele não abre mão de fazer. Como já está no piloto automático há anos, ele não programa mais na sua agenda as orações diárias ao acordar, isto é tão certo e rotineiro para ele como escovar os dentes. Como também virou um hábito orar à noite com a esposa e os filhos. Toda segunda-feira, logo depois de chegar em casa, ele dedica um tempo para checar e organizar suas finanças, pois ele sabe que a questão não é apenas ganhar dinheiro, mas principalmente como gastar e investir. E ele leva isso muito a sério.

Olhando para a agenda, vê-se que o profissional também está agendado de segunda a sexta-feira, começando às 9 da manhã e indo até as 18 horas. E ele gosta de ter colocado na sua agenda hora para chegar e hora para sair, pois dessa maneira ele não se deixa levar pelas urgências profissionais crescentes e o profissional não rouba nem tempo nem atenção de outras áreas.

Como alguns familiares moram em outro estado, ele programou na sua agenda ligar para eles toda segunda e sexta-feira. E como ele almoça obrigatoriamente todas as terças e quintas-feiras em casa, aproveita para chamar sua irmã e seus sobrinhos. E, como você pode ver, sempre respeitando os horários agendados. E ele não se esquece de seus filhos, pois todos os dias os deixa no colégio e aproveita os costumeiros engarrafamentos para brincar e conversar com eles. Sem contar os almoços de terça e quinta-feira e também todas as noites quando chega em casa, que existe um tempo exclusivo e único chamado tempo da família, durante o qual todos conversam, brincam, estudam ou fazem refeições juntos. Acredite, é um tempo muito divertido para Carlos e sua família.

E ele não se esquece do pilar servir, pois toda semana dedica uma hora para atender pessoas que não podem pagar pelo seu serviço e sábado sim, sábado não, ele vai com toda a sua família servir em uma das obras que ele ajuda financeiramente. Se você for analisar, o Carlos é o cara, pois ele consegue equilibrar seu tempo com abundância em sua vida. Ele consegue sem sofreguidão ou estresse dar conta de todos os pilares. Ele não deixa brecha, não abre mão de uma rotina de excelência, não abre mão das coisas realmente importantes em sua vida e consegue com a sua agenda programada manter o foco em tudo o que realmente é importante para ele.

E como está a sua rotina de vida? Onde você tem conseguido colocar seu foco e sua atenção? Você vem tendo uma vida extraordinária e realmente feliz, ou você vive tentando compensar sua vida limitada com alegrias passageiras em festas badaladas? Que tal você montar a sua Agenda da Vida Extraordinária agora? Que tal você **acordar** para a vida, agir e **agir certo, focando** o que de fato é bom, proveitoso e valoroso para você e para os seus? No endereço <www.febracis.com.br/opoderdaacao>, você pode fazer o download de todas as ferramentas contidas neste livro. Então, vamos lá e monte agora sua Agenda da Vida Extraordinária e produza a melhor de todas as rotinas: a sua rotina de excelência.

Muitas pessoas me perguntam o que fazer se elas não conseguirem cumprir uma ou outra tarefa agendada. É importante não transformar sua Agenda da Vida Extraordinária em uma ferramenta de tortura para você nem para ninguém ao seu redor. Lembre-se de que sua agenda é uma meta a ser atingida, um estilo de vida a ser construído sem estresse ou autocobrança exagerada. O que eu quero é que você tenha alvos, objetivos e que o mundo de forma sutil e sorrateira não o afaste da abundância reservada e planejada para você. Olhe para si mesmo e você vai se lembrar de resoluções que fez na virada do ano, e das quais aos poucos você foi se esquecendo e deixando de lado. Sua agenda fará com que você não perca o foco em dedicar um tempo de qualidade aos filhos, reservar um tempo para o cônjuge, cuidar sistematicamente da saúde, ter um tempo com amigos etc. O tempo vai passando e quando percebemos estamos superdistantes das pessoas mais próximas, distantes da vida, dos relacionamentos e finalmente longe de nós mesmos. O pior é que nem havíamos percebido! E para muitas pessoas, quando percebem, já é tarde demais.

A agenda é, portanto, uma maneira de marcar um encontro com o destino. É uma ferramenta para, retomando a metáfora que usei antes, ser o capitão do barco da sua vida e não perder de vista a carta náutica, a bússola e o sextante.

Para construir a minha vida, foi necessário muito planejamento, decisões difíceis e ações estruturais. Minha esposa decidiu deixar um alto cargo executivo. Decidimos nos mudar para perto do nosso trabalho. Contratar um personal trainer para não perdermos tempo no deslocamento para a academia. Para escolher onde moraríamos decidimos também onde queríamos que nossos filhos estudassem e onde seria a sede de nossa empresa. Uma verdadeira engenharia que às vezes pode levar algum tempo e demandar bastante esforço, mas cujos frutos colhidos são inestimáveis.

FOCO MÚLTIPLO

Com a compreensão do que é e de como funciona o foco múltiplo, você entenderá não apenas como o sucesso e o fracasso ocorrem, mas também como a depressão e a felicidade plena acontecem no ser humano, e então poderá fazer uso de um poder interno tão grande que é difícil mensurar.

Em meus estudos e minhas experiências, tabulei três tipos de foco. O primeiro é o foco que todos já conhecem: manter a atenção em metas e objetivos que de antemão foram estabelecidos. Esse foco chamamos de FOCO VISIONÁRIO. É ter uma visão de futuro clara e verdadeiramente visual, a ponto de fechar os olhos e com bastante facilidade ver o seu destino pretendido ou suas metas.

Percebi, porém, ao longo dos anos, que muitas pessoas, mesmo sabendo aonde queriam chegar e o que queriam realizar, não conquistavam suas metas ou demoravam anos e anos para fazê-las acontecer. A pergunta que eu me fazia era: Por que essas pessoas não conseguem realizar suas metas se elas continuam sabendo exatamente o que querem sem perder a perspectiva do seu alvo? A resposta era que elas não possuíam a força da incandescência. Elas não conseguiam produzir energia suficiente para mobilizar a si mesmas, muito menos para alterar os acontecimentos quânticos ao seu redor. A essa capacidade de produzir energia suficiente através do comportamento, do pensamento e do sentimento direcionados chamo de FOCO COMPORTAMENTAL.

Em outras palavras, foco comportamental é a capacidade de colocar atenção racional concentrada e forte energia emocional em seu objetivo e sua meta. No foco visionário é colocada a intenção, já no foco comportamental é colocada a atenção intelectual e emocional. É por meio do foco comportamental que alcançamos as mudanças e as conquistas.

Você deve estar então se perguntando: como produzo o foco comportamental? São três os canais neurológicos que usaremos para produzir o foco comportamental. O primeiro canal neurológico do foco comportamental é a comunicação em todos os seus níveis e estilos. Cada vez que **falo** sobre o meu foco visionário, estou tendo foco comportamental e produzindo energia de realização. Sempre que **escrevo** ou tenho alguma **ação** ou comportamento na direção do meu alvo, estou produzindo energia de realização. Sempre que me **relaciono** com pessoas que compartilham das mesmas metas e dos mesmos objetivos e investimos tempo **falando** sobre nosso alvo, mais uma vez estarei produzindo foco comportamental através da comunicação.

O segundo canal neurológico para a produção do foco comportamental é o pensar. E, para dar mais força a isso, cito a passagem bíblica que diz: "Assim como tu pensas, tu és" (Provérbios 23:7). Para abastecer sua mente da carga necessária de pensamentos positivos e produtivos você precisa **ler** o máximo possível sobre o assunto, você precisa dedicar tempo **ouvindo** casos de sucesso sobre o seu objetivo, você precisa ter à mão livros, revistas, CDs, DVDs e tudo o mais que produza o que chamo de incandescência focal, ou seja, poder de realização. Você terá produzido foco comportamental quando você dormir **pensando** na sua meta, quando você acordar pensando na sua meta. Quando estiver se alimentando e o tema central em sua mente for a sua meta a ser realizada.

O terceiro canal para produção do foco comportamental é o sentimento. Como já vimos, o comunicar e o pensar contínua e positivamente sobre o seu foco visionário vão produzir os sentimentos necessários para o desenvolvimento do foco comportamental. Contudo, a maneira mais poderosa de produzir os sentimentos certos e na intensidade certa é fazer repetidos e intensos **ensaios mentais**. Ou seja, ver-se agindo na direção de seu objetivo e também realizando seus sonhos.

Como já falamos e retomarei mais adiante, o cérebro não distingue o que é real do que é imaginado. Toda imagem mental, positiva ou não, que é vista repetidamente e/ou sobre forte impacto emocional se torna uma verdade sináptica, ou seja, uma programação mental. Isso quer dizer que os registros neurais produzidos com o ensaio mental gerarão mudanças concretas dentro e fora de você.

O terceiro tipo de foco é o FOCO CONSISTENTE. Esse foco é determinado pela capacidade que o indivíduo possui de manter-se focado em sua meta e seu objetivo (Foco Visionário), como também de manter-se comunicando, pensando e sentindo sua meta como real (Foco Comportamental). Em outras palavras, o foco consistente pede que o indivíduo não perca a perspectiva de aonde quer chegar e mantenha-se ligado cognitiva e emocionalmente ao seu alvo.

Conversando com algumas pessoas, percebo que é muito clara a inconstância de propósitos e objetivos. Um dia aquela pessoa queria conquistar seu primeiro milhão. Seis meses mais tarde, descobri que agora ela queria se tornar uma triatleta. E na virada do ano ela estava com uma nova meta: casar-se e ser mãe. Não há problemas em nenhuma das três metas que ela estabeleceu, a questão é que em um pouco mais de um ano ela mudou três vezes o seu foco visionário. No início ela se via como uma pessoa milionária. Depois se via como triatleta e já na virada do ano se via como esposa e mãe. Como a mente humana pode produzir mudanças comportamentais se não há consistência no alvo?

Outro exemplo de inconsistência: o irmão de um cliente havia montado uma oficina mecânica com a ajuda financeira do pai, que o apoiara já que o filho sempre gostou de carros. Como a empresa não ia bem, ele vendeu a oficina e trocou por uma academia de ginástica. Entretanto, esse negócio também não deu certo, e em menos de um ano ele já havia trocado a academia por um carro esportivo.

Que tal nos manter focados no mesmo objetivo e na realização dele? A experiência de coaching tem me mostrado que pessoas imaturas são inconstantes em suas metas e seus objetivos. São pessoas levadas por todo e qualquer tipo de influência. Um dia querem isso, no outro querem aquilo. Um dia estão certas disso, no outro estão completamente confusas. Então vai uma PPS para você: por quanto tempo você se mantém certo e seguro do que estabeleceu como meta e objetivo?

Conheci uma jovem senhora que, cada vez que eu a encontrava, tinha uma meta conjugal. Na primeira vez que conversamos a meta era se separar do marido. Na segunda vez, ela queria salvar o seu casamento. Nós nos encontramos no aeroporto um dia e ela estava mais uma vez completamente comprometida a acabar com seu casamento. Vinte dias depois, em um restaurante, lá estava ela com seu marido, apaixonada e planejando uma nova lua de mel. Isso é uma confusão de propósitos que a impede de alcançar qualquer objetivo, seja salvar o casamento, seja terminar com ele.

Ter o foco consistente é manter-se focado no seu alvo sem abrir mão dele por nenhuma distração ou tentação. No entanto, nós já sabemos que manter apenas o foco visionário não é garantia de realização. Precisamos também manter o foco comportamental. Precisamos frequentar o ambiente onde as pessoas tenham a mesma meta que a nossa, precisamos continuar lendo revistas e livros sobre a meta em questão. Precisamos ouvir áudios e assistir a vídeos sobre o tema em questão e, por fim, precisamos fazer ensaios mentais vivenciando a realização e o atingimento da meta escolhida.

Em resumo:

1º) Foco Visionário: saber com clareza quais são suas metas e seus objetivos, a ponto de poder vê-las intencionalmente em sua mente com toda a nitidez.

2º) Foco Comportamental: dedicar tempo e atenção para produzir energia suficiente para gerar mudanças internas e externas. E essa energia é produzida através do uso repetido de três canais neurológicos: comunicação, pensamento e sentimento.

3º) Foco Consistente: é a capacidade de manter em mente o foco visionário e o comportamental por tempo suficiente para que sejam produzidas mudanças consistentes e massivas. Pode haver distrações, mas você não é seduzido por elas e continua olhando para a sua meta, não perdendo a perspectiva da visão de futuro e atuando sistematicamente para conquistar o que quer.

ESTUDO DE CASO

Tive um cliente de coaching que em oito meses ele saiu de um salário/pró-labore de 15 mil reais para 180 mil reais por mês. Todos sabem que no CIS® as mudanças acontecem depressa, mas nunca havia visto em tão pouco tempo alguém multiplicar seus rendimentos quinze vezes. Como também nunca vi alguém tão focado e comprometido com uma meta como ele.

Quando começamos o trabalho ele já era um corretor acima da média. Logo no início do treinamento, ele se tornou o primeiro em vendas entre mais de 500 corretores. Pouco tempo depois, era o dono de uma corretora com exclusividade nas vendas de dois grandes empreendimentos imobiliários voltados para o público A.

Vamos entender como o CIS® o ajudou a usar o foco múltiplo para realizar o que diversas pessoas diriam ser impossível.

1ª ETAPA: FOCO VISIONÁRIO

No início do trabalho de coaching, ele definiu suas metas e o prazo para realizar cada uma delas. Primeiro, estabeleceu os resultados em vendas como corretor imobiliário mês a mês. Depois estabeleceu quanto estaria ganhando em cada um dos meses seguintes. Em seguida, chegou a hora de estabelecer a meta da nova empresa que ele montaria quando se tornasse absoluto nas vendas dos dois empreendimentos nos quais se tornara especialista.

Estava tudo traçado, ele sabia exatamente o que queria e quando queria. Era só fechar os olhos e ele via com toda a facilidade cada uma de suas metas acontecendo. Isso foi possível porque ele estruturou seus objetivos, de modo que os atingisse passo a passo até chegar à meta final. Veja como isso se deu:

1ª Meta: Estar entre os dez melhores corretores da empresa na convenção anual.
Visão: Sendo premiado e reconhecido na convenção anual como um dos dez melhores vendedores.

2ª Meta: Fechar o ano com uma renda de 50 mil reais por mês.
Visão: Mostrando para a esposa o contracheque de 50 mil reais referente a suas vendas.

3ª Meta: Ter vinte unidades vendidas do empreendimento no qual era especialista.
Visão: Na prestação de contas mensal de resultados comerciais, mostrando para a diretoria seu gráfico de vendas e a média de vinte lotes por mês.

4ª Meta: Estar em primeiro lugar absoluto, ou seja, vender sozinho mais de 50% do empreendimento em questão.
Visão: Participando de uma reunião com a presidência do grupo, que queria conhecer a pessoa que sozinha está revolucionando as vendas do empreendimento.

5ª Meta: Conseguir autorização da presidência do grupo para que montasse sua equipe de corretores especialistas no empreendimento.
Visão: Assinando o contrato e se tornando dono de uma nova corretora imobiliária que dividiria a exclusividade de vendas dos dois empreendimentos em questão.

Cada uma das etapas que ele planejou e visualizou aconteceu. Algumas mais depressa, outras um pouco mais demoradamente. Uma exatamente como a imagem que criou na cabeça, outras de modo bastante similar, mas o fato é que a-con-te-ce-ram.

Para que tudo isso acontecesse de forma tão rápida, porém, foi necessária a execução da segunda etapa.

2ª ETAPA: FOCO COMPORTAMENTAL

Nesta etapa ele produziu a energia necessária para mudar sua mentalidade e suas crenças internas, como também ele moveu quanticamente o mundo ao seu redor, criando uma gama de acontecimentos não planejados, porém benéficos, que culminaram com a realização de suas metas.

Para obter o foco comportamental através da comunicação, ele seguiu três passos.

Passo 1 – Falar, escrever e agir na direção da meta

- Ele se reunia semanalmente com os melhores vendedores da corretora onde trabalhava e também com os melhores corretores do empreendimento no qual ele havia se tornado especialista. E trocavam ideias e compartilhavam cases de sucesso uns dos outros.
- Ele visitava o maior número de prováveis clientes e usava a primeira visita apenas para desenvolver um relacionamento; somente em uma segunda visita ele mostrava o empreendimento.
- Ele constantemente buscava relacionamento com diretores e proprietários das melhores corretoras imobiliárias para ouvir e aprender com eles, mas também para falar do seu empreendimento e dos resultados que vinha obtendo.
- Ele aproveitava todas as oportunidades para apresentar e, se possível, vender seu empreendimento. Eu fui uma dessas pessoas que inusitadamente comprou dele o empreendimento, mesmo sendo em outro estado.
- Ele também constantemente escrevia nas redes sociais sobre sucesso na área imobiliária e técnicas de venda e negociação.

Passo 2 – Pensar: refletir, ouvir, assistir, ler sobre a meta até que seus pensamentos sejam sua visão

- Ele só dormia depois de ver no seu smartphone os resultados do seu dia de trabalho.
- Ao acordar, escrevia tudo o que ele faria naquele dia para realizar seus planos e suas metas diárias de vendas e de visitação.
- Ao entrar no carro, ele ouvia todos os meus CDs de sucesso financeiro, vendas, negociação e reprogramação mental.
- Todos os dias ele lia cinco páginas da biografia de alguém de sucesso na sua área de atividade.
- Todo sábado pela manhã, ele convidava profissionais de mercado para compartilhar cases de sucesso.
- Toda semana ele dedicava uma noite para assistir a um DVD de treinamento sobre o que ele buscava conquistar.
- Sistematicamente, ele recebia de vários blogs especializados informações de alto valor sobre o mercado imobiliário.
- No espaço de oito meses ele já havia lido mais de 30 livros sobre vendas, negociação e prosperidade financeira.

Passo 3 – Imaginar: ensaio mental forte e constante da realização de suas metas

- Diariamente antes de dormir, como quem toma remédio, ele dedicava cinco a sete minutos para executar o ensaio mental de todas as suas metas conforme ele aprendeu nas sessões de coaching e no Método CIS®.

3ª ETAPA: FOCO CONSISTENTE

Juntos, criamos uma agenda programada de exercícios para que ele desse continuidade aos outros dois tipos de foco. E isso perdurou até que todos os seus objetivos fossem realizados.

QUANDO AS METAS NÃO ACONTECEM

Imersão no aprendizado é outra maneira de chamar o foco consistente. Não importa o nome que atribuímos a ele, esse processo é uma estratégia de aprendizado acelerado, uma maneira de aprender o que for necessário para a realização da meta em um curtíssimo espaço de tempo.

E nesse sentido é muito importante que entendamos que aprender é sinônimo de mudar. Pois sempre que aprendemos mudamos algo em nossa vida. Quando nossa vida permanece a mesma, é porque não aprendemos nada.

APRENDER = MUDAR

Existe uma explicação bem simples para pessoas que passam por um processo de imersão e não mudam sua vida naquele aspecto. Ou a imersão é falha e ineficiente no seu conteúdo, ou essas pessoas não aprenderam nada com a experiência. Elas podem ter entendido tudo o que foi abordado, elas podem até ministrar aulas sobre o tema. Entretanto, entender ou compreender não é o mesmo que aprender e mudar.

Tenho visto pessoas que passam por limitações em diversas áreas da vida. E algumas delas buscam ajuda, fazem cursos, leem um livro aqui, outro ali e conquistam alguma melhora. Quando, porém, os sintomas do problema diminuem, elas deixam o foco consistente, param sua imersão no aprendizado. E o restante da história nós sabemos: em pouco tempo os ganhos regridem, e a vida volta ao que era antes. Não houve mudança efetiva, pois não houve o verdadeiro aprendizado. Essa máxima vale até para mim: não basta que eu escreva este livro para ter resultados extraordinários; eu preciso pôr em prática e vivenciar cada etapa do que explico aqui.

Como é lamentável ver tantas e tantas pessoas que não dão sequência a algo tão simples e com resultados tão rápidos. O que custa estabelecer um foco visionário em relação a suas metas? O que custa produzir foco comportamental e seguir aprendendo? O que custa manter-se na agenda programada até que os resultados apareçam e se concretizem definitivamente?

Muitas pessoas me perguntam quanto tempo elas devem manter o foco consistente para que suas metas aconteçam. Não existe um prazo predeterminado. Contudo, quanto mais intenso for o foco comportamental, menor será o tempo necessário para que os resultados apareçam. Outra métrica é o tamanho de sua meta. Quanto maior e mais desafiadora for sua meta, mais intensidade no foco comportamental e mais foco consistente serão necessários.

INTELIGÊNCIA FOCO-TEMPORAL

Quando estudamos pessoas e seus resultados, tomando como base a estrutura Foco-Temporal, entendemos com toda a clareza o sucesso de pessoas que vieram de baixo e o fracasso das pessoas que vieram de cima e tinham aparentemente tudo. Como também entendemos a depressão de pessoas que vivem em um contexto superpositivo e entendemos a felicidade e a plenitude de pessoas que vivem cercadas de graves problemas e aflições.

Nós já sabemos que foco é poder, sabemos também que, dependendo de onde e de como colocamos esse poder, obteremos resultados bons ou ruins. Agora, aprenderemos a mover o foco ao longo da linha do tempo e também aprenderemos a qualificá-lo; mas, para isso, o primeiro passo é entender a relação do foco e a linha do tempo.

De forma bem tradicional temos a representação do passado, presente e futuro em uma linha:

PASSADO

Quanto ao passado, temos apenas uma maneira de nos conectar com ele: através de memórias e lembranças. E, para efeito prático, temos apenas dois tipos de lembranças: as boas e as más. É bem verdade que nossas lembranças do passado não representam a verdade do que de fato ocorreu, e sim a nossa representação distorcida pelo tempo e pelo significado que damos ao evento. Entretanto, uma vez armazenado, o passado torna a ter grande potencial de realização no presente e projeção do futuro. Pois, dependendo do que foi registrado nas nossas memórias do passado, temos o sentimento de esperança ou o sentimento de desesperança. E esses sentimentos podem conduzir o ser humano a patamares elevados ou até mesmo a ressecar-lhes os ossos. A questão, portanto, é como vamos usar nosso passado em prol dos objetivos.

PRESENTE

Já o presente é algo quase infinitamente efêmero, é um microssegundo que impiedosamente não cessa de se tornar passado. Diferentemente das memórias do passado e da visão do futuro, temos apenas um único contato com o presente, e esse contato é através das nossas ações e dos nossos comportamentos. Enquanto o passado e o futuro acontecem unicamente dentro de nossa mente, o presente acontece principalmente fora, no plano físico e sensorial. Não temos como voltar ao presente, pois ele já terá se tornado passado. Contudo, podemos acessar o passado e o futuro através de nossa mente e modificar os registros sobre eles, e assim alterar o presente.

Quando focamos o passado e trazemos as memórias de dor, podemos aprender com elas. Dessa forma, aprendemos com as lembranças ruins e celebramos as boas. Assim, produzimos esperança no presente, consequentemente trazemos comportamentos positivos para nós mesmos e para quem está à nossa volta.

No entanto, se o foco no passado ocorre em grande intensidade e numa qualidade ruim, dando ênfase às lembranças negativas, e, em vez de aprender com elas, nós nos vitimamos e deixamos as boas memórias esquecidas, o presente será sem esperança e confiança. Já quando focamos com a intensidade certa o passado, aprendendo com as adversidades e celebrando as vitórias, vivemos um presente cheio de esperança e com a certeza de que somos capazes. Onde está o seu foco? Nos problemas e nas dores do passado ou nas vitórias? Como você observa o passado?

Da mesma maneira, quando olhamos para o futuro e nos dedicamos intencionalmente a ter uma visão positiva, nós nos enchemos de fé, afinal, temos a certeza de que nosso futuro será bom. Se estamos motivados para acordar, trabalhar e agir, nossas ações são produtivas. Seja como for, para vivermos em plenitude o presente, é importante compreender o uso correto do passado e do futuro.

FUTURO

Percebemos que nos conectamos ao futuro através de imagens mentais, uma sequência de cenas criadas nos nossos circuitos neurais do que queremos que aconteça ou do que não queremos que aconteça. A isso chamamos de visão de futuro. E, mesmo sendo uma projeção da imaginação, a visão do futuro existente em qualquer pessoa tem enormes poderes sobre o indivíduo e o mundo real que o cerca.

Diferentemente da memória, que qualquer animal doméstico ou selvático possui, a visão de futuro é uma condição puramente humana. A visão do que há de vir ou pode vir é a base da consciência humana. É nossa porção divina, é o que chamamos de fé. Se enveredarmos pela teoria da Física Quântica, entenderemos que a realidade que nos cerca é na verdade a criação da própria pessoa que a observa com os olhos da mente. Assim, a visão pode ser positiva ou negativa sobre o futuro. Diferentemente do passado, que é uma memória, o futuro é uma projeção nítida ou não, consciente ou não, mas sobretudo a imaginação do que pode vir a acontecer.

TABELA DE QUALIFICAÇÃO DA INTELIGÊNCIA FOCO-TEMPORAL

TEMPO	TIPO DE CONEXÃO	QUALIDADE DE CONEXÃO
Passado	Memórias	(+) Boas (–) Ruins
Presente	Comportamentos/ Ação	(+) Produtivos (–) Improdutivos
Futuro	Visão	(+) Positiva (–) Negativa

A tabela anterior mostra o que é qualidade do foco nos três períodos de tempo. Vimos que a qualidade do foco no passado é determinada pelo tipo de recordação e o significado dado a essas lembranças. Podem ser boas lembranças ou más lembranças. No presente a qualidade do foco é determinado por ação produtiva ou improdutiva. E, quanto ao futuro, a qualidade do foco é determinada pelo tipo de visão positiva e otimista ou pessimista e negativa.

A seguir, veremos como a tabela de qualificação se aplica a três tipos de pessoas: as depressivas, as ansiosas e as bem-sucedidas.

MODELO DE DEPRESSÃO

A pessoa depressiva vive do passado e tende a se cercar de negatividade. Na imagem a seguir, vemos esse caso aplicado à tabela da qualificação.

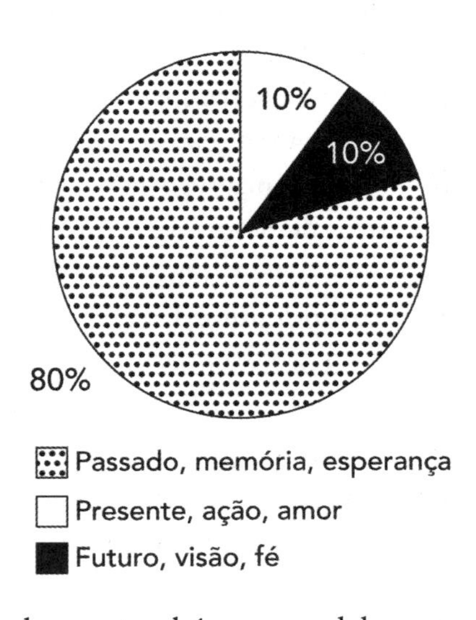

Observando a imagem, percebemos que o **foco comportamental** do indivíduo representado está quase totalmente no passado. Vemos que 80% do que ele fala, pensa e sente se refere ao passado. Para isso, ele busca ambientes e pessoas que permitam que ele se mantenha no passado, alimentando suas lembranças, que no caso são quase totalmente lembranças ruins e dolorosas. E percebemos também no modelo que, além de manter quase toda a sua energia no passado, ele dedica pouco ao presente, tornando suas ações e seus comportamentos improdutivos. Ele resgata as memórias negativas do passado e as reforça com significados ruins. Pelo padrão foco-temporal, essa pessoa produz sentimentos de desesperança. Afinal, é difícil ter boas perspectivas sobre o futuro se encara e aduba tão intensamente as dores do passado. No tempo presente, percebemos que nosso personagem age muito pouco. Ele evita fazer, ir ou vir, mas não para por aí: além de dedicar apenas 10% de sua energia para agir, suas ações, como mostradas no gráfico, são quase prioritariamente improdutivas para ele, para quem o rodeia e para o mundo. E dessa forma o sentimento final é de desamor. Então, a vida presente perde o sentido e o futuro se torna um lugar assustador e indesejado. Como mostra o quadro de Inteligência Foco-Temporal, quase todo comportamento, ações e falas são improdutivos. E, como tem poder quem age, nosso personagem está na verdade vegetando no seu micromundo. E de forma inconsequente está deixando seu presente potencialmente produtivo e transformador se esvair por completo.

Dando sequência, chegamos em como essa pessoa se conecta com o futuro. E vemos com toda a clareza que ela dedica muito pouco esforço positivo ao seu futuro. Ela praticamente não se conecta com o futuro, e quando o faz é com visão negativa sobre ele, olhando mentalmente para o que pode dar errado, e não para o que pode dar certo.

Na sua maneira de se relacionar com o passado, ela gerou sentimento de desesperança. Por não agir produtivamente no presente, produziu sentimentos de desamor. E quando encara o futuro com tanto pessimismo ela produziu o sentimento, ou melhor, a ausência de fé. Então a sua estrutura foco-temporal gerou resultados internos de depressão e resultados externos que confirmam sua atitude.

É fundamental que queiramos entender que os resultados que temos colhido ao longo da vida não são coincidência ou acaso cósmico. Existem combinações de padrões físicos, emocionais e espirituais, e certamente existe um resultado pertinente a cada uma dessas combinações de padrões. Nesse modelo tradicional de inteligência foco-temporal de uma pessoa depressiva que apresentei, vimos que ela usa sua energia física e psíquica para produzir seus resultados negativos. Se seu resultado não está de acordo com o que você quer ou gostaria, é necessário mudar. Tudo é resultado. E, se quiser mudar o resultado, mude os seus padrões.

Recebi certa vez um e-mail de uma pessoa que me pedia conselhos, vamos chamá-lo de Abreu. O e-mail dizia assim: "Caro Paulo Vieira, como dar o meu melhor em um mundo cheio de violência e desigualdade social? Como ser positivo diante de tanta corrupção e injustiça e ainda avançar e ter sucesso em meio ao caos?".

Como qualquer profissional coach que se preze, não tive uma resposta definitiva, e sim uma proposta de reflexão:

"Caro Abreu, peço que leia a história que conto a seguir e me diga sob o comando de qual dos dois você gostaria de estar.

"Ambos os generais estão em um campo de batalha cheio de desafios e problemas gigantescos. O primeiro, porém, olha para o passado e aprende com os erros e as perdas, além de comemorar as vitórias e as conquistas. Esse mesmo general age no presente como se houvesse um superpropósito a ser conquistado no futuro, fazendo tudo, absolutamente tudo o que está ao seu alcance agora. Você não verá esse general se lamentando ou perdendo tempo com qualquer coisa improdutiva ou ineficaz. E quando ele olha para o futuro só tem uma coisa em sua mente: a vitória. Ele compartilha essa visão de futuro com sua tropa e não deixa ninguém ficar olhando para trás (passado de dor) nem para o chão (presente improdutivo). Todos olham para o alto e para a frente (futuro positivo). Toda a sua tropa sabe para onde está indo e o propósito de tudo isso. E, mesmo na guerra, eles se sentem seguros com seu general.

"Já o segundo general teve vitórias no passado, mas se detém mais nas lembranças das derrotas. No presente, ele se questiona se vale a pena todo o esforço e o risco, e se pergunta: 'Será que vamos vencer? Será que vamos suportar?'. Será que vale a pena? Seu olhar normalmente está voltado para trás (passado de perdas) e, em outros momentos, para o chão (presente improdutivo), sem saber o que fazer naquele momento. E, quanto ao futuro, as imagens se confundem: uma hora vem a imagem de uma rendição; em outro momento vem a imagem da derrota; em seguida vem a imagem da batalha e da morte de muitos de seus soldados."

E eu finalizei o e-mail com a pergunta: "Qual dos dois generais você, sua esposa e seus filhos gostariam de seguir?". E, como eu conhecia a história dele, continuei: "Não se surpreenda se seus filhos e até sua esposa decidirem mudar de lado. A decisão de como você vai encarar a vida e os seus desafios é sua. Ah, ia me esquecendo: quanto a você, é impossível mudar de lado, você só pode mudar de atitude. Boa sorte e boas escolhas".

MODELO DE ANSIEDADE

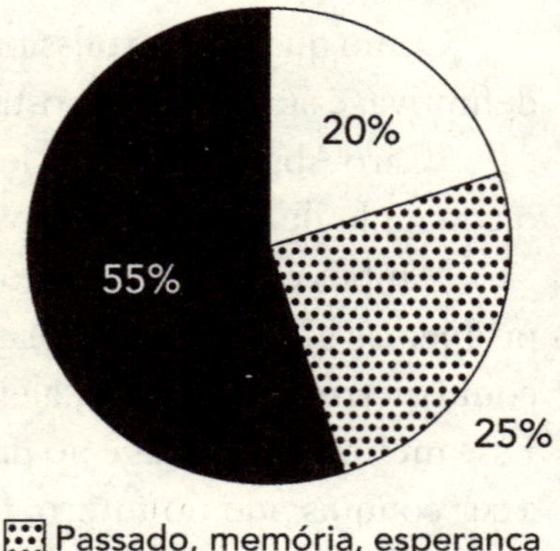

Agora que estão mais claros e exemplificados a estrutura e os resultados obtidos com o uso da inteligência foco-temporal, vamos compreender como é o padrão de uma pessoa tradicionalmente ansiosa.

Quando olhamos para a representação desse modelo, vemos uma distribuição diferente não só da intensidade como também da qualidade do foco em relação ao modelo de depressão. A pessoa dedica ao passado em torno de 25% de seu tempo e energia psíquica para lembrar os acontecimentos que se foram. E sabemos que quem gasta tempo assim remoendo o passado costuma focar os problemas e as lembranças ruins. E, como sabemos, esse padrão de lembranças suscita na pessoa desesperança sobre o futuro e dúvidas sobre o presente.

Observando a representação do futuro no modelo acima, vemos que ela dedica esforço e intensidade em demasia ao futuro, o que por si só já é um desperdício, e focar no que pode dar errado produz insegurança. E, como nesse modelo o futuro é um perigo iminente, o possuidor desse padrão foco-temporal costuma agir de forma prioritariamente produtiva, o problema é que ele já desperdiçou muita energia e tempo lembrando do passado e outro tanto de energia pensando nas possibilidades de insucesso no futuro, restando pouca energia e pouco tempo para fazer acontecer ações produtivas bem-sucedidas no presente.

MODELO DE SUCESSO

Você já conheceu dois modelos tradicionais e nada eficazes de inteligência foco-temporal: o modelo de depressão e o modelo de ansiedade. Tenho certeza de que com esses modelos muitas fichas caíram, e você está entendendo o porquê de muitos dos seus resultados bons e ruins.

Agora vamos conhecer o modelo ideal, aquele que todos queremos adotar: o modelo de sucesso.

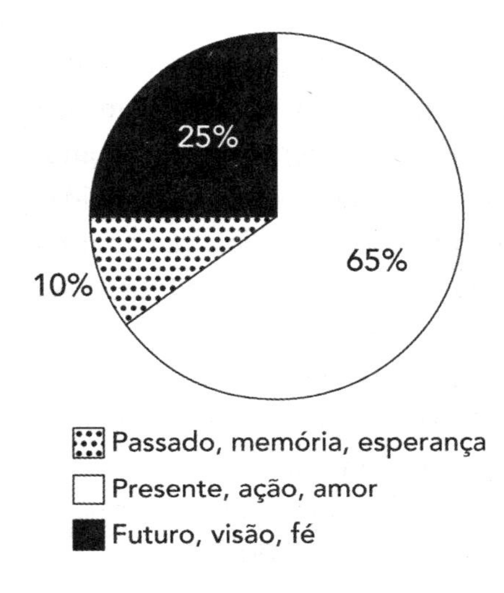

Para chegar a este modelo, entrevistei mais de mil pessoas, e invariavelmente as pessoas de sucesso seguiam este padrão foco-temporal. E meu desejo aqui é que você evite os padrões negativos e aprenda e replique o padrão de sucesso.

Olhando para o modelo ao lado, percebemos que ele dedica muito pouco tempo e intensidade ao passado, apenas 10%. E não usa as lembranças ruins do passado para se vitimizar. Pelo contrário, ele sabe dos erros e das falhas que ocorreram, e usa cada um desses momentos apenas para o aprendizado e a mudança, para que no futuro não venha a repetir o mesmo erro; mas sobretudo esse modelo de sucesso usa as boas lembranças do passado para celebrar a vida, para trazer a consciência que vitórias ocorreram no passado e novas acontecerão no futuro. Esse modelo faz com que a pessoa vá para o presente levando não apenas aprendizados e mudanças, mas também levando suas vitórias e a certeza de que é possível fazer ainda mais.

O modelo de sucesso dedica aproximadamente 25% da energia psíquica e física ao futuro. Criando deliberadamente imagens positivas e, em menor quantidade, também imagens negativas do que pode acontecer. Discutindo e planejando ações futuras. São imagens extraordinárias das coisas boas que estão sendo plantadas no cérebro. Esse modelo não permite que o mundo determine seu padrão mental; esse modelo corresponde ao primeiro general daquela história, ele é autorresponsável e o comandante do barco da sua vida. E você talvez esteja se questionando por que essa pessoa também criou imagens ruins sobre o seu futuro. É porque ela sabe que pode fazer planos, mas a exatidão do que vai acontecer depende do Criador. Assim, ela também elabora um cenário ruim para testar o que ela quer e o que precisa ser mudado e aprimorado nas suas visões positivas de futuro.

E agora resta analisarmos o presente dessa pessoa de sucesso. Vemos que ela vive a máxima que diz: tem poder quem age, porém vemos que ela também aprende com os erros do passado. E que planeja detalhadamente o futuro, entendendo que ela não apenas age, mas age certo e na velocidade certa. De fato, ela dedica aproximadamente 65% de toda a sua energia física e psíquica à ação. Se fôssemos atribuir uma palavra definidora a essa pessoa, a palavra seria AÇÃO.

Fique à vontade para se surpreender. Fique à vontade para desejar esse modelo para sua vida, e mais à vontade ainda para construir esses resultados na sua vida. Esse modelo é cinco a dez vezes mais realizador do que qualquer outro. E é também o modelo das pessoas que deixam marcas positivas neste mundo, pessoas que criam valor para si e para o mundo todo.

Vamos à sessão de PPSs.

MODELO DE PASSADO

Que tipo de memórias você vinha trazendo do passado, boas ou ruins?

___

Se forem lembranças ruins, qual aprendizado você tirou delas?

___

Se foram lembranças boas e positivas, quanto você tem celebrado a vida por causa delas?

___

Com qual dos três modelos de passado sua vida mais se parece, com o depressivo, ansioso ou de sucesso?

___

Quais consequências você tem colhido com esse modelo de lembranças do passado?

___

Escreva o nome de três pessoas que vivem cada uma segundo um modelo de lembranças do passado.
Modelo de passado de depressão: ______________________________
Modelo de passado de ansiedade: ______________________________
Modelo de passado de sucesso: ________________________________

Escreva três decisões para mudar radicalmente seu modelo de passado e assim mudar a própria vida.

____

____

____

MODELO DE FUTURO

Que tipo de visão você vem produzindo ou deixando ser produzida sobre seu futuro, positiva ou negativa?

____

Qual a visão mais forte e clara (positiva ou negativa) que você traz na sua vida hoje? Ela assusta ou estimula você?

____

Se forem visões negativas, quais resultados você vem obtendo com elas?

____

Se forem visões positivas, quais resultados você vem obtendo com elas?

____

Sua visão de futuro se parece mais com o modelo depressivo, ansioso ou de sucesso?

____

Quais consequências você tem colhido com esse modelo de visão de futuro?

____

Escreva o nome de três pessoas que vivem cada um dos modelos de futuro.

Modelo de futuro de depressão: ____________________________

Modelo de futuro de ansiedade: ____________________________

Modelo de futuro de sucesso: ______________________________

Escreva três decisões para mudar radicalmente seu modelo de futuro e assim mudar a própria vida para muito melhor.

____

____

MODELO DE PRESENTE

Que tipo de ações você vem ou não produzindo no seu presente? São ações produtivas ou improdutivas?

____

Você, no seu meio familiar, é tido e reconhecido como uma pessoa produtiva e realizadora?

____

E no meio profissional, como você é visto? Como quem faz acontecer ou como quem está parado no tempo?

____

Se você está no grupo dos que agem, suas ações têm gerado resultados positivos e sua vida está fluindo? Explique.

____

Que percentual você dedica à ação?

____

Quais consequências você tem colhido com esse modelo de ação presente?

____

Escreva o nome de três pessoas que vivem cada um dos modelos de ação presente.
Modelo de presente de depressão: ____________________
Modelo de presente de ansiedade: ____________________
Modelo de presente de sucesso: ____________________

Escreva três decisões para mudar radicalmente seu modo de agir no presente e assim mudar a própria vida para muito melhor.

____
____
____

Agora, preencha a seguir o mapa de foco-temporal do seu estilo de vida hoje e o modelo a ser produzido em sua vida a partir de agora.

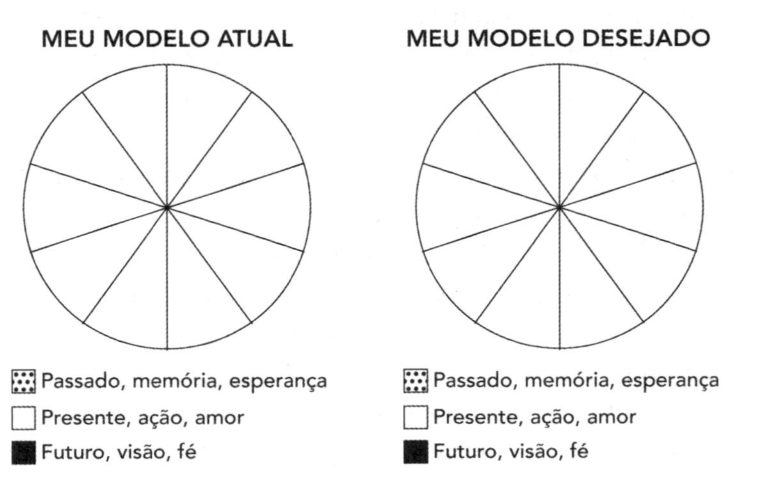

REGRA 10/90

Essa é uma regra diretamente ligada ao poder do foco. Essa regra diz que o que acontece com as pessoas no seu dia a dia é apenas 10% do todo. Por exemplo: passar no vestibular é apenas 10%. Ganhar um sorteio é apenas 10%. O filho tirar uma nota ruim é apenas 10%. Bater o carro é apenas 10%. Discutir com a esposa é apenas 10%. Os outros 90% correspondem ao que fazemos em relação aos 10% originais.

Passar no vestibular corresponde a 10%, porém a maneira que vou encarar a faculdade e a profissão no futuro corresponde a 90%. De que adianta passar no vestibular e nunca me formar? De que adianta passar no vestibular e cursar a faculdade de forma mediana, entrar no mercado de trabalho e nunca ter sucesso profissional? Então a frase-chave é:

> *Não é o que nos acontece que mais importa e sim o que nós fazemos com o que nos acontece.*
> (Paulo Vieira)

A consciência dessa frase tem duplo benefício. O primeiro ocorre quando temos algum tipo de conquista. Pois é muito comum agirmos como aquele jogador que comemora a vitória antes do fim da partida e, aos 45 minutos do segundo tempo, o adversário faz dois gols e ele perde o jogo. Ou ainda é como aquela pessoa que ganhou na loteria e em cinco anos perdeu tudo, inclusive a saúde e os amigos. Se entendermos que o que acontece corresponde a apenas 10%, poderemos dedicar toda a atenção e todo o foco aos outros 90%. Então não é apenas estar à frente do placar, e sim estar focado em vencer o jogo. Não é apenas ganhar na loteria, e sim ter foco em manter o que se ganhou e ainda ser feliz.

O segundo benefício da regra 10/90 é quando coisas ruins acontecem. Se olharmos para o revés também correspondendo a apenas 10%, como deveria ser com tudo o que acontece no passado, podemos focar e expandir positivamente os outros 90% e encontrar ganhos e benefícios. Se soubermos direcionar e qualificar nosso foco, poderemos encontrar benefícios ocultos em pequenas ou grandes perdas. Não que o benefício oculto tenha de necessariamente ser mais vantajoso que a perda, e sim focar com sabedoria os outros 90% do ocorrido e tirar algum proveito ou aprendizado mesmo com a dor. Uma pessoa que conheci teve câncer e quase morreu. Depois de ter superado a doença e se curado, ela se tornou uma pessoa muito melhor do que antes em todos os aspectos. Após um de meus seminários, ela veio me agradecer, pois foi através do meu vídeo da regra 10/90 que ela deu a volta por cima. E ela repetiu com entusiasmo o jargão 10/90: "O que me acontece é apenas 10%, mas o que eu faço em relação ao que me acontece é 90%".

Vamos analisar mais dois casos para que você também possa aplicar essa regra na sua vida.

Caso 1

Qualquer pessoa que dirige está exposta a bater o carro. Por isso é muito importante que você tenha a compreensão de que uma batida corresponde a apenas 10% do ocorrido; os outros 90% correspondem ao que você vai fazer em relação a ela.

Vamos a um exemplo real. Meses atrás, um turista desavisado atravessou a rua preferencial e bateu no meu carro novo, que tinha apenas mil quilômetros rodados. Márcio, meu motorista, que estava ao volante, rapidamente acionou o seguro, chamou o juizado móvel especial – serviço que concilia as partes envolvidas em acidentes automobilísticos – e depois me ligou. Ao chegar ao local, eu me certifiquei de que estavam todos bem e logo fui chamado para entrar na viatura do juizado móvel. Falei com o Márcio, cumprimentei o turista distraído e falei com o Juiz. Após assinar os documentos, o Juiz me chamou perto dele e me confidenciou que nunca tinha visto um proprietário com o carro batido tão tranquilo e sereno. Ao que respondi: "Doutor, o que nos acontece corresponde a apenas 10%. Os outros 90% dependem do que nós vamos fazer em relação ao que nos acontece". Gentilmente continuei explicando meu ponto de vista e disse que, se o meu foco fosse a batida, eu ficaria extremamente irritado e com certeza todos ao meu redor pagariam um preço pela minha irritação e descontentamento. Se, porém, meu foco fosse a solução e o que poderia surgir de positivo depois do acidente, as coisas seriam infinitamente melhores.

E de fato tive ganhos com aquela batida. O primeiro ganho foi ter feito uma ótima parceria com o Juiz, que além de se tornar meu aluno passou a ser um parceiro em uma obra social de que participo. O segundo ganho foi que com um carro a menos em casa, eu e minha esposa passamos a andar muito mais juntos no mesmo carro, a ponto de questionarmos a necessidade do carro que estava na oficina. E hoje mantemos o hábito de compartilhar o carro sempre que possível.

O que ganhei é fácil perceber, o difícil é imaginar o que teria perdido se tivesse posto meu foco e minha energia no problema. Será que eu teria sido ríspido com meus filhos, que não tinham nada a ver com a batida? Será que teria tratado mal o motorista, que não teve nenhuma culpa, e acabaria por perder um excelente profissional? Será que minha performance profissional como treinador e coach teria sido a mesma ao longo do dia ou dos 45 dias em que ficamos com um carro a menos?

Caso 2

Mais uma vez, o pai chegou em casa e foi recebido com uma nota vermelha do seu filho de 13 anos. Em todas as outras vezes as reações foram bronca, grito e acusação. Até que esse pai assistiu a um vídeo meu na internet e mesmo descrente resolveu pôr em prática a regra dos 10/90. Antes o foco do pai era no problema, ou seja, nas notas baixas. Ele brigava a cada nota baixa, reclamava da falta de estudo. E sempre trazia à tona todo o sacrifício que ele fazia para pagar um bom colégio e que o filho não se esforçava para retribuir com boas notas.

O pai já havia visto meu vídeo quando recebeu não uma nota ruim, mas um boletim todo abaixo da média. Segundo o que ele relatou em seu depoimento, quando viu as notas vermelhas, ele começou a imaginar o pior: o filho sendo reprovado, indo para um colégio mais fraco, não tendo sucesso na vida etc. Tomado por um misto de raiva e decepção, ele começou a repetir mentalmente: "Onde foca expande, onde foca expande"; e depois veio a outra frase clássica do foco: "Não é o que me acontece o que mais importa, e sim o que eu faço com o que me acontece".

Depois de seu autoconvencimento, ele olhou para o filho com serenidade e disse: "filho eu quero que você saiba que estou do seu lado. Não importa o que aconteça, sempre te amarei". Ao ver a forma nada explosiva, amorosa e sincera do pai, o filho perguntou, preocupado: "Pai, você está bem? Tá tudo bem com a mamãe?" E o pai prontamente respondeu: "Sim, estamos bem". O filho foi fazendo mais cara de medo e perguntou: "Vocês estão se separando?" "Não, filho, de jeito nenhum". Sem entender o comportamento do pai, o filho perguntou: "E você não vai se zangar, brigar, gritar e me proibir de nada?". "Não, filho. desta vez não. Eu quero dizer que eu faço parte das suas notas. E que eu confio em você e te admiro. Sei de todo o seu potencial e também sei que você é muito mais do que suas notas. E se você perder o ano, e não puder mais estar com seus amigos nesse colégio, eu quero dizer que pode contar comigo." E ele finalizou dizendo: "Eu te amo, filho". O filho pela primeira vez mostrou remorso e chorou abraçado a seu pai, e também foi a primeira vez que aquele menino pediu desculpas a seu pai.

De fato o pai entendeu que as notas ruins do filho eram apenas 10%. E que também eram um sintoma de que algo estava errado na relação. Ele se questionou: "Como um menino tão inteligente tira notas tão ruins?". E de forma ainda mais profunda ele tirou o foco do filho e de suas notas baixas e trouxe-o para si. Ele mudou como pai, tornando-se mais carinhoso, criando um canal de diálogo que há muito estava perdido. Passou a passear e estar junto com o filho sempre que possível. Ele também reviu o seu casamento e tudo o que ele podia mudar com a esposa. O resultado de tudo isso não demorou para começar a aparecer. Já na primeira nota o filho veio com uma cara de medo e a prova na mão. Ao se aproximar do pai, mostrou primeiro um sorriso de orgulho e alegria e depois mostrou a nota 9. Os dois se abraçaram e se beijaram e arriscaria a dizer que "viveram felizes para sempre". Porque é isso o que acontece quando pomos o foco no lugar certo e nas coisas certas.

E você, onde está colocando sua energia e sua atenção: no que lhe aconteceu ou no que você vai fazer em relação a isso?

CAPÍTULO V

COMUNIQUE-SE

Quanta dor e quanta privação. Meus sonhos a serem conquistados.
Tão perto e tão distante. Quanta solidão senti.
Quanto esforço e quanto suor. Tantos dias e tantas noites escalando muralhas para conquistar a fortaleza. De tão alto, caí.
Tão perto e tão longe. Quantas trilhas e caminhos tortuosos enfrentei.
Quão longe eu caminhei.
Quantas lutas e quantos embates.
Meus gigantes. E quantos gigantes me desafiaram!
Quanto me machuquei.
Porém, num dia lúcido e claro, sonhos, muralhas, caminhos, gigantes... Tudo estava sob o meu controle, sob a minha voz e sob as minhas palavras.
Quantas palavras e quanto poder.
Meu destino esculpido pelo artesão, pintado pelo artista. Um encontro marcado.
(Paul Vordestein)

Esse poema retrata o dilema do humano nas suas buscas. Normalmente é preciso tanto esforço para conquistar sonhos e há tanta dificuldade para resolver problemas que muitas pessoas param no meio do caminho e desistem do melhor da vida. Aqui eu o convido a se comunicar. Contudo, meu convite não é para você comunicar qualquer coisa e de qualquer jeito, mas, sim, comunicar a perfeita linguagem e com ela reprogramar sua mente para uma vida abundante.

Cada vez mais cientistas mostram que existe grande poder não apenas nas palavras ditas como também na própria estrutura linguística. Como criador do Método CIS® e do Coaching Integral Sistêmico, tenho visto e ouvido depoimentos fantásticos de transformações rápidas e profundas, e muitas delas apenas pela mudança da estrutura linguística. As palavras e suas estruturas são ferramentas, armas poderosas 100% disponíveis a qualquer um que esteja disposto a usá-las.

O que você vai aprender neste capítulo é uma completa e profunda reprogramação de suas crenças através unicamente de uma nova maneira de se comunicar interna e externamente, verbal e não verbalmente. E, quando falo de reprogramação de crenças, eu me refiro a novas sinapses neurais, novos programas mentais, um novo estilo de vida e conexão humana. E os resultados dessa nova forma de comunicar são abundância financeira, abundância familiar, saúde física e muito mais.

Você está preparado para voar sobre as muralhas? Está pronto para vencer pacificamente os gigantes que o desafiam? Quer trilhar caminhos seguros e vitoriosos? Está disposto a pintar sua nova vida como um artista que pinta uma linda obra de arte? Se a resposta for sim, venha comigo.

Vamos começar por definir o que é linguagem. Linguagem é o meio pelo qual exprimimos nossas ideias, nossos sentimentos, nossas vontades a nós mesmos e a outras pessoas. É através da linguagem que nos comunicamos conosco e com os outros. Contudo, se a linguagem não é eficiente, a comunicação pode não ser efetiva. Provavelmente você já testemunhou pessoas com dificuldade de expressar o que querem comunicar. À medida que elas aprimoram sua linguagem, seja escrita, falada ou por sinais, elas conseguem mais eficientemente passar suas mensagens para outras pessoas. E é com esse objetivo que existem regras bem claras para cada uma das sete mil línguas faladas na Terra.

Certamente eu não estou aqui para lhe ensinar gramática, redação e outros fundamentos da língua portuguesa. Meu objetivo é ensiná-lo a se comunicar para fora e para as outras pessoas neurologicamente, como também ensiná-lo uma linguagem neurológica para que com ela você possa ter uma comunicação efetiva com você mesmo e com sua mente. E, se assim for, você conseguirá comunicar ao mundo, a si mesmo e também emitir o comando perfeito que seu cérebro entenderá e prontamente obedecerá. O que estou dizendo é que podemos reprogramar nossa mente e mudar de forma rápida e drástica nossa vida através da nossa linguagem. Vamos agora entrar no mundo da comunicação.

COMUNICAÇÃO VERBAL

Começo meu seminário falando que palavras são como setas que não voltam depois de ser lançadas. Ou seja: "Falou, tá falado". Essa expressão comum na década de 1970 se tornou uma verdade mística para os autores de autoajuda na década de 1980 que, pela observação e pelo empirismo, atestavam o poder da palavra. Na década de 1990, a programação neurolinguística, através de John Grinler e Richard Bandler, apoderou-se do conceito: "A palavra estrutura a realidade". Contudo, desde a década de 2000, inúmeros cientistas buscam provar por meios científicos o poder das palavras. Um deles é o doutor Masaru Emoto, da Universidade de Yokohama, onde ele mostra que, por meio de emoções produzidas principalmente pelas palavras faladas, a estrutura molecular da água foi alterada. Ele conseguiu mostrar seu ponto de vista congelando a água e observando-a em microscópio de fundo negro. Quando se emitiam boas palavras ou se comunicavam coisas positivas para a água, os cristais de gelo se apresentavam firmes e belos. No entanto, quando se emitiam palavras negativas, acusadoras e grosseiras, os cristais da água congelada se tornavam disformes e escureciam. O que o doutor Masaru nos mostra é que toda e qualquer palavra pensada, mas sobretudo proferida, traz em si um poder de alterar a realidade e até a matéria. A verdade é que a palavra dita tem um poder atômico, ou seja, tem poder sobre a matéria independentemente da intenção do que foi comunicado.

Religiões milenares como hinduísmo, budismo, judaísmo e outras são unânimes em ratificar o poder transcendente das palavras. A mesma ideia se percebe cada vez mais também nos meios científico e acadêmico, como na Física Quântica, na Psicologia, na Neuropsiquiatria e na própria Medicina moderna. Todas concordam que as emoções derivadas de nossa comunicação são decisivas na saúde física e emocional, como também definidoras até dos acontecimentos supostamente aleatórios.

Vamos com a mente aberta analisar um texto religioso escrito há mais de 5 mil anos:

No princípio criou Deus o céu e a terra...

E disse Deus: Haja luz; e houve luz...

E disse Deus: Haja uma expansão no meio das águas, e haja separação entre águas e águas...

E disse Deus: Ajuntem-se as águas debaixo dos céus num lugar; e apareça a porção seca; e assim foi...

E disse Deus: Produza a terra erva verde, erva que dê semente, árvore frutífera que dê fruto segundo a sua espécie...

E disse Deus: Haja luminares na expansão dos céus, para haver separação entre o dia e a noite; e sejam eles para sinais e para tempos determinados e para dias e anos; e assim foi...

E disse Deus: Produzam as águas abundantemente répteis de alma vivente; e voem as aves sobre a face da expansão dos céus...

E disse Deus: Produza a terra alma vivente conforme a sua espécie; gado, e répteis e feras da terra conforme a sua espécie; e assim foi...

E disse Deus: Façamos o homem à nossa imagem, conforme a nossa semelhança; e domine sobre os peixes do mar...

E disse Deus: Eis que vos tenho dado toda a erva que dê semente, que está sobre a face de toda a terra; e toda a árvore, em que há fruto que dê semente, ser-vos-á para mantimento...

O interessante nesse texto do livro Gênesis, capítulo 1, é que, para cada coisa que Deus criou, Ele primeiramente emitiu um comando verbal para trazer à existência o que não existia. Ele usou o poder da palavra para criar. Ele não apenas pensou, Ele não apenas quis, como também não usou a força da intenção. Ele usou o poder da *palavra* para criar. "Haja luz"... e houve.

Esse poder de criar e alterar drasticamente a realidade também está em pessoas comuns, independentemente de idade, grau de instrução, poder aquisitivo. O poder está inalienavelmente dentro de todos os seres humanos. A questão é que, enquanto algumas pessoas usam o poder contido nas palavras para destruir, outras usam a palavra para construir. Contudo, a maioria usa as palavras para se manter num mundo de mediocridade e impotência diante da vida, de seus desafios e possibilidades.

Lembrando de casos em que presenciei o poder da palavra, cito o de um conhecido que quase todos os dias dizia despretensiosamente para sua esposa: "Eu sei que quando você se formar você vai me deixar. Eu sei..." O objetivo dele era ouvir de sua esposa algo bonito, amoroso, uma declaração de amor, mas o fato é que dois meses antes da formatura ela o deixou.

Outro caso que presenciei foi o do senhor aficionado por violência, a ponto de encadernar todos os recortes de jornais com cenas de violência. Tal era o foco na violência, que ele criou um blog sobre o assunto com informações completas sobre cada área da cidade e os crimes ocorridos em cada local. Ele tinha a cidade mapeada e em muitos casos sabia até quem era o traficante da área e sua ficha criminal. Ele, já aposentado, tinha apenas uma fala e um pensamento: violência urbana. O resultado de sua obsessão e suas palavras você pode até imaginar: a foto dele, assassinado brutalmente em uma tentativa de assalto, foi parar na primeira página de todos os jornais da cidade. Será que foi coincidência ele atrair e produzir a violência sobre si? Será que foi coincidência a esposa deixar o marido justamente no semestre da sua formatura?

Da mesma maneira, conheci um jovem empresário que por brincadeira encenou sua morte com o seguinte enredo: ao ir a uma localidade afastada para comprar o carro de um fazendeiro, este o matou covardemente e enterrou o corpo na propriedade, ficando com todo o dinheiro referente à compra do carro. Até aí, tudo bem, afinal não passava de uma brincadeira de mau gosto. Dois dias depois ele reapareceu e a brincadeira foi revelada. Meses depois seu primo e seu irmão novamente fizeram, ou melhor, falaram a mesma pegadinha, contando exatamente a mesma história. Depois do susto dos amigos e alguns poucos familiares mais distantes que acreditaram, ele ressurgiu dizendo que foi apenas mais uma brincadeira. Até que um dia ele não apareceu em casa. Dois dias de buscas e nada. Alguns acharam que era mais uma brincadeira, outros procuraram o jovem em todos os lugares. Até que dois meses depois do desaparecimento a polícia achou o corpo dele enterrado em uma fazenda. O fazendeiro foi preso e confessou que anunciou a venda do carro para atrair um comprador e, quando o jovem chegou para comprar o automóvel, ele o matou, roubou o dinheiro e enterrou o corpo na propriedade. Mais uma vez eu lhe pergunto: será que toda a sequência de acontecimentos foi coincidência? Ou terá sido criada pelo próprio jovem através de suas palavras supostamente inocentes?

Com esses dois fortes casos reais, não quero dizer que as pessoas mereceram ser brutalmente assassinadas. Ninguém merece isso! Quero apenas deixar claro o nível de seriedade que as palavras têm. Segundo autores da Física Quântica, como Fritjof Capra, tudo é sistêmico, tudo está conectado; assim, o que penso, falo e sinto cria uma realidade ao meu redor. Nós criamos a nossa realidade de acordo com aquilo que comunicamos para nós mesmos e para os outros. Não podemos perder isso de vista em nenhum momento de nossa vida.

Em 1983, o programa *Os trapalhões* exibiu um especial do quarteto. A história se passa em 2008, ou seja, 25 anos no futuro. No episódio, Zacarias e Mussum fazem o papel de seus próprios filhos; no enredo, os humoristas já teriam morrido e os filhos dos dois lhes prestam uma homenagem.

Como se sabe, de fato o Mussum e o Zacarias morreram. Contudo, as coincidências não param por aí. Como eles narram: "O tio Didi e o tio Dedé tiveram uma briga tremenda e só voltaram a trabalhar juntos agora em 2008". E foi mais ou menos isso que aconteceu. São muitos detalhes mostrados no programa que incrivelmente vieram a acontecer anos depois na vida deles. Para assistir a esse filme e ver todas as profecias autorrealizáveis que foram ditas, basta acessar o site <www.febracis.com.br/opoderdaacao>. Mais uma vez, eu pergunto: foi coincidência ou criação? Foi o acaso ou foram as palavras ditas que se materializaram?

Muitas pessoas vêm a mim e perguntam se suas palavras são adequadas. A minha resposta é muito simples: primeiro é preciso entender que toda palavra é na verdade uma profecia autorrealizável. E não sou eu quem avalia se suas palavras são boas ou más, mas, sim, a vida que essas pessoas têm levado. "Como assim?", essas pessoas costumam perguntar. "Ora, seu casamento é igual às palavras que você diz sobre ele. Sua vida financeira é igual às suas palavras sobre ela. Seu lar e seu trabalho são iguais e proporcionais ao que sai de sua boca." E complemento: "Acredite, sua vida é igual à média das palavras por você proferidas. Então, se você deseja saber se suas palavras são adequadas e benéficas, olhe para a vida que você tem levado e assim terá a resposta".

E quanto a você? Qual a qualidade das palavras que profere? Vamos através das PPSs abaixo fazer um levantamento da qualidade de suas palavras e analisar em qual das três categorias você se enquadra: pessoas que constroem e prosperam, pessoas que estagnam no mar da mesmice e são impotentes diante das mudanças, ou, na pior das categorias, aquelas que usam suas palavras para destruir tudo ao seu redor, incluindo a própria existência. Peço que responda às seguintes perguntas.

Sinceramente como você tem usado as suas palavras, para construir, para destruir ou para manter sua vida do mesmo jeito?

____

____

Em que áreas da sua vida você tem verdadeiramente amaldiçoado a si e sua vida?

____

____

Em qual ocasião na sua vida você viu o poder da palavra se manifestar de forma poderosa?

____

____

Quais palavras ou falas precisam ser eliminadas de sua vida com urgência?

____

____

UM NOVO PADRÃO LINGUÍSTICO

Padrão linguístico é a repetição sistemática do mesmo conjunto de palavras, frases e falas que dizemos audível e verbalmente, como também as falas e os pensamentos que mentalizamos como verdades sobre nós mesmos e sobre o mundo que nos rodeia. Obviamente, cada indivíduo tem um padrão linguístico único que determina seus resultados e a qualidade de sua vida.

Para mudar nosso padrão linguístico, temos inicialmente dois desafios. O primeiro é cessar a torrente de falas negativas que impomos a nós mesmos. O segundo desafio é impedir que essas palavras negativas que já foram ditas e lançadas venham a aterrissar e acontecer em nossa vida, trazendo à existência o que eram apenas palavras. E, para cessar a torrente de falas negativas que habitualmente lançamos sobre nós mesmos, precisamos entender que a boca fala aquilo de que o coração está cheio, ou seja, falamos sobre as nossas crenças internas e convicções mais profundas. Por isso, vamos por um lado mudar nossas crenças e nossas convicções profundas, e, na outra ponta, vamos mudar o padrão linguístico que não apenas reforça as crenças existentes como também cria novas, dependendo do que e como se fala.

Esse primeiro desafio consiste em, além de identificar o conjunto de frases amaldiçoadoras, também não mais repeti-las. O segundo desafio é substituir o padrão linguístico antigo por um novo padrão corrigido, aperfeiçoado e ultrapositivo. O exercício a seguir foi pensado para ajudá-lo a conquistar um novo padrão linguístico.

Passo 1: Assinale os padrões linguísticos negativos que mais se parecem com o que você fala ou pensa.

Padrão linguístico negativo

- Nada dá certo para mim.
- Tudo para mim é mais difícil.
- Nunca acabo o que começo.
- A vida não é fácil.
- Não aguento mais essa vida.
- Quero sumir, desaparecer.
- Homens não prestam, são todos farinha do mesmo saco.
- Mulheres são complicadas e difíceis de conviver.
- Dinheiro não dá em árvore.
- Vou enlouquecer.
- De que adianta viver?
- Não sou bom o suficiente.
- Não vou conseguir.
- Não vai dar certo.
- Ninguém me quer nem se importa comigo.
- Ninguém me respeita.
- Não adianta tentar, no final eu sempre perco.
- Ninguém me ama, só estão comigo por interesse.
- Nunca vou ter sucesso.
- Não sou capaz de ser uma boa mãe.
- Não sou capaz de sustentar um lar e minha família.
- Sou doente e frágil.
- Sou depressivo.
- Sou pobre e limitado.
- Nunca vou realizar meus sonhos.
- Não vou conseguir pagar as contas.
- Essa crise vai quebrar minha empresa.
- Mulheres são infiéis.

- Nunca terei o meu negócio próprio.
- Minha família só me dá dor de cabeça.

Passo 2: Relacione outros padrões linguísticos negativos que você fala ou pensa constantemente e que não foram listados.

- ____________________
- ____________________
- ____________________
- ____________________
- ____________________
- ____________________
- ____________________
- ____________________
- ____________________
- ____________________

Passo 3: Escolha os 10 padrões mais negativos e prejudiciais que destacou nos passos 1 e 2 e reescreva-os nas linhas "A" a seguir. E nas linhas "P" você deve escrever os prejuízos que tem obtido com cada um desses padrões linguísticos.

1A ____________________
1P ____________________
2A ____________________
2P ____________________
3A ____________________
3P ____________________
4A ____________________
4P ____________________
5A ____________________
5P ____________________
6A ____________________
6P ____________________

7A ____
7P ____
8A ____
8P ____
9A ____
9P ____
10A ____
10P ____

Passo 4: Agora que identificou os 10 principais padrões linguísticos negativos e sabe os prejuízos que eles causam na sua vida, vamos conduzir o tratamento que não só anulará o que já foi dito e os resultados ruins como também produzirá novas crenças e programações mentais capazes de mudar sua existência.

Exemplo:
1A Não consigo ganhar dinheiro.
1B Sim, eu consigo ganhar muito dinheiro. Sou próspero e farto.

Repare que a linha A do exemplo é o padrão linguístico obtido no passo 1 e/ou no passo 2. Já a linha B é o oposto ao que se vinha proferindo. É uma nova possibilidade, um novo padrão, e certamente serão também novos os resultados. Não se preocupe se o oposto da linha A parece impossível ou irreal, apenas escreva de acordo com a orientação.

1B ____
2B ____
3B ____
4B ____
5B ____
6B ____
7B ____
8B ____

9B ____

10B ____

Passo 5: Agora vamos aplicar uma técnica chamada neuroassociação, que busca fazer com que o cérebro associe palavras negativas ao desprazer. É como dar um reforço negativo a cada comportamento linguístico negativo, até que a parte racional do cérebro impeça a parte emocional de causar-lhe mais desconforto ao proferir inadvertidamente palavras de limitação.

O método é bastante simples: com um elástico no pulso, repita verbalmente os seus cinco piores padrões linguísticos e, a cada vez que você falar o padrão negativo, você deve esticar bem o elástico e soltar, de modo que sinta uma dor fina e intensa, porém inofensiva.

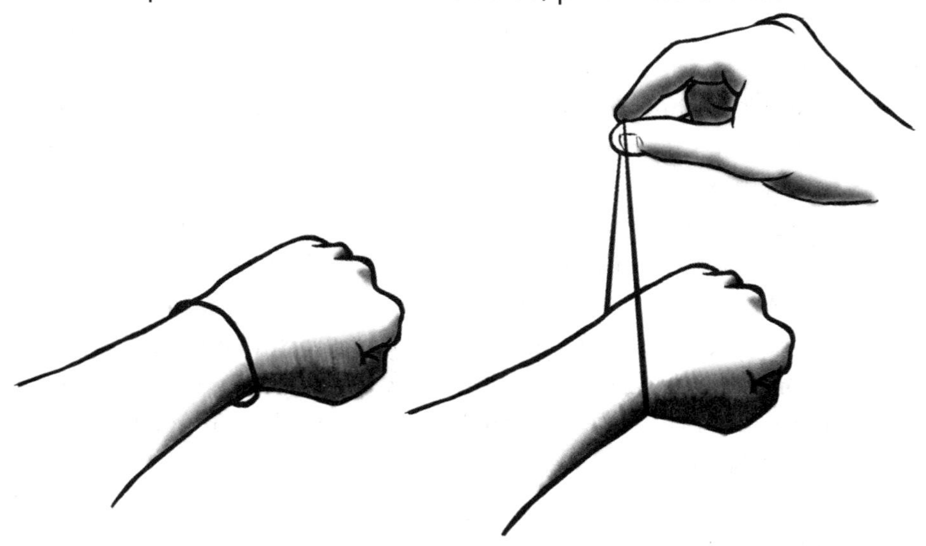

Passo 6: Em um caderno, escreva cada novo e produtivo padrão linguístico pelo menos 50 vezes. Até que seu cérebro por estímulos repetitivos substitua o padrão antigo pelo novo padrão linguístico. Então, se você tiver se dedicado e desenvolvido os 10 padrões produtivos, terá pela frente um superexercício. Serão 500 linhas de reprogramação de crenças. É importante que a cada vez que você escreva um padrão o diga em voz alta pelo menos 4 vezes. E não

se preocupe em acabar esse exercício em um dia ou uma semana, o importante é que você dedique foco e atenção e vá até o fim.

Passo 7: Depois de ter completado o passo 6, você ainda poderá cair na armadilha dos velhos hábitos e repetir as velhas falas verbal e mentalmente. Se isso acontecer, será de grande importância usar o elástico no pulso para fazer a neuroassociação imediatamente após a fala.

Talvez você esteja preso à zona de conforto e pouco disposto a dedicar tempo e energia mental para cumprir os passos 5 e 6. Se esse é o seu caso, procure ver se neste momento não está criando historinhas para não realizar parte do tratamento. Historinhas de arrogância, como: "Eu não preciso escrever 50 vezes isso", ou "não sou idiota para soltar um elástico no meu braço e sentir alguma dor". A quem pensa assim, vou só dizer uma frase que sempre repito em ocasiões como essa: "Fica tranquilo. Está tudo certo. Cada um tem a vida que merece". Se você não quer cumprir esses passos, não tem problema, porém, não acredite que terá todos os ganhos e as mudanças propostos. Não se engane achando que um hábito linguístico de muitos anos será substituído apenas pela conscientização intelectual.

Você sabe o preço que já pagou pelos resultados produzidos por cada um desses padrões negativos: problemas financeiros, divórcio, depressão, insucesso profissional, afastamento familiar. O que mais você terá de perder para sair de cima do grande tonel de madeira e fazer o que for necessário para mudar sua vida?

ESTILO LINGUÍSTICO

Você já entendeu que qualquer palavra emitida tem um poder capaz de mudar tudo ao seu redor. Você também entendeu o que é padrão linguístico. Agora vamos entrar em outro tema: estilo linguístico, ou estilo comportamental linguístico.

Estilo linguístico é a manifestação linguística de todo um conjunto de atitudes e comportamentos manifestos pelas palavras ditas. É a maneira pela qual o indivíduo mostra e reforça quem é, como pensa e no que acredita. Tal qual o padrão linguístico, o estilo linguístico é a representação verbal da identidade do indivíduo. E, quando falamos de mudança, podemos e devemos começá-la pela estrutura linguística, porque ela invariavelmente tem o poder de programar a mente, seja reforçando a atual identidade, seja trazendo uma nova programação ou crenças mentais. De forma mais simples, podemos mudar nossas crenças pela repetição de novos padrões e estilos linguísticos. Quanto mais emocionalmente intensos e repetidos forem os novos padrões e estilos, mais rápida e profundamente serão instaladas as novas crenças.

Cada pessoa tem uma combinação de estilos linguísticos diferentes e resultados também diferentes e proporcionais aos seus estilos. Contudo, não importa qual tem sido seu estilo nem quais são seus resultados, vamos experienciar agora dois estilos linguísticos que funcionam como verdadeiras vacinas ou antídotos linguísticos: a gratidão e a perfeita linguagem. Ao adotar e usar esses dois estilos linguísticos, você perceberá ganhos imediatos não apenas na sua vida pessoal como também na profissional e na financeira. Vamos a eles.

GRATIDÃO

A gratidão é um estilo linguístico poderoso e transformador que vem sendo cada vez mais estudado pela Psicologia Social[1] e pela Psicologia Positiva[2].

No Coaching Integral Sistêmico, não só pesquisamos como também aprofundamos o uso e os benefícios da manifestação da gratidão em todas as suas formas. Robert A. Emmons, psicólogo social e pesquisador da Universidade da Califórnia, em Davis, vem há anos estudando os efeitos práticos nas pessoas que comunicam gratidão. Segundo sua pesquisa, pessoas

[1] A Psicologia Social aborda as relações entre os membros de um grupo social, buscando compreender como o homem se comporta nas suas interações sociais. Estuda como as pessoas pensam, influenciam as outras e se relacionam entre si.

[2] A Psicologia Positiva se concentra no estudo e no tratamento de distúrbios como a depressão e a ansiedade, focando mais as forças do indivíduo do que as fraquezas, enfatizando mais a busca pela felicidade humana do que o estudo das doenças mentais. O objetivo é que as pessoas obtenham uma vida com mais qualidade e maior sentido.

que comunicam a gratidão possuem emoções mais positivas como alegria, entusiasmo, amor, felicidade e otimismo, e que essa prática protege essas pessoas de sentimentos negativos como inveja, ressentimentos, ganância e depressão. E ele continua sua afirmação mostrando que o indivíduo grato é capaz de lidar com mais eficácia com o estresse diário, sendo mais resiliente aos traumas e se recuperando mais depressa de doenças físicas.

O que esse pesquisador nos mostra é que o padrão linguístico da gratidão é um verdadeiro antídoto emocional capaz de mudar a vida da pessoa em todas as áreas. Segundo a ciência moderna que estuda o comportamento humano, a Psicologia Social, gratidão é uma emoção, disposição de ânimo, virtude moral, hábito, traço de personalidade: de se sentir grato, reconhecer motivos para ser grato e sobretudo *comunicar* gratidão em atos, palavras e ações.

Como dizem os pesquisadores Emmons e Michael E. McCullough, autores do livro *The psychology of gratitude*, a gratidão tem papel fundamental na ativação do potencial e da performance humana, como também é impossível atingir um alto nível de felicidade sem tê-la como um estilo de vida.

Contudo, as pesquisas não param por aí, experimentos quantitativos e qualitativos, dos mais simples aos mais complexos, mostram sempre a mesma coisa.

No livro *Agradeça e seja feliz!*, Robert A. Emmons narra um experimento feito com McCullough no qual examinaram o impacto da prática de gratidão no bem-estar psicológico e físico das pessoas. Eles destinaram três tarefas aos participantes da pesquisa, que foram divididos em três grupos. As pessoas de um grupo foram incentivadas a sentir gratidão e as de outro a ser negativas e se queixar; já o terceiro grupo foi mantido neutro. Com base neste último, os outros dois grupos foram avaliados.

Durante dez semanas, os participantes escreveram um curto diário, onde descreviam em uma única frase cinco acontecimentos da semana anterior. O primeiro grupo deveria registrar fatos pelos quais eram gratos, enquanto o segundo grupo deveria descrever cinco aborrecimentos; **já o** terceiro grupo, neutro, deveria apenas relatar cinco eventos ou circunstâncias que os haviam afetado – a esse grupo **não foi dito para acentuar os aspectos positivos ou negativos** das circunstâncias.

No final do experimento, foram examinadas as diferenças entre os três grupos em todos os resultados de bem-estar avaliados no início do estudo. Segundo a escala usada pelos pesquisadores, os participantes na condição de gratidão eram 25% mais felizes do que os outros. Além de serem mais felizes, as pessoas gratas apresentaram menos sintomas de doenças físicas e mais disposição para a prática de exercícios. Diante desse resultado, Emmons propõe que todos mantenham um diário da gratidão, no qual sejam catalogados acontecimentos que inspiram esse sentimento. O objetivo dessa atividade é que as pessoas adquiram o hábito de ficar atentas às coisas boas do cotidiano.

Pessoas verdadeiramente gratas são muito mais prósperas em todas as áreas. A tabela abaixo mostra o resultado comparativo de pessoas com o estilo linguístico de gratidão e o estilo linguístico contrário.

ESTILO DE GRATIDÃO	ESTILO DE NÃO GRATIDÃO
Feliz	Infeliz
Otimista	Pessimista
Doador	Retentor
Dócil	Hostil
Honra	Acusa
Possui fé	Incrédulo
Ampara	Abandona
Ama	Maltrata
Retribui	Toma
Esperançoso	Desesperançoso
Possui	Não possui ou perde

Lembre-se de que você não é quem diz ser. Como também não é quem gostaria de ser. Nem mesmo é o que outras pessoas dizem que você é. De fato, você é seus comportamentos e seus resultados.

Vejo muitas pessoas que dizem ser extremamente gratas. Contudo, na maioria das vezes, se formos observar mais de perto, veremos que é mentira ou autoengano. Basta olhar para essas pessoas que veremos que tanto seus resultados como seus comportamentos estão muito distantes de alguém verdadeiramente grato. Eu perguntaria para elas: você comunica gratidão como estilo de vida em atos, palavras e ações? Se a resposta for sim, então pediria que ela me mostrasse os resultados de uma vida grata. Ela teria de me mostrar fé, otimismo, felicidade, prosperidade, honra, saúde, entusiasmo, doação, amparo. E certamente eu não poderia ver depressão, pessimismo, hostilidade, inveja, ganância, ressentimento, como também não seria coerente ela viver com limitação financeira, insucesso profissional, isolamento social etc.

O que quero é que você possa se analisar com verdade e lucidez e assim mudar seu estilo de comunicação, tornando-se realmente grato em atos, palavras e ações.

Olhando para os seus resultados e para o seu estilo linguístico, quanto você compreende os motivos para ser grato e dessa forma expressar gratidão como estilo de vida? Responda a esta pergunta com uma nota de zero (0) a dez (10) para cada um dos fundamentos que compõem uma pessoa grata.

- Sentir-se emocionalmente grato. Nota: _____
- Perceber tantos motivos para ser grato. Nota: _____
- Comunicar gratidão em atos, palavras e ações. Nota: _____

O QUE O IMPEDE DE SER UMA PESSOA COMPLETAMENTE GRATA

Se comunicar gratidão é algo tão poderoso que interfere positivamente desde a vida financeira até a saúde e as emoções, o que o impede de se tornar uma pessoa completamente grata e ter resultados antes inimagináveis? É certo que existem fatores que impedem a comunicação da perfeita linguagem. A seguir vou enumerar o que costuma sabotar nossa capacidade de perceber, sentir e expressar gratidão plenamente.

1. Sentimento de inferioridade extrema

Pessoas com um alto grau de sentimento de inferioridade acreditam que o mundo e todas as pessoas à sua volta sempre lhe devem algo, afinal o mundo e as pessoas são tão maiores, tão melhores, mais capazes e mais sortudos do que ela... Por mais que essa pessoa receba ajuda, ela não será capaz de perceber o esforço da outra parte nem os benefícios do que recebeu, pois continua se vendo muitíssimo inferior a tudo e a todos. Assim, o pensamento típico desse tipo de pessoa quando recebe algo é: "Não fez mais do que sua obrigação, afinal você tem tanto e eu tão pouco", e finaliza com: "Deu foi pouco, tinha de dar mais e não dá porque é miserável".

2. Autossuficiência e arrogância

Pessoa com essa característica teme agradecer algo que recebeu e se mostrar frágil e dependente. Por isso, ela tenta ao máximo não precisar de ajuda e, quando a recebe, conta algum tipo de historinha para que ninguém perceba que foi ajudada. Dessa forma, o pensamento típico dessa pessoa sobre gratidão é: "Fez porque quis, eu não pedi nem precisava".

3. Narcisismo e autoimagem distorcida

Nesse padrão, a dificuldade em agradecer se deve ao fato de que, se essa pessoa receber, aceitar ou reconhecer que foi ajudada, sentirá que sua imagem projetada de beleza e capacidade será abalada. Como se seu disfarce caísse e todos vissem de fato quem ela é. Então, ela relutará em reconhecer que foi ajudada ou beneficiada por outra pessoa. O pensamento típico dessa pessoa em relação à gratidão é: "Eu não precisava de ajuda, ele fez isso para estar perto de mim".

Neste caso, a pessoa julga ser tão boa que todas as contribuições que recebe não acontecem pelo fato de ela precisar de ajuda, mas porque os outros supostamente desejam sua presença. Ela não é grata, pois acredita ser tão maravilhosa que os outros é que deveriam agradecer o fato de tê-la por perto.

4. Mágoas e ressentimentos intensos

Pessoas com essa característica se colocam como vítimas de alguém, por isso estão sempre culpando seus supostos agressores por seus insucessos e suas derrotas. Assim, quando quem supostamente lhes fez mal tenta ajudar, ela recebe, porém cobra mais, dizendo: "Isto que você está me dando não cobre o mal que você me fez".

5. Inveja e comparação

Presenciei um caso bem triste. Um pai, um profissional assalariado, prometeu à filha que, se ela passasse em uma faculdade pública, ele faria um grande esforço e lhe daria um carro de presente. Mesmo a garota tendo passado apenas em uma faculdade particular, ele foi contra a opinião da esposa e lhe deu um carro popular zero-quilômetro. Quando ela chegou em casa, viu aquele carro popular com um laço de fita vermelho com seu nome no para-brisa, olhou para o pai com cara de insatisfação e disse: "Legal". Virou as costas para seu presente e entrou em casa. O pai foi atrás dela e perguntou: "Você não gostou, filha?". Ao que ela respondeu: "É um carro popular, amarelo-ovo…". E novamente deu as costas para o pai. Em desespero e com lágrimas nos olhos, ele perguntou de novo: "Mas você não gostou?". Ao que ela com um tom de indiferença respondeu: "Pai, a Miriam tem um Audi, a Carol ganhou um Corolla, a Julinha ganhou uma BMW. E eu ganhei um carro popular amarelo-ovo". O pai não conseguiu segurar as lágrimas e tentou valorizar seu presente dizendo: "Filha, elas são meninas ricas… Isso foi o melhor que pude fazer. Eu nem podia pagar uma faculdade particular e estou agora pagando esse carro também…". De forma fria, a filha agradeceu e entrou no quarto enquanto o pai chorava a decepção de tanto esforço para tão pouco reconhecimento. A frase típica dessas pessoas é: "O que o outro tem é melhor do que o meu, então por que agradecer?".

6. Dificuldade de mostrar os sentimentos

Dizer obrigado de forma genuína e verdadeira, e não por educação, é uma maneira mostrar o amor ao próximo tanto quanto um afago, um elogio ou um beijo. Assim, é muito comum que pessoas com dificuldade afetiva não consigam dizer obrigado. Afinal não conseguem também dizer eu te amo. A frase ou pensamento típico para essas pessoas é: "Besteira ficar agradecendo... para que tudo isso? Ele sabe que sou grato".

Depois de observar e entender o que impede muitas pessoas de adotar o estilo linguístico de gratidão, e assim viver uma vida muito mais plena, peço que você se analise e pontue de 0 a 10 cada um dos impedimentos abaixo que você julga que, de uma maneira ou de outra, vêm também o impedindo de ser uma pessoa mais grata.

- Sentimento de inferioridade extrema ( )
- Autossuficiência e arrogância ( )
- Narcisismo e autoimagem distorcida ( )
- Mágoas e ressentimentos intensos ( )
- Inveja e comparação ( )
- Dificuldade de mostrar os sentimentos ( )

ATENÇÃO

Muitas pessoas acreditam que são gratas por terem um estilo de comunicação sorridente e o hábito de sempre dizer obrigado a todos os que de uma maneira ou de outra as ajudaram. Contudo, precisamos estar muito atentos, pois é provável que esse padrão linguístico seja de educação, e não de gratidão.

> *Não posso lhe dizer, em alguns minutos, como ser rico. Mas posso lhe dizer como se sentir rico, o que sei por experiência própria que é muito melhor. Seja grato... esse é o único esquema totalmente confiável de enriquecimento rápido.*
> (Ben Stein)

Para que possamos avançar e aprofundar o entendimento e a prática da gratidão, vamos identificar cinco motivos de gratidão para cada um dos sete temas relacionados abaixo. E para cada motivo de gratidão comece escrevendo: Eu sou grato por… Perceba que a maturidade emocional aumenta à medida que conseguimos dar novos significados ao que nos acontece – como na regra 10/90 – e ser gratos até pelas dificuldades, pelas perdas e pelos dissabores.

No exercício a seguir, você terá a oportunidade de exercitar a gratidão em momentos extremos, em que só vencedores e pessoas maduras conseguiriam ser gratas. Escreva nas linhas em branco cinco motivos para cada item.

Grato pelo que tem.

1. ________________
2. ________________
3. ________________
4. ________________
5. ________________

Grato pelo que não tem.

1. ________________
2. ________________
3. ________________
4. ________________
5. ________________

Grato pelo que você é e faz.

1. ________________
2. ________________
3. ________________
4. ________________
5. ________________

Grato pelo que você ainda não é e ainda não faz.

1. ________________
2. ________________

3. ____
4. ____
5. ____

Grato pelas coisas simples do dia a dia.

1. ____
2. ____
3. ____
4. ____
5. ____

Grato pelas grandes conquistas.

1. ____
2. ____
3. ____
4. ____
5. ____

Grato pelas dores e pelas perdas do passado que fizeram de você uma pessoa melhor.

1. ____
2. ____
3. ____
4. ____
5. ____

O próximo passo é dar continuidade à comunicação e ao entendimento dos motivos de gratidão na sua vida.

Escreva o nome de três pessoas a quem você é grato e o que elas fizeram por você.

Nome: ____

É grato por: ____

Nome: ____
É grato por: ____
Nome: ____
É grato por: ____

Escreva três coisas que só Deus poderia fazer por você e pelas quais você é grato.

____

____

____

Escreva uma carta de dez linhas para agradecer especificamente a alguém pelo que fez e que culminou em algo positivo na sua vida.

____

____

____

____

____

____

____

____

____

____

Eu o convido a prosperar como nunca, ser feliz como nunca. E para isso basta você comunicar gratidão.

Contudo, lembre-se de que não é um ato vazio e desprovido de sentido, e sim uma fala emocional, feliz e repleta de significado de que alguém fez algo por você. Transforme esse estilo linguístico em estilo de vida abundante e colha os frutos.

A PERFEITA LINGUAGEM

Tudo comunica. O tom de voz comunica, o olhar comunica, o corte do cabelo comunica, os gestos comunicam, a postura comunica. Tudo comunica, até omissão e ausência comunicam. E toda comunicação emite simultaneamente um comando externo e outro interno. O comando externo vai ao mundo e às pessoas, levando consigo sua comunicação; já o comando interno vai para dentro de você, reforçando suas crenças ou as modificando.

Muitas pessoas falam em mudar, mas continuam comunicando as mesmas coisas. Você tem aprendido aqui a mudar radicalmente a sua vida através da mudança de sua comunicação verbal. Contudo, podemos ir ainda mais longe, podemos conquistar a perfeita linguagem. O mais poderoso de todos os estilos linguísticos. Algo que, além de mudar a sua sorte (literalmente), pode blindar você, sua família, seus negócios e sua carreira. Vamos então aprender a perfeita linguagem.

Lembro-me de um caso em que um empresário levou seu filho adolescente para uma palestra motivacional de vendas que eu ia ministrar na sua empresa, pois acreditava que eu poderia "dar um jeito" no garoto problemático. Em determinado momento durante a palestra, pedi que as quatrocentas pessoas no auditório formassem duplas e se olhassem nos olhos, dissessem algo positivo ao colega e depois se abraçassem. Superados os primeiros momentos de vergonha, cada dupla foi entrando no clima e cumprindo a tarefa. Contudo, no meu lado esquerdo, bem na frente do palco na primeira fileira, estavam o dono da empresa e seu filho. Quando olhei para eles, o pai estava segurando os ombros do filho e dizendo exatamente assim: "Filho, você é o meu orgulho, meu filho mais velho, o meu sucessor. Eu te amo". Nesse momento o filho olhou para o pai com uma cara de riso, tentando avaliar se ele estava falando sério ou se aquela declaração de amor era uma brincadeira ou um roteiro bem ensaiado. Vendo o filho levar na brincadeira aquele momento, o pai reforçou sua posição e sua declaração de amor dizendo: "Filho, é sério. Você é meu filho mais velho, o que gosta de números como eu. O filho que se parece comigo em tudo. Filho, você é o meu herói. Eu te amo". Em seguida o pai, cumprindo os passos que eu ordenara, envolveu seu filho com um abraço. Nesse momento vi a face e o semblante do jovem de 14 anos mudar. Ele ficou vermelho, fez uma cara que misturava raiva e tristeza, bruscamente se afastou do abraço do pai e começou a falar alto repetindo: "Por que pai, por quê?". O pai, sem entender nada e completamente angustiado com o choro sofrido do filho, questionou: "Por que o quê, filho? Não estou te entendendo. Estou dizendo que te amo". E o garoto, ainda se mantendo afastado, voltou a indagar o pai: "Por que pai, por quê?" O pai sem entender volta a falar: "O que você quer dizer, filho?". E, com a voz ainda mais alta, o filho revelou: "Por que tive de esperar 14 anos para ouvir seus elogios e que você me ama? Por quê?". E, antes que o pai respondesse, o filho continuou: "Pai, eu já fui para o quadro de honra do colégio e já fui expulso. Já tirei dez e já tirei zero. Já fui atleta campeão e não fiz nenhum esporte. Eu já bati e já apanhei. Eu fiz tudo o que você queria e fiz tudo ao contrário. E só o que eu queria era ouvir você dizer: eu te amo". O pai, na sua angústia, respondeu ao filho que daquele momento em diante ia dizer que o amava. E repetiu mais duas vezes: "Filho, eu te amo. Filho, eu te amo". Ao que o filho, sentando-se e envolto em lágrimas, disse: "Pai, você não sabe de nada. E eu não tenho mais tempo. Acabou para mim". Desesperadamente, o pai tentou retrucar e dizer que ele tinha apenas 14 anos e possuía todo o tempo do mundo. Ao que o filho respondeu com um ar duro e rancoroso: "Você nunca me amou; você ama seus charutos, seus vinhos, suas motocicletas, isso é o que você ama". E continuou sentado, chorando com a cabeça entre as pernas, enquanto todo o auditório via o sofrimento dos dois.

No dia seguinte, aquele empresário me procurou com seu filho, pedindo que eu fizesse coaching com o garoto. De forma bem direta eu disse que até poderia fazer coaching com o filho, mas era ele o canal de mudança. Sem entender ele perguntou por que ele, uma vez que era o filho que estava com problemas. Tive então de explicar que o que o filho estava passando era pela dificuldade dele em comunicar amor em atos, palavras e ações, uma disfunção causada pela ausência do estilo linguístico de amor. Ao que ele me respondeu com uma frase feita tão antiga quanto idiota: "Mas eu nunca deixei faltar nada para ele: comida, roupa, colégio, passeio etc.". Sem me segurar eu disse uma das minhas frases célebres: "De carro, motocicleta, cavalo, o dono cuida. Contudo, filho o pai ama". E continuei: "Cuidar do seu filho é apenas uma obrigação imposta pela lei. Contudo, amar seu filho é prepará-lo para ser forte, livre e feliz no futuro, e isso é mérito de um pai e de uma mãe sábios". E fui ainda mais direto: "Se você ainda não entendeu, quando seu filho lhe disse que não tinha mais tempo, é porque ele está viciado em crack". O pai ficou branco, depois vermelho e, com uma expressão de espanto, sentou-se. E perguntou: "Mas por quê, se nunca faltou nada para ele?". Para lhe responder, repeti as mesmas palavras que o filho havia me dito: "Lá, os caras batem no meu ombro e dizem que eu sou fera. Lá eles dizem que sou forte. Lá eu me sinto importante e elogiado. Quando eu chego lá, eles param o que estão fazendo para ficar comigo. Eu os ensino a jogar PlayStation e basquete. Lá, todos têm tempo para mim".

De fato, aquele pai não amava seu filho; ele cuidava, provia o sustento e até o luxo, mas não comunicava amor em atos, palavras e ações, não participava e não mostrava o valor que aquele jovem tinha. Um ser humano sem amor na quantidade e na qualidade certas é como uma planta sem água e luz: seu desenvolvimento jamais será pleno.

Durante o processo de coaching, o pai aprendeu novos estilos e padrões linguísticos. Ele refez seu casamento, mudou sua maneira de gerenciar sua empresa, mas sobretudo usou seu novo estilo de comunicar para resgatar o filho das drogas. Hoje, seis anos depois, o jovem está no segundo ano de Engenharia e a empresa do pai dobrou de tamanho, mas a maior mudança é a capacidade dele de comunicar amor às pessoas certas e de maneira intensa e verdadeira.

O que eu quis mostrar com essa história é que a perfeita linguagem é o amor. Não o amor sentido ou pensado, mas o amor comunicado em atos e palavras. Amor comunicado verbal e não verbalmente. O amor comunicado que altera a psique, a matéria e a própria realidade ao redor de quem o comunica.

FUNDAMENTOS DA PERFEITA LINGUAGEM

Quando falamos da perfeita linguagem, é necessário dar bases palpáveis para que ela faça parte do seu dia a dia. Assim, trago uma característica fundamental dessa linguagem: o **conteúdo** e, consequentemente, os sentimentos por ele produzidos. Fui modelando, mapeando e pesquisando a linguagem dos mestres na arte de liderar e se conectar positiva e produtivamente com outras pessoas, então uni didaticamente essas características que apresento agora.

O **conteúdo** diz respeito ao que é produzido na pessoa que recebe a sua comunicação. É como a mensagem que vai no corpo de e-mail que é lida por quem a recebe. Contudo, certamente não é qualquer mensagem ou conteúdo que produzirá a perfeita linguagem. O conteúdo da perfeita linguagem possui quatro fundamentos: **pertencimento**, **importância**, **significado** e **distinção**. Esses fundamentos linguísticos constroem ou destroem, aproximam ou afastam, curam ou adoecem, motivam ou desmotivam. E de forma literal esses conteúdos matam ou salvam. É comum ocorrer casos de reações exageradas e violentas no trânsito logo depois que a pessoa, sentindo-se prejudicada, grita palavrões e acusações. Palavras, em situações assim, podem gerar agressão física e até mortes. Quantas histórias já não ouvimos de pessoas que se mataram depois de serem agredidas verbalmente pela esposa, pelo marido ou pelo pai? Mais uma vez, ações são resultados de palavras.

Os acontecimentos que nos sobrevêm estão conectados, isto é, são quânticos. Em alguns momentos, é difícil perceber essas conexões, mas, em outros, elas se manifestam de forma literal e resultam em ação e reação imediatas: logo em seguida ao que falamos, o evento acontece. Por isso, não se deve esquecer o poder que nossas palavras têm sobre nossa vida e sobre a vida dos outros.

Pais, líderes, cônjuges, amigos, professores, treinadores e filhos que vivem efetivamente o seu papel são aqueles que, ao se comunicar, passam para as pessoas a certeza de que elas fazem parte de algo maior (pertencimento). Algo que as abriga, ampara e protege, mostrando claramente que estão inseridas em um relacionamento, que pertencem ao corpo da empresa, que integram um grupo etc. Essa pessoa que domina a perfeita linguagem mostra para os outros ao seu redor que eles não estão sós no mundo (pertencimento).

Você pode imaginar o que significa isso para quem recebe esse padrão de comunicação? Essas pessoas efetivas no seu papel também usam sua fala verbal e a expressão corporal para mostrar quanto o outro é importante, relevante e faz diferença onde está (importância).

Contudo, não para por aí, a linguagem de conteúdo dos mestres também faz as pessoas ao seu redor perceberem o real significado do que elas fazem e até o significado da própria vida. E, para coroar a efetividade do conteúdo da perfeita linguagem, essas pessoas não tratam o outro como mais um entre muitos, pelo contrário: elas fazem seus pares se sentirem únicos e diferentes (distinção).

Já quando há significado na linguagem, eu mostro o meu papel no mundo e o papel dos outros. Eu, pai, por meio da minha linguagem, mostro o significado da vida do meu filho, mostro que a vida dele tem um propósito, um direcionamento, um porquê, assim, ele sabe que não está de passagem neste mundo. Leia a seguir exemplos de conteúdo da perfeita linguagem com tipos diferentes de pessoas.

Exemplo 1: Filhos

Imagine a percepção de um filho ao sentir no abraço protetor do seu pai quanto é importante. E como é para uma criança ter a porta do quarto dos pais sempre (ou quase sempre) aberta para as noites em que o bicho-papão vem assustá-la. Imagine o que significa para ela, mesmo que não fique ou durma no quarto deles, saber que é aceita e pertencente àquele lugar e àquelas pessoas; que não está do lado de fora das muralhas da fortaleza, exposta a animais, bandidos e ameaças, e sim do lado de dentro, onde ficam as pessoas importantes que mandam e residem ali.

Exemplo 2: Funcionários

Considere a perspectiva de um funcionário que vê nas palavras e nas atitudes do seu chefe que ele é importante e, não só isso, que ele também pertence àquela empresa. E que juntos estão ajudando e construindo um mundo melhor. E todo aquele empenho e trabalho não são apenas dinheiro, e sim uma missão de vida. E para esse funcionário fica tudo claro: "Não sou um peão ou um recurso, eu sou a própria empresa". E, mesmo quando ele está no meio de muitos outros funcionários, seu chefe consegue identificá-lo e tratá-lo pelo seu nome.

Exemplo 3: Cônjuge

Quando um marido ou uma esposa sente que aquela casa lhe pertence e que é um elo forte daquilo que chamam de lar, passa a emanar um brilho maior e diferente. É fundamental para que cumpra seu papel poder ver claramente pelo tom de voz e pelas palavras do cônjuge que é especial, diferente e único. Quando o marido ou a esposa mostra com atos, palavras e ações que o cônjuge é amado do jeito que é e que aquela aliança que carrega no dedo possui um significado maior, naturalmente o outro se torna a alma daquela casa. E pode confirmar o real significado da sua vida quando ouve seus filhos chamarem de pai ou mãe.

Exemplo 4: Amigo

Quando alguém olha para seu amigo e o chama de irmão e juntos compartilham das mesmas falas e dos mesmos interesses é extraordinário. É como fazer parte de uma tribo, é ser igual a ele mas também se distinguir do restante. É como ter um passaporte especial e exclusivo que só aquela dinastia pode possuir. É o mesmo que dar significado à vida.

Exemplo 5: Professor/treinador

Como é ruim acreditar que seu professor é um ser inatingível e que pertence ao mundo do saber e que você pertence ao mundo da ignorância. Como existem professores/treinadores que se distanciam dos seus alunos colocando-se em pedestais altíssimos, aonde muito desses jovens não se atrevem a ir. Quando estou ministrando meus eventos, faço questão de estar perto dos meus alunos, de descer do palco, caminhar entre eles e de tocá-los. Olhar nos olhos e usar a expressão “nós”. Nada me dá mais prazer do que acabar um evento de três dias, com quinze horas por dia de treinamento, e ao final poder abraçar meus alunos, ouvir o que eles têm a dizer, mas, sobretudo, nada deveria ser mais importante para um professor do que ver quanto ele tem a aprender com cada e diferente aluno. Como palavras podem suscitar aprendizado, disposição e integração. Tive um aluno que me perguntou por que não desisti dele. Minha resposta foi bem simples: “Você é importante para mim, a Febracis é a sua casa e tenho certeza de que tudo por que você passou faz parte de algo maior. Esteja certo de que existe um significado em tudo isso. E logo ali na frente você vai usar todo esse aprendizado de dor para prosperar e ainda ajudar muitas pessoas ao seu redor”. Chorando emocionado, ele me abraçou e, pouco tempo depois, lá estava ele simplesmente cumprindo essas palavras.

Compare sua linguagem com a mesma categoria de pessoas dos exemplos apresentados e responda: o que você vem comunicando para seus pais, que são a matriz da qual você foi feito? E para seus filhos, frutos do seu eu? Como você vem tratando sua equipe ou colegas de trabalho? E seu cônjuge, como se sente em relação a você?

Eu o convido a preencher a tabela a seguir pontuando de 0 a 10 a nota que você se dá em cada uma das suas comunicações dos conteúdos da perfeita linguagem em relação às principais categorias de pessoas da sua vida. Perceba que existem duas colunas em branco; nelas você pode inserir a pessoa ou a categoria de pessoas que for importante para você.

Tabela conteúdos linguísticos x categorias Humanas

	Cônjuge	Pais	Filhos	Pessoas próximas	Amigos	Colegas de trabalho		
Pertencimento								
Importância								
Significado								
Distinção								
Total								

Depois de você se avaliar em cada um dos quatro conteúdos, some suas notas e avalie o total para cada categoria humana. A nota máxima é 40 e a mínima é 0. Olhando para a qualidade da sua comunicação, você pode entender duas coisas: a primeira relaciona-se à qualidade e aos resultados da sua própria vida; a segunda refere-se à qualidade dos seus relacionamentos. Com base nessa avaliação e nos resultados práticos que você de fato tem colhido, resta perguntar: como você vai alcançar a perfeita linguagem com cada uma dessas pessoas ou categoria de pessoas para experimentar o melhor da relação e o melhor da vida? Responda nas linhas abaixo quais são suas decisões a respeito de cada uma das colunas da tabela.

1. Cônjuge: ______________________________
2. Pais: ______________________________

3. Filhos: ______________________________________
4. Pessoas próximas: ____________________________
5. Amigos: ______________________________________
6. Colegas de trabalho: __________________________
7. ____________ : ______________________________
8. ____________ : ______________________________

COMUNICAÇÃO DE LUZ OU DE TREVAS

Além da qualidade dos quatro conteúdos que você comunica, o que você costuma comunicar para as pessoas relacionadas acima? Você comunica paz, alegria, aceitação, amor, carinho, afeto, amor-próprio? Ou comunica indiferença, falta de tempo, raiva, impaciência, mau humor, medo, insegurança, desunião familiar?

Sinceramente, o que você tem comunicado para as pessoas mais próximas de você?

Aquele pai e empresário a que me referi antes plantou palavras e ações e colheu todo tipo de problemas com seu filho e também com a própria vida. Quando ele decidiu plantar coisas diferentes, novamente colheu resultados, mas dessa vez eram frutos diferentes.

Olhando para a tabela a seguir, observe que do lado direito existem cinco palavras. Peço que, à medida que for lendo o texto explicativo, você vá completando a tabela.

Lado das trevas		Lado da luz
______	______	______ Deus
______	______	______ Certeza
______	______	______ Paz
______	______	______ Vida
______	______	______ Amor
-10	0	10

A primeira tarefa é preencher os opostos das palavras que constam do lado direito da tabela. Começando de baixo para cima, temos no lado direito a palavra amor; qual palavra é oposta a amor? Que tal ódio? Se você concorda que o oposto de amor é ódio, peço que escreva essa palavra do lado esquerdo na mesma linha da palavra amor. Se você acha que é outro o oposto da palavra amor, fique à vontade para colocar ali o que achar melhor.

Se de um lado tem amor e do outro lado tem ódio, que palavra estaria entre as duas? Que tal indiferença ou distanciamento? Se você concorda, peço que escreva essa palavra ou outra que julgar mais adequada no centro da tabela, na mesma linha de amor e ódio.

Indo para a linha de cima: qual a palavra oposta a vida? Que tal morte? Se concorda com a palavra morte como o contrário da palavra vida, escreva acima da palavra ódio. E, no meio, entre a vida e a morte, que palavra se ajusta? Que tal doença? Se for outra, pode escrevê-la.

Agora vamos à linha da paz. Qual palavra oposta a paz você colocaria no extremo esquerdo? Inquietude ou falta de tranquilidade? Coloque a palavra que achar melhor. E no meio das duas, que tal estresse?

Na linha da certeza, a palavra oposta seria dúvida? E, no meio, que tal medo?

Finalmente chegamos à primeira linha: Deus. Se Ele está no extremo direito, qual é o oposto a Deus que você colocaria no extremo esquerdo? Diabo? Força do mal? Então, escreva no extremo esquerdo o que você acredita que corresponde ao oposto de Deus. E no meio, entre Deus e o seu oposto, o que cabe nesse local? Falta de fé? Preencha conforme achar mais adequado.

Observe essa tabela que montamos juntos e reflita sobre seu relacionamento amoroso. Pense na pessoa amada, em você e no relacionamento que mantêm e marque com sua caneta entre o 10 no extremo direito e o -10 no extremo esquerdo. Como está a sua comunicação com essa pessoa em cada uma das cinco linhas? Seja sincero e pontue que nota você dá para sua comunicação de amor para essa pessoa. Se é uma comunicação de amor real, constante, sincera, certamente você vai pontuar a linha do amor perto do 10. Entretanto, se você algumas vezes é impaciente, e quando sob estresse é grosseiro ou costuma ser um pouco distante, certamente sua nota não passa do meio da tabela. Faça a mesma avaliação com seus pais se ainda os tiver ou com a memória deles. Faça também com filhos. Você comunica amor (lado direito), distanciamento (meio) ou raiva e impaciência (lado esquerdo)? Faça essa avaliação em todas as conexões e se pergunte o que de fato você tem comunicado para essas pessoas tão importantes na sua vida.

Aproveito para convidá-lo a fazer outra análise: se Deus e seus complementos ou sinônimos estão do lado direito, e o diabo e seus complementos ou sinônimos estão do lado esquerdo, em qual lado você tem jogado? A quem você tem agradado com sua comunicação, a Deus ou ao seu oposto? Essa tabela pode se tornar um verdadeiro mapa de causa e efeito, em que você pode mensurar sua comunicação atual e saber que resultados esperar na sua vida. Enfim, por qual lado você vem caminhando com sua comunicação: no lado da luz ou no lado das trevas?

QUANDO O AMOR NÃO FUNCIONA

Uma senhora de 50 anos me procurou, e em tom de acusação disse que a vida não era assim tão simples como eu falava e ela era testemunha disso. Com toda a paciência pedi que ela me explicasse mais e me desse mais detalhes para que pudesse entender. E com muita dor ela contou sua história de vida

Paulo Vieira, tenho 50 anos e me casei aos 25. Meu marido pediu que eu largasse a faculdade e eu larguei. Como ele não gostava da minha família, também me afastei dos meus familiares. Para não ter problemas, pois ele era muito ciumento, afastei-me de minhas amigas e também nunca trabalhei fora. Tivemos três filhos e por 25 anos fui esposa, mãe e dona de casa em tempo integral. E agora que tenho 50 anos meu marido me deixou por uma menina de 25 anos. Como você pode dizer que o amor pode tudo? Como você pode dizer que o amor blinda nossa família? Como você pode dizer isso se tudo o que fiz na minha vida inteira foi amar esse homem e cuidar dele? E olha no que deu. Estou eu aqui, velha, feia e largada.

Como resposta, usei o segundo mandamento bíblico, que diz: “Amarás o teu próximo como a ti mesmo”. Depois de citar essa passagem perguntei: “Você amou seu marido na mesma proporção que se amou? Você se dedicou a seus afazeres domésticos na mesma proporção que se dedicou a você mesma? Você se amou nesses 25 anos? Você se respeitou, cuidou de você nesse período? Você se colocou como alguém valoroso, importante, ou como uma mulher sem valor, como uma serviçal sem necessidades ou vontade própria?". Continuei: "Um avião para voar precisa das duas asas, da mesma maneira uma relação para dar certo também precisa que se ame o próximo como a si mesmo. Então, não me leve a mal", disse com toda a compaixão enquanto as fichas dela caíam, "o problema não está no seu marido que a deixou ou na moça de 25 anos que está com ele, e sim em você. Em você não se respeitar, não se valorizar e se colocar como um ser inferior". Continuei com o amor e a firmeza que a situação pedia: "Como seria sua vida se você tivesse mantido a proximidade com seus pais e irmãos? Como seria sua vida se você tivesse se formado e construído uma carreira? Como seria sua vida se você tivesse estabelecido limites e tivesse dito não na hora certa? Como seria sua vida se você tivesse comunicado amor-próprio?". Ela chorou, abraçou-me e disse que de fato era tudo verdade. Eu lamentei por ela e aconselhei: "Seu dia é hoje e a hora é agora para você voltar à sua faculdade, cuidar do seu corpo, resgatar amizades e visitar lugares onde nunca esteve. Agora é a hora de você começar a se amar e a viver".

E você, seu avião tem uma asa ou duas? Você comunica amor intenso ao próximo e intenso a si mesmo? Ou você comunica mais amor ao próximo do que a si? Ou ama mais a si do que ao próximo? Para que o seu avião suba e se mantenha no alto até em meio às tempestades, você precisará manter o foco: "Amar o próximo como a mim mesmo".

Comunicar amor será sempre a melhor estratégia, desde que da maneira correta.

LINHA DE LOSADA

A maioria das pessoas acredita que só se deve elogiar alguém quando este faz algo bem-feito ou proveitoso. Essa é a lógica do toma lá dá cá. Essas pessoas dizem: "Por que eu vou elogiar fulano se ele não fez mais do que a sua obrigação?" ou então "Se elogiar, estraga". Uma vez, cheguei em casa com um feito inédito: uma nota 10 na prova de Matemática. Todo orgulhoso e buscando aprovação corri até meu pai com a prova na mão e, quando eu lhe mostrei a nota, ele respondeu sem dar muita importância: "Não fez mais do que sua obrigação, afinal você é estudante profissional".

Aquela fala entrou fundo e me machucou bastante. Afinal, eu tinha me esforçado muito para agradar meus pais e simplesmente não funcionou.

Hoje, sei que a intenção era boa, pois ele acreditava que, se mostrasse que aquilo era minha obrigação, talvez eu adotasse um comportamento mais focado em relação aos estudos e me dedicasse mais. Contudo, com o avanço da ciência da alta performance humana, com mapeamento cerebral através da ressonância magnética funcional, Psicologia Positiva e o coaching, sabe-se que, quando se trata de desempenho humano, justamente se dá o contrário: primeiro se elogia para depois ter um ótimo desempenho. Enquanto um líder tradicional espera o seu funcionário fazer algo bem-feito para depois elogiar com um feedback positivo, o líder empresarial de altíssima performance primeiro elogia e como consequência seu subordinado tem uma performance bem melhor. Diferentemente de um pai desavisado, os pais que sabem obter a melhor performance de seus filhos usam a métrica moderna: elogiam antes e, depois, como consequência, veem um ótimo desempenho.

Essa nova métrica faz parte de um trabalho científico intitulado Linha de Losada, que leva o nome do seu criador, o psicólogo Marcial Losada. Esse cientista chileno realizou experimentos matemáticos nos quais pessoas de altíssimo desempenho nas relações humanas elogiam ou se conectam com outras seguindo uma proporção entre interações positivas e interações negativas. Contudo, segundo Losada, não basta elogiar ou se conectar positivamente com as outras pessoas para obter o melhor da relação, é necessário seguir um modelo matemático. Após inúmeras simulações, achou-se uma proporcionalidade entre interações positivas e interações negativas para que se mantenha qualquer relação humana com o mínimo de qualidade. A proporção mínima necessária são três interações positivas com aquela pessoa para uma interação negativa. Essas interações positivas podem ser qualquer tipo de comunicação verbal ou não verbal, indo desde um elogio formal, um tapinha nas costas, um sorriso, até gestos positivos ou cartas. O importante é que essa comunicação positiva seja reconhecida por quem a recebeu como de fato positiva. Já a interação negativa vai desde uma reprimenda verbal, um feedback mais duro, um gesto crítico, um olhar decepcionado, até a indiferença.

Se a proporção de 3 para 1, ou seja, três comunicações/interações positivas para uma negativa, mantém a relação e os resultados com o mínimo de qualidade, o modelo matemático de Losada mostra que, quando se aumenta para 4 interações positivas e se mantém 1 negativa, a pessoa que recebeu as interações vai ter um desempenho e uma performance ainda melhores. Observando o gráfico a seguir podemos acompanhar a proporção de comunicações positivas *versus* negativa e a modificação no desempenho humano. Enquanto a proporção de interações positivas vai aumentando, o resultado acompanha positivamente. E temos entre 6 e 8 interações positivas para 1 negativa o melhor desempenho. Contudo, se a proporção de interações positivas continuar aumentando para além disso, o desempenho começa a baixar. Vemos que, se as interações positivas passarem de 11 em relação à negativa, o desempenho cai abaixo do mínimo aceitável novamente.

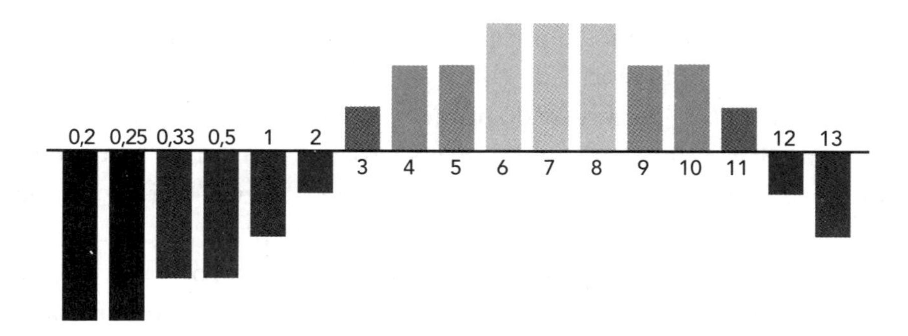

Baseado na modelagem matemática de Losada, é muito fácil avaliar os resultados de qualquer tipo de relacionamento. Basta marcar em um papel a proporcionalidade das interações positivas e negativas entre pessoas por um tempo. Acompanhei um casal e pude ver a mudança das interações e com bastante antecedência prever os acontecimentos e o desfecho da relação. No início da relação, eles ultrapassavam 10 interações positivas para cada negativa. Com o passar do tempo, a proporção foi mudando e caiu para 7 positivas e 1 negativa. Nessa época, as pessoas ao redor diziam que o relacionamento estava mais maduro. Passando mais tempo, a proporção caiu para 5 comunicações positivas e 1 negativa. Tempos depois, observei que havia caído para 3 positivas e 1 negativa. Nesse momento o casamento se mantinha aparentemente normal, e poucas pessoas percebiam as dificuldades entre eles. No encontro seguinte, contei 2 interações positivas para 1 negativa; para mim era claro que a relação estava no fim. Pouco depois, minha esposa trouxe a notícia do fim do casamento deles.

Da mesma forma, você pode avaliar o desempenho e a relação de pais e filhos. Quando os pais elogiam demais, ou seja, acima de 10 ou 11 interações positivas para cada negativa, vemos filhos mimados e cheios de vontade, presos numa zona de conforto criada pelos próprios pais. Quando vemos filhos fustigados por uma avalanche de comunicações negativas, como crítica, reprovação ou indiferença, novamente percebemos baixos desempenhos, déficit de aprendizado, déficit de atenção ou hiperatividade. E em geral, esses filhos acabam se motivando em fazer o mínimo necessário para não ser mais criticados ou reprovados.

Nós já conhecemos o poder das palavras, sabemos que elas possuem poder de vida e de morte, de construir e destruir, de amar e desamar, de perdoar e acusar. Lembre-se do primeiro capítulo do Gênesis, do qual já se falou neste capítulo. Para que o universo existisse, Deus não apenas pensou ou imaginou o universo, ele falou, emitiu um comando verbal e somente assim a vida passou a existir.

Agora podemos usar o poder das palavras dentro dessa proporção para projetar e produzir crescimento em qualquer interação humana.

Que tal usar a Linha de Losada para restaurar a relação conjugal? Que tal através dessa proporção resgatar filhos da delinquência, das drogas, do sexo precoce ou simplesmente do distanciamento familiar? Imagine você aumentar os resultados da sua equipe profissional apenas por colocar a métrica de Losada em prática?

PERGUNTAS PODEROSAS DE SABEDORIA

Com quem você mais tem falhado no uso da Linha de Losada, com uma proporção inferior a 3 interações positivas para 1 negativa?

____

Eleja três pessoas para começar a aplicar a Linha de Losada e mudar seus resultados e seu relacionamento. Quem são elas?

____

____

____

Com que grupo social você tem acertado mais na proporção da Linha de Losada?

____

____

____

COMUNICAÇÃO NÃO VERBAL

Toda comunicação é composta pela parte verbal e pela não verbal. Na prática, é impossível separar uma da outra. É mais ou menos como querer separar a farinha do açúcar em um bolo pronto. Contudo, para efeito de compreensão, vamos tratar das duas formas de comunicação separadamente.

Enquanto a comunicação verbal se resume às palavras ditas, a não verbal inclui todos os maneirismos gestuais, posturais, entonação vocal e expressões faciais etc. E a máxima de que já falamos continua válida: podemos mudar nossa vida e resultados ao mudar nossa comunicação verbal e não verbal.

Da mesma maneira que existe o padrão linguístico verbal, também existe o padrão linguístico não verbal. Como você já sabe, todas as pessoas possuem um padrão linguístico próprio, que diz para o mundo quem elas são, como também reforça suas crenças de identidade – e é diretamente disso que decorrem os resultados que essas pessoas colhem na vida. Bons padrões geram bons resultados, maus padrões geram resultados ruins. Pessoas trazem padrões não verbais de tristeza, outras pessoas trazem padrões não verbais de sucesso, outras trazem padrões não verbais de estresse e problemas. Outras ainda trazem padrões não verbais de vitimização e impotência. Qual o seu padrão linguístico não verbal? Quais informações ou comandos não verbais você manda sistematicamente ao seu cérebro dizendo quem você é, do que é capaz e o que ou quanto você merece coisas boas?

Quando vejo pessoas tendo resultados negativos em alguma área da vida, sei que naquela área específica ela possui um padrão linguístico deficiente. E bastaria refazer ou mudar o padrão linguístico que os resultados imediatamente mudariam. Então, podemos olhar para nossa vida e nossos resultados e entender que não fracassamos, mas, sim, tivemos resultados. Quando alguém não passa em um processo seletivo de emprego, não foi um fracasso, mas um resultado. Quando o jogador perde um pênalti, também não foi um fracasso, e sim um resultado. Eu gosto de acreditar que não existem fracassos. E, uma vez que tudo é resultado, vamos aprender como usar a comunicação para mudar nossos resultados e sobretudo mudar quem somos.

> *Sabemos que nossa mente muda nosso corpo, o que não sabíamos é que nosso corpo muda nossa mente ainda mais rápido. Como também fazer poses ou posturas de poder por alguns minutos pode realmente mudar sua vida de maneira significativa, aumentando o nível de testosterona e diminuindo o cortisol.*
> (Amy Cuddy)

Outro experimento científico do pesquisador Robert A. Emmons mudou drasticamente o que se acreditava sobre comunicação não verbal e performance humana. O experimento consistiu em pegar três grupos de pessoas, que receberam o mesmo texto, que deveriam ler e avaliar se era um texto com teor otimista ou pessimista. Contudo, o primeiro grupo deveria ler o texto com uma caneta na boca como se estivesse fazendo bico. O segundo grupo deveria ler o mesmo texto sem caneta na boca. Já o terceiro grupo deveria ler o texto também com a caneta na boca, porém a caneta deveria estar presa entre os dentes molares, como se simulasse um sorriso. Veja o desenho a seguir.

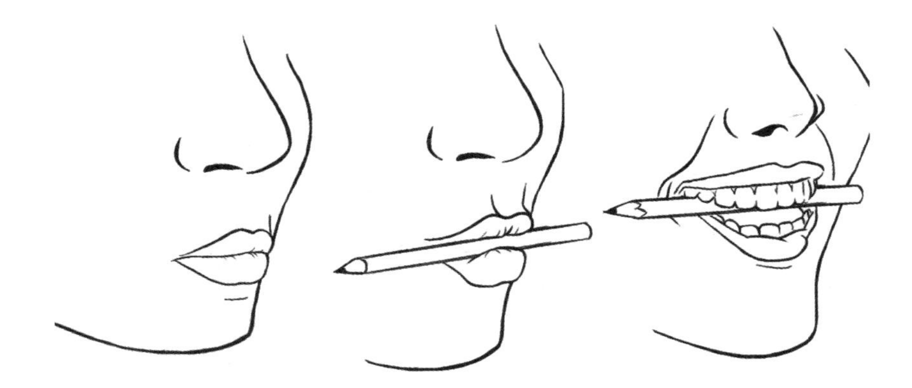

Após inúmeras rodadas do experimento, o que ficou constatado em todas elas foi que o grupo que segurou a caneta com os lábios simulando bico interpretou o texto com uma pontuação mais pessimista entre os três grupos. O grupo que leu o texto com a caneta segura com os dentes molares, simulando um sorriso, teve o texto avaliado com a pontuação mais otimista. E o grupo de controle que leu o texto sem caneta teve a pontuação intermediária. O experimento revelou de forma contundente que uma pequena e sutil mudança na comunicação não verbal altera a maneira pela qual o indivíduo vê e percebe o mundo ao seu redor. Nesse estudo bastou uma pequena mudança na boca para ter um *input* diferente. E, se o *input* muda, certamente o *output* também mudará.

É tremendo perceber que apenas a mudança na expressão facial foi responsável por uma nova maneira de ver o mundo. Se conseguirmos positivar nossa comunicação não verbal sutil por bastante tempo, o que acontecerá conosco e com nossos resultados? A ideia é a de que podemos mudar nossos resultados imediatamente apenas alterando pequenas nuances em nossa comunicação não verbal. Que tal começar a fazer isso agora? Experimente fazer com você o mesmo experimento da caneta na boca e veja o que acontece com seu estado de espírito de imediato.

Assim como um sorriso, nossa postura afeta bastante nossa percepção. O desenho a seguir mostra cinco posturas diferentes da mesma pessoa, desde completamente encurvada até completamente ereta e altiva.

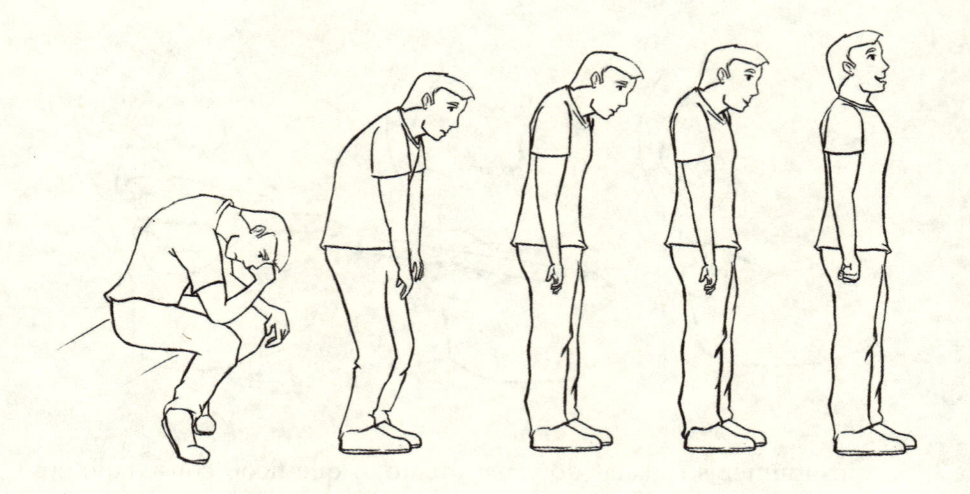

O que a Neurociência mostra é que, apesar de ser a mesma pessoa em posturas diferentes, a performance e os resultados variam de postura para postura. Olhando para o primeiro desenho, temos um homem emocionalmente limitado que vive muito aquém do seu melhor potencial, envolto em problemas e provavelmente em atitude de vitimização. Contudo, à medida que ele vai se erguendo, elevando os ombros e levantando a cabeça, o cérebro responde imediatamente com novas moléculas de emoção. Até chegar ao momento de maior potencial, com a postura completamente ereta. Você já sabe, porém vou reforçar: para cada postura, a pessoa produz resultados diferentes. Então, resultados não são coincidências, e sim consequências. Com qual dessas posturas sua comunicação corporal média mais se parece? Que tal fazer uma enquete com gente do seu convívio pessoal e profissional e pedir que assinalem qual das posturas mais se assemelha com a sua?

Faça esse experimento: vá a um lugar silencioso e privado e adote cada uma das cinco posturas por dois minutos sem perder o foco e a concentração, levando em conta que deve ter coerência da comunicação facial com a comunicação corporal. Depois, anote nas linhas correspondentes a seguir todos os resultados que você percebeu em seus pensamentos e sentimentos ao comunicar cada uma delas.

Postura 1

Postura 2

Postura 3

Postura 4

____

____

____

____

____

Postura 5

____

____

____

____

____

Uma vez, em um dos meus eventos, uma senhora de aproximadamente 65 anos me procurou e disse que estava amando o seminário, porém nem tudo o que eu havia falado se adequava a ela, pois seu caso era diferente e a depressão que ela vivia há anos era porque seu cérebro não produzia serotonina, o hormônio da felicidade. Então, ela tirou uma caixa plástica cheia de comprimidos de serotonina importados da Alemanha. Olhando para sua postura encurvada e o ombro esquerdo caído, a cabeça lateralizada e baixa, eu disse que, para que seu cérebro tivesse suas funções normais e produzisse a melhor química possível, ela teria de primeiramente mudar sua comunicação corporal, levantando os ombros, o semblante, colocando a cabeça reta etc. Ela riu como se tudo o que estava falando não fizesse sentido, agradeceu e saiu. Seis dias depois, na segunda etapa do mesmo evento, ela ressurgiu completamente diferente. Um tom de voz forte e vibrante, alegre, entusiasmada, e disse que queria contar todas as mudanças que ocorreram com ela. E contou que, após a morte do marido, sua filha a convenceu de que ela devia aproveitar o plano de aposentadoria e parar de trabalhar. Sem o companheiro e sem ocupação, a filha também a convenceu de que não podia mais dirigir. E o passo seguinte foi dar uma procuração para a filha cuidar da sua pensão e da aposentadoria. Nesse momento, ela não tinha mais marido, trabalho, liberdade de ir e vir, pois dependia da boa vontade da filha para levá-la a qualquer lugar, como também não tinha mais dinheiro, pois sua filha passou a ficar com todos os rendimentos e os usava da maneira que queria. O passo final foi levar a mãe a um psiquiatra, pois ela devia estar depressiva, uma vez que vivia triste, calada e chorando a morte do marido. Como alguém normal não estaria depressivo ou no mínimo melancólico vivendo sob esse cárcere disfarçado? E foi assim, nesse estado emocional, que ela havia chegado ao seminário.

Depois da nossa conversa, ela decidiu experimentar por conta própria e ver se o que eu havia falado sobre postura era de fato real. No mesmo dia ela comprou um colete elástico corretor de postura e começou a usar. Já no dia seguinte pela manhã, percebeu mudanças na sua atitude e no seu humor. No segundo dia, ela estava se sentindo mais disposta. No quarto dia, ela ressurgiu das cinzas. A primeira coisa que fez foi cancelar a procuração que sua filha tinha e passou ela mesma a receber sua pensão e aposentadoria. A segunda mudança foi pegar seu carro com a filha e voltar a dirigir. Com isso, ela voltou a visitar as irmãs e a jogar seu carteado que há anos não jogava. A terceira grande mudança foi aceitar o convite de uma amiga para frequentar semanalmente um baile dançante no clube militar.

O depoimento dela foi tão forte que praticamente todos os alunos presentes choraram emocionados com sua história. E perguntei: "Por que a senhora colocou esse colete corretor de postura?". Com um sorriso maroto ela falou: "Você não disse que para meu cérebro funcionar direitinho eu tinha que mudar minha comunicação corporal?". "Sim", confirmei. "Então, depois de 65 anos de vida e mais de trinta anos como bancária, era difícil para mim ficar assim toda ereta. Então, foi só colocar o colete que tudo ficou mais fácil." Ela foi aplaudida e abraçada pelos colegas pela nova vida que decidira conquistar.

O problema foi na segunda-feira seguinte, quando a filha dessa mulher entrou na minha empresa completamente enfurecida, acusando-me de ter destruído a vida da mãe dela. Pois a sua mãe estava dirigindo e não podia. Sua mãe estava se expondo no trânsito indo e vindo da casa das amigas e isso também não podia. Sem contar que sua mãe agora estava tomando conta do próprio dinheiro e isso ela também não podia, pois era uma velha senil e incapaz. O resultado é que, depois das mudanças pelas quais a mãe passou, a filha teve de procurar um emprego e um lugar para morar, pois não fazia muito sentido uma administradora de 38 anos ser sustentada pela mãe e morar com ela.

Você pode ver quão transformador pode ser para qualquer pessoa o simples fato de regular sua comunicação não verbal. As mudanças são imediatas, os resultados, avassaladores. E é importante você ficar atento ao fato de que, quanto mais forte for sua nova mudança da comunicação não verbal, mais profundos e consistentes serão seus ganhos.

Eu gostaria que neste momento você estivesse pulando de alegria e fazendo planos para conquistar seus sonhos mais ousados. Afinal, o que todos os experimentos e todas as pesquisas da Neurociência mostram é que podemos definir nossa performance e nossos resultados apenas regulando a postura e a comunicação não verbal. Que tal adotar agora um Estilo Linguístico de altíssima performance e revolucionar suas emoções e a maneira de encarar a vida? Que tal você mudar sua comunicação não verbal e imediatamente se ver com as mãos no leme do barco da vida?

VÍCIOS EMOCIONAIS

Da mesma maneira que a boca fala do que o coração está cheio, nossa postura fala de quem somos. E para cada postura ou comunicação não verbal produzimos moléculas de emoção (MDEs), que são um composto químico ou uma combinação de compostos químicos específicos. Esses compostos, neuropeptídios ou MDEs, são cadeias de aminoácidos proteicos fabricados no hipotálamo. Assim, para cada comunicação não verbal é produzido um composto químico específico. Pessoas cabisbaixas, com ombros encurvados, que olham sistematicamente para baixo, possuem MDEs específicas. Pessoas felizes, altivas, que sorriem com frequência, que mantêm seus ombros erguidos, produzem outro padrão de MDEs. Se você agora, independentemente do que está acontecendo neste momento, começar a esbravejar, brigar, gritar com a parede pela cor que está pintada, xingar o chão por estar plano e reclamar do céu pelas nuvens, seu cérebro obedecerá essa comunicação, por mais insana que seja, e produzirá, entre outros compostos, adrenalina e cortisol, respectivamente, os hormônios da raiva e do estresse, em quantidades alarmantes e desnecessárias. E não produzirá serotonina, que é o neurormônio da felicidade, muito menos endorfina, que é o neurormônio do prazer. Eis aí uma molécula de emoção produzida pela comunicação. Não importa se a comunicação é sensata, lógica, benéfica ou não, o organismo sempre produzirá o correspondente químico ao comportamento comunicado. E, quanto mais repetida ou intensa for a comunicação, maior será a quantidade de MDEs que vaguearão no seu corpo e influenciarão sua vida.

O que acontece com o uso de drogas também acontece com o uso repetido da mesma MDE: os receptores começam a esperar – e mesmo ansiar – por aquela química específica. Ou seja, o corpo fica dependente daquela comunicação que produz aquela química. E, acredite, seu comportamento e sua atitude serão alterados para obter a química do vício a qualquer custo.

Um amigo que hoje mora na Nova Zelândia me mandou um e-mail no qual dizia que achava que ia morrer naquele ano. Imediatamente liguei para ele para saber o que estava acontecendo e como ajudá-lo. Na conversa, ele me confidenciou: "Estou viciado". Para mim aquilo soava muito estranho, pois ele sempre foi atleta e nunca bebeu nem fumou. "Como assim?", perguntei. Ao que ele respondeu: "Você sabe que no Brasil eu era paraquedista e que aqui na Nova Zelândia eu também faço *base jumping*". Ele continuou: "Até aí tudo bem, a questão é que no *base jumping* o objetivo é ficar em queda livre o maior tempo possível e abrir o paraquedas o mais perto do chão que puder. E quanto mais perto do chão mais adrenalina. Já bati seis vezes meu recorde este ano". Foi quando ele começou a chorar: "Perdi meus dois melhores amigos nesse esporte e acho que sou o próximo". Sem compreender, eu disse: "Ué, basta liberar o paraquedas longe do chão". Ainda abalado ele disse: "Você não está entendendo, estou viciado em adrenalina e em perigo. Eu não consigo abrir minha mão e soltar o paraquedas até que eu tenha a carga de adrenalina de que preciso. É vício. Foi assim que a Jeny e o Mark morreram".

Começamos a fazer Coaching Integral Sistêmico a distância, e no processo ele decidiu ter seu primeiro filho. No dia em que o bebê nasceu, ele largou o esporte. Depois me contou que algo dentro dele havia mudado a ponto de conseguir evitar o esporte. E hoje ele fala para todos que toda a ocitocina, hormônio do amor, produzido em seu corpo com o nascimento do filho salvou sua vida.

Da mesma maneira que ele era viciado em adrenalina e precisava de esportes radicais para se saciar, existem pessoas viciadas em confusão, que precisam de problemas e discussões para se "embriagar" com as MDEs do seu vício. Outros precisam de MDEs de vitimização, e para isso criam inconscientemente situações de autossabotagem. O fato é que, em menor ou maior escala, todos somos viciados em algo. A questão é saber em que nos apoiamos e como quebrar esse ciclo prejudicial.

A seguir, faço uma relação dos principais vícios emocionais que tenho encontrado nestes quase vinte anos de profissão. E, como sabemos, cada vício é abastecido por um padrão linguístico específico. Peço que pontue de 0 até 10 a intensidade de cada um desses vícios em você. Se sua nota for 0, isso quer dizer que você não é viciado naquelas moléculas de emoção. A partir do 5, você já começa a perder o controle, e depois do 8 você cria constantemente situações para poder vivenciar seu vício. Você pode ampliar a lista, incluindo **vícios não relacionados.** Caso queira, pode pedir ajuda para alguém que o conheça bem para avaliar cada um dos vícios e refletir junto até que ponto você é viciado ou não.

Vícios emocionais

- Vitimização ( )
- Raiva ( )
- Problemas ( )
- Estresse ( )
- Controle ( )
- Ajudar os outros ( )
- Atividade constante/não se permitir parar ( )
- Tristeza ( )
- Doença ( )
- Solidão ( )
- Abandono ( )
- Ser traído ou trair ( )
- Ser pobre ou ter dificuldade financeira ( )
- Eternos recomeços ( )
- Ser maltratado ( )
- Ser lesado ou passado para trás ( )
- Medo ( )
- Agradar aos outros ( )
- Trabalhar e produzir compulsivamente ( )
- Gastar dinheiro ( )
- Sexo ( )
- Mentiras ( )
- ______________________________ ( )
- ______________________________ ( )
- ______________________________ ( )
- ______________________________ ( )
- ______________________________ ( )

Nas linhas a seguir, relacione os cinco piores vícios que identificou em você. Depois disso, identifique perdas e prejuízos que você teve ou vem tendo por causa desse padrão emocional/comportamental.

Vício 1: ____________________
Prejuízo 1: ____________________
Prejuízo 2: ____________________
Prejuízo 3: ____________________

Vício 2: ____________________
Prejuízo 1: ____________________
Prejuízo 2: ____________________
Prejuízo 3: ____________________

Vício 3: ____________________
Prejuízo 1: ____________________
Prejuízo 2: ____________________
Prejuízo 3: ____________________

Vício 4: ____________________
Prejuízo 1: ____________________
Prejuízo 2: ____________________
Prejuízo 3: ____________________

Vício 5: ____________________
Prejuízo 1: ____________________
Prejuízo 2: ____________________
Prejuízo 3: ____________________

Agora que você identificou os vícios que mais sabotam a sua vida e os prejuízos que eles causam, resta dar o próximo passo para acabar a dependência química: eliminar os vícios emocionais.

ELIMINANDO OS VÍCIOS EMOCIONAIS

Todo ser humano, independentemente de origem, raça, escolaridade, cultura, nacionalidade, inteligência, idade ou genética, possui vícios trazidos do passado, e cada vício pede uma comunicação ou estilo linguístico não verbal específico, que por sua vez produz a química do vício, e o ciclo se reinicia em modo contínuo.

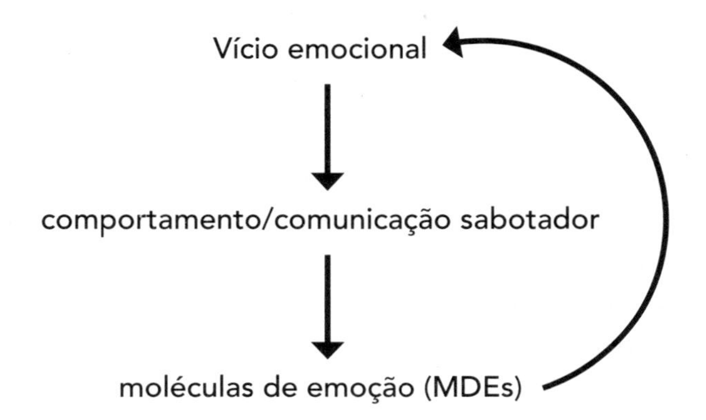

No Método CIS®, temos ferramentas para interferir de várias maneiras nesse ciclo vicioso, dentre os quais os estilos e padrões linguísticos que alteram drasticamente sua química e seus vícios, sobre os quais já falamos neste capítulo. Agora, vamos apresentar uma estrutura linguística extremamente poderosa, que, se for repetida pelo período necessário, deixará o cérebro por tempo suficiente sem a química do vício, para que por abstinência ele se cure e não precise mais das MDEs e muito menos dos comportamentos sabotadores.

Como você já sabe, cada comportamento traz em si MDEs e é justamente nessas moléculas que nosso cérebro se vicia. Se você é viciado em estresse, precisa de um comportamento verbal específico como franzir a testa, andar de cabeça baixa e de um lado para o outro, morder os lábios etc., o que por sua vez produzirá altos níveis de cortisol. Se você é viciado em depressão e tristeza, também terá um estilo linguístico específico, como ombros arqueados, olhar para baixo com a sobrancelha caída, cabeça pendendo para um lado, e aí o cérebro produzirá as MDEs específicas. Nosso objetivo aqui é estabelecer exercícios linguísticos específicos capazes de produzir um composto químico forte o suficiente para combater todos os vícios emocionais ao mesmo tempo, sejam quais forem. E o que posso dizer, para nossa surpresa, é que essa estratégia, além de combater com absoluto sucesso os sintomas dos vícios emocionais, tem tido também resultados extraordinários no combate ao vício em drogas lícitas e ilícitas.

Para que você possa mensurar isso, temos em média 10 a 15 pessoas em cada Método CIS® que decidem largar as drogas e, dessas, 90% continuam abstêmias ao longo do tempo. Obviamente muitas coisas acontecem durante o Método CIS®, e com certeza os exercícios de comunicação postural fazem toda a diferença.

Nenhum ser humano pode ficar sem sentir algum tipo de emoção a cada momento, por isso, o que vamos fazer é substituir emoções ruins e sabotadoras por emoções positivas e fortalecedoras. Para isso, comunicaremos intensa e repetidamente exercícios linguísticos não verbais capazes de produzir cinco emoções, que chamamos de emoções curativas primárias (ECP). São elas: poder, vitória, paz, alegria/entusiasmo e amor. Reforço que a ideia é gerar novos padrões de MDEs constantemente, de modo que em pouquíssimo tempo o organismo abstinente se esqueça das MDEs dos vícios do passado, e assim, passemos a ter novos comportamentos, novos sentimentos e novos resultados de vida.

Como diz Amy Cuddy, psicóloga pesquisadora da Universidade de Harvard, a linguagem não verbal necessariamente molda e reforça quem você é. Isso quer dizer que somos livres para mudar nossas crenças de identidade à medida que apresentamos repetida e intensamente uma nova comunicação. Nossa mente procurará congruência com esse novo comportamento/comunicação e a partir disso moldará todo o ser, regulando uma nova identidade que se pareça com a nova forma de agir, falar e a nova postura.

E para que os exercícios linguísticos tenham real impacto, precisam ser feitos seguindo duas regras: repetidamente ao longo do tempo e sob forte impacto emocional. Para repetir ao longo do tempo, basta criar uma agenda diária e repeti-los sistematicamente durante dias e semanas. E, para ser sob forte impacto emocional, é necessário usar todo o corpo de forma exagerada/intensa para comunicar cada uma das emoções curativas primárias. Costumo treinar meus alunos bradando em voz altíssima dezenas de vezes um mantra que diz: "Emoção se aloja na carne; emoção se aloja na carne...", e fazemos isso dobrando os joelhos, olhando para cima e batendo a palma das mãos no corpo. Tudo isso para desenvolver a emoção necessária para produzir as moléculas de emoção que queremos.

Um grande coach internacional, chamado Tony Robbins diz: "*Motion is emotion*", que na tradução quer dizer "Emoção é movimento", ou movimento do corpo produz emoção. Assim, quanto mais intensa for a comunicação não verbal, mais emoções serão produzidas.

A seguir, relaciono os seis sentimentos curativos primários produzidos por cada tipo de comunicação, os hormônios ou neurormônios principais produzidos pela comunicação e, por fim, a postura a ser imitada seguindo o desenho referente a cada ECP.

PRIMEIRO PADRÃO: PODER

A cientista Amy Cuddy demonstra em seus experimentos que ficar por apenas dois minutos na posição de poder comumente usada pela Mulher Maravilha – ombros abertos, cabeça apontando para o horizonte, mãos fechadas na cintura e pernas entreabertas – eleva o nível de testosterona em 20%. E, com a testosterona aumentada, a sensação de controle e domínio aumentam imediatamente. Como consequência pelo poder percebido, o nível de cortisol ou hormônio do estresse cai em aproximadamente 15%.

Parece mágico poder alterar nossa percepção sobre o mundo e sair de um estado sem poder, domínio e controle para um estado de poder e controle em questão de segundos. Contudo, fazendo a postura inversa, olhando para baixo, cerrando os olhos, encurvando os ombros e cruzando os braços, tornando-se pequeno em sua postura, temos imediatamente a alteração química e novas MDEs surgem. No entanto, desta vez, as moléculas de emoção vão deixar o indivíduo triste, desmotivado, inseguro e impotente. E tudo isso por causa da comunicação não verbal. É libertador, esperançoso e curativo poder escolher o que se deseja comunicar e pela repetição sistemática dessa comunicação se tornar emocionalmente igual à comunicação praticada.

Então, se você é mais comedido, poderá apenas manter-se na posição de poder por dois minutos. Entretanto, se você quiser resultados mais profundos, rápidos e transformadores, poderá fazer o segundo exercício de poder conforme a seguinte sequência dos desenhos:

SEGUNDO PADRÃO: VITÓRIA

Quando se comunica tristeza, o organismo produz imediatamente MDEs de tristeza, uma combinação de hormônios e neurormônios que inclui menor produção de serotonina, menos dopamina, menos testosterona e mais cortisol, além da produção exagerada ou inconstante de noradrenalina.

Contudo, quando se comunica vitória em atos, palavras e ações, uma nova produção bioquímica acontece e inunda todo o sistema nervoso central, produzindo mudanças drásticas na percepção, na ação e na reação do indivíduo em relação ao meio. A proposta aqui é, de forma vigorosa, enviar estímulos (comunicação) de vitória para o cérebro, de maneira que ele produza ou faça produzir MDEs de vitória, que combatem o sentimento de tristeza, apatia, desânimo.

A postura da vitória, como no desenho ao lado, é universal. A cientista social Jessica Tracy, da Universidade da Colúmbia Britânica, demonstrou que até pessoas que nasceram cegas usam a mesma postura de vitória: braços levantados em V, peito aberto e queixo apontando para cima. Essa descoberta prova que existem comunicações não verbais instintivas e naturais de qualquer ser humano. Podemos (e devemos) fazer uso delas para moldar nossa nova e planejada identidade.

TERCEIRO PADRÃO: FELICIDADE

Para produzirmos esse padrão, é fundamental primeiramente diferenciar felicidade de alegria. Alegria está diretamente ligada ao prazer momentâneo e passageiro; já a felicidade está ligada ao estado de contentamento através dos sentimentos combinados de paz, fé e amor.

Há alguns anos, meu parceiro de *rally* me perguntou quando deixei de correr de 4×4: "Paulo, como você consegue estar assim sempre tão bem? Eu continuo correndo de carro, eu faço jiu-jitsu, eu tenho minha turma de carteado, jogo futebol duas vezes por semana, sem contar as baladas; não perco nenhuma. E você não faz nem a metade de tudo isso e está sempre bem, enquanto eu estou sempre me sentindo mal e deprimido. Como?". Respondi: "Amigo, você busca alegria e eu busco felicidade. Você tem baseado sua vida em coisas passageiras, eu baseio a minha em coisas permanentes. Você investe seu tempo e foco em receber, e eu estou focado em boa parte também em dar. E, acredite, sempre será melhor dar".

Outro conhecido, depois de receber uma herança quase bilionária, confidenciou-me que a felicidade é a soma de todos os momentos alegres. Depois de sua explicação, não me contive e perguntei: "Você é sinceramente feliz com todo esse dinheiro e essa vida mergulhada no prazer?". "Como assim?", ele me perguntou. Expliquei: "Você hoje tem mulheres lindíssimas à sua disposição. Viaja para os lugares mais belos do mundo. Faz passeios semanais de motocicleta com seu grupo. Você degusta em sua casa cinematográfica toda semana charutos e vinhos raros. E depois de tudo isso, você de fato se sente feliz?". Ele olhou para baixo, olhou para cima. Tentou conter as lágrimas. Até que disse: "Não, eu não sou. Acho que busco toda essa agitação e esse prazer para não ter de olhar para mim mesmo e para quem eu sou". Não estou dizendo que a alegria não seja importante, pois ela é. Contudo, você precisa saber produzir o sentimento de felicidade através de estilos e padrões linguísticos como também através da comunicação de paz, fé e amor.

Dado o nível de abrangência do sentimento de felicidade, combinaremos um exercício não verbal com tudo o que você aprendeu sobre gratidão e a perfeita linguagem. Vamos ao padrão linguístico de felicidade:

1º) Abraços diários de 40 segundos em pessoas importantes na sua vida, com quem tenha laços familiares ou alianças verdadeiras. Observe que este exercício se baseia em dar amor, e não em receber.

2º) Validação: este exercício quebra o padrão unicamente não verbal e combina um semblante de aceitação e amor com elogio verbal regado com um sorriso no rosto. Para que o efeito seja avassalador e rápido, é necessário que seja repetido 10 vezes ao dia com todas as pessoas que seja possível elogiar. Pode ser qualquer pessoa, o importante é que essa comunicação seja o mais forte e intensa possível e que de fato faça diferença em quem está recebendo. Mais uma vez é um ato de dar, e não de receber.

3º) Este exercício se baseia em dar brados de alegria em forma de *Yes* 30 vezes seguidas. Confira no desenho a seguir a movimentação dos braços e a posição final.

4º) Manifestar gratidão como estilo linguístico conforme explicado anteriormente neste capítulo.

Quem tem medo do ridículo nunca se aproxima do extraordinário. Muitas pessoas vão tentar fazer esses exercícios e vão se sentir falsas, infantis, bobas e vão parar logo em seguida. Se ao tentar fazer os exercícios propostos você se sentir assim, peço que reflita sobre a sua vida e pense se não foi o medo do ridículo que o impediu de conquistar muito mais. Será que vale a pena manter a pose quando o preço a pagar é tão alto?

Preste atenção na fábula O velho, o menino e o burro. Atente para o fato de que não importa qual seja a atitude escolhida, sempre haverá alguém para reclamar das nossas escolhas.

Certa vez, um velhinho decidiu ensinar o neto a conduzir um jumentinho que a família possuía. Cheio de felicidade, numa manhã, o avô preparou o arreio do animal, chamou a criança e disse que naquele dia ela aprenderia a conduzir o jumentinho.

O netinho então conduziu o jumento, segurando o arreio, enquanto o avô, feliz e orgulhoso, montado no animal, o observava. De repente, um grupo de pessoas que passava próximo disse:

– Que absurdo! O pobre do menino conduzindo o jumento e o velho montado... Que coisa feia!

Constrangido porque estavam falando mal dele, o avô decidiu colocar o neto sobre o jumentinho e conduzir ele mesmo o animal. Assim seguiu no caminho, enquanto o netinho, montado no jumento, ficou feliz e orgulhoso de ver o avô andando ao seu lado.

E ouviram outro grupo comentar:

– Que absurdo! Enquanto o menino vai montado no jumento, o pobre do velho vai andando a pé...

Constrangido diante do que estavam pensando do neto, o avô desceu do jumento e acompanhou-o de mãos dadas. Os dois seguiam a pé.

Ao chegarem à cidade, outro grupo passou por eles, dizendo:

– Que absurdo! O velho e o menino andando e ninguém montado no jumento. Há tanta gente precisando de um animal desses, deviam dar a quem precisa.

O avô olhou para aquelas pessoas e, sem saber mais o que fazer, montou ele e o menino no jumento, acreditando que enfim agradaria a todos. No entanto, outras pessoas passaram por ele e disseram:

– Que absurdo! Duas pessoas montadas num jumento, assim vão acabar com o lombo do pobre animal!

O avô percebeu, então, que não importa o que seja feito, sempre haverá alguém para falar mal dele.

Tenho desafiado as pessoas a manifestarem depressão fazendo esses exercícios. Nunca vi alguém queixar-se de depressão e elogiar amorosamente as pessoas a seu lado. Nunca ouvi pessoas depressivas dizerem: "Eu sou grata pela sua vida, você faz diferença". Nunca vi pessoas bradarem de alegria forte e intensamente e ainda assim se sentirem derrotadas e desmotivadas. Talvez não seja nada fácil para quem está em estado profundo de depressão mudar seu padrão de comunicação para essa nova linguagem. Contudo, quer seja por determinação própria, por ajuda de pessoas próximas, pela motivação e dinâmica de um seminário, quer seja pelo auxílio de medicamentos, tenho visto pessoas conseguirem sair dessa prisão. Tenho visto pessoas que vinham tomando remédios controlados há mais de quinze anos terem seus medicamentos suspensos pelos seus médicos perplexos ao atestar que seu paciente não precisa mais de tarjas pretas.

QUARTO PADRÃO: ALEGRIA E ENTUSIASMO

Este padrão também faz muita diferença na psique humana. Afinal, quando comunicamos alegria intensa, nosso cérebro passa a produzir e equilibrar o neurormônio chamado endorfina, que estimula a memória de curto prazo, alivia dores físicas e emocionais, sem contar a própria sensação de alegria e bem-estar. O exercício linguístico ofertado aqui pode ser o mesmo comportamento ou comunicação natural de um torcedor quando seu time vence um importante campeonato. Ou quando alguém ganha um enorme prêmio na loteria. Em momentos como esses, pessoas funcionais celebram a conquista em altíssima intensidade emocional. E é justamente isso que proponho aqui: que você pare e por trinta segundos comunique uma celebração intensa não importa pelo quê. Apenas celebre intensamente e sinta o que mudou dentro de você.

QUINTO PADRÃO: PAZ

Ondas cerebrais são ondas eletromagnéticas produzidas pela atividade dos neurônios. As ondas cerebrais mudam de frequência baseadas na atividade elétrica dos neurônios e estão relacionadas com mudanças de estados de consciência (excitação, concentração, relaxamento, meditação, transcendência etc.). No padrão de grande atividade, a frequência das nossas ondas cerebrais é alta. A ideia agora é inverter isso, relaxar um pouco e desacelerar.

No padrão da paz, coloca-se o corpo em pé e ereto, relaxam-se a face e os ombros sem deixá-los cair e, com os olhos fechados, repete-se de 20 a 30 vezes a palavra paz esticando o "Z". Conhecendo o estilo de vida do homem moderno ocidental, podemos ao longo do dia parar em qualquer lugar tranquilo privativo para baixar nossa frequência cerebral e obter seus resultados. Siga o desenho para reproduzir o padrão linguístico de paz.

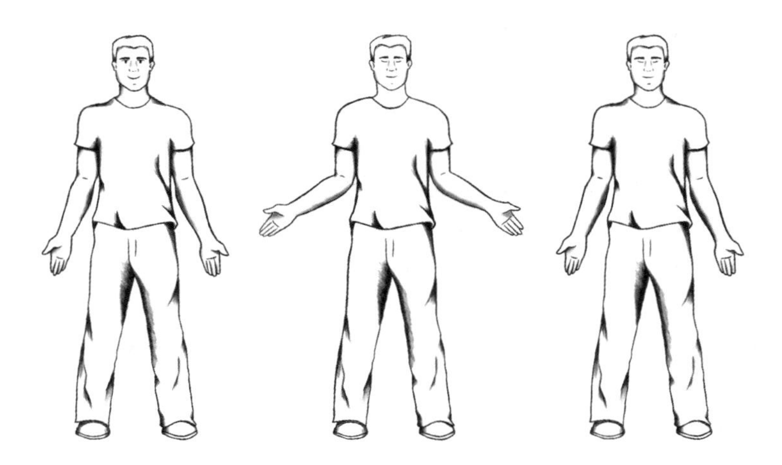

SEXTO PADRÃO: AMOR

Antigamente, a ocitocina era conhecida apenas como hormônio do amor, porém, hoje, com o avançar da Neurociência, também é chamada de hormônio da conexão social. Ela é responsável pela criação de vínculos sociais e afetivos. Na mulher, ela também é responsável pela contração uterina pré e pós-parto. E, no caso do pós-parto, a cada sugada de leite no seio materno, o hipotálamo e também o próprio útero produzem doses elevadas de ocitocina, que, além de contraírem o útero trazendo-o para seu lugar tradicional, produzem também forte vínculo da mãe com seu filho. Entre outros benefícios, a ocitocina combate a agressividade provocada pela testosterona e também diminui a quantidade de cortisol no organismo. Outros dois pontos muito estudados atualmente sobre a ocitocina são seu impacto sobre a fidelidade e a obesidade.

No tocante à fidelidade, um estudo feito na Universidade de Bonn pelo neurocientista doutor Rene Hurlemann, com 40 homens heterossexuais, sugere que doses elevadas de ocitocina promovem a fidelidade conjugal através de uma maior conexão emocional positiva entre o homem e sua parceira. O segundo benefício estudado nesse hormônio é o seu efeito sobre os sistemas de recompensa: uma quantidade de ocitocina otimizada no organismo substitui outros tipos de recompensas comportamentais, como drogas, compras, comidas, doces etc. Ou seja, basta produzir ocitocina e a pessoa será capaz de segurar o impulso por compras, drogas e comidas. Em 2013, a Universidade de Yale publicou um trabalho científico que mostra que a ocitocina está fortemente ligada à socialização de crianças com autismo.

A questão é: como produzir esse elixir emocional? Para produzir a ocitocina em quantidade restauradora, é necessária uma comunicação não verbal e verbal de amor-próprio e de amor aos outros mais próximos, como família, parentes e amigos íntimos. Não obstante, é fundamental tratar bem, ou muito bem, qualquer pessoa que cruze seu caminho, para que a química emocional não seja desfeita. Lembrando-se de que a indiferença ou a não percepção do outro já é uma comunicação negativa e, como qualquer emoção, produzirá MDEs pertinentes a ela.

Conseguimos isso com o abraço de quarenta segundos, validações constantes e, sobretudo, com o afeto físico e verbal em um estado de paz. Ou seja, ao nos dedicar aos exercícios para conquistar os outros cinco padrões, este sexto – amor – vem como uma consequência de benefícios maravilhosos para a sua vida. É como se fosse um brinde ou um prêmio por atingir um objetivo pelo qual trabalhou com tanta disposição e força.

◎◎◎

Acabamos de ver seis padrões emocionais criados por padrões verbais e não verbais de comunicação. É importante que você se abra para o que é científico e para possibilidades de mudança que vão além de remédios controlados e outros tratamentos cognitivos comportamentais tradicionais.

São seis padrões emocionais curativos primários que qualquer pessoa pode exercitar a qualquer hora e em qualquer lugar minimamente adequado. A pergunta é com que carga emocional e com que frequência você vai fazer seus exercícios emocionais curativos para eliminar vícios que vêm aprisionando-o e limitando-o em várias áreas da vida? Talvez a primeira pergunta seja: "Você vai fazer esses exercícios hoje comprovados por pesquisadores de Harvard e Yale para mudar sua vida ou vai contar historinhas que justifiquem o fato de você não fazer os exercícios e continuar vivendo a mesma vida e sendo a mesma pessoa de sempre?". Se essa for sua atitude, eu digo para você o mesmo que tenho dito para muitas pessoas: "Fica tranquilo. Está tudo certo. Cada um tem a vida que merece". Caso esteja disposto a pagar o preço que só você pode pagar, mãos à obra, que a reforma é grande e está na hora de começar.

COMO PRATICAR OS PADRÕES

Nossa observação e nossa modelagem empírica partiram de centenas e centenas de clientes, tanto de coaching individual como do Seminário do Método CIS®. A forma de exercitar a comunicação parte de três pressupostos detalhados a seguir: necessidade, intensidade e repetição.

NECESSIDADE

Você conheceu seis padrões linguísticos e seus efeitos bioquímicos sobre o ser humano. Agora precisa por observação própria ou pelo feedback de terceiros reconhecer quais são os seus vícios e praticar os exercícios mais adequados para o seu caso. Se o seu vício for estresse, certamente o padrão a ser mais praticado é o de paz e de poder. Pelo relaxamento provocado pelas ondas alfa, a sensação de paz vem de forma imediata, pelo brado e pelos movimentos de poder é produzida a testosterona e com ela a sensação de controle e domínio.

Contudo, não se esqueça de que, no final das contas, esses exercícios precisam ser trazidos para o seu dia a dia como estilo linguístico e como estilo de vida. E, para ter maior aproveitamento, o ideal é a prática de todos os padrões, sempre dando mais ênfase aos mais necessários.

INTENSIDADE

Como você já sabe, emoção se aloja na carne, e para que de fato haja uma reprogramação de crenças e eliminação rápida dos vícios deve-se levar em conta que o lado cognitivo e intelectual tem apenas 15% de força sobre nossas mudanças emocionais profundas. Portanto, a intensidade emocional fará toda a diferença na eliminação dos seus vícios.

Por isso, sugiro que se dedique profundamente aos exercícios propostos. Não tenha medo ou vergonha de mostrar em seus gestos e em sua postura aquilo que você quer para si, mesmo que lhe pareça ridículo. Aja com intensidade, com gestos grandes e marcados. Quanto mais você usar os movimentos corporais, mais rápidas, profundas e duradouras serão as mudanças.

REPETIÇÃO

A intensidade com que se fazem os exercícios é importante, contudo, ela não é suficiente para que se obtenha o resultado desejado. Podemos fazer um paralelo com atividades físicas como a musculação. Ainda que a carga do peso levantado seja de extrema importância, é a repetição do exercício que vai verdadeiramente fortalecer o músculo.

Assim, para que os exercícios linguísticos propostos alcancem a cura dos vícios emocionais, é a quantidade de vezes que o repetir ao longo do dia que fará a diferença. Então, se você busca resultados reais, além de aplicar intensidade emocional, deverá também fazer cada exercício pelo menos 5 vezes ao longo do dia com 20 a 30 repetições cada vez.

SOBRE O ESTRESSE

A Neurociência, diferentemente de outras atuações acadêmicas, não tem rédeas nem limites. E continua lançando teses multidirecionais e possibilidades que vão de encontro às certezas e às verdades inquestionáveis de ontem. No artigo "Depressão e estresse", em seu site, o doutor Drauzio Varela apresenta uma discussão da revista *Science* sobre o conjunto de ideias mais aceitas atualmente para explicar a depressão: a hipótese do estresse.

Segundo essa hipótese, em resposta aos estímulos agressivos do ambiente, o hipotálamo produz um hormônio (CRF) para convencer a hipófise a mandar ordem para as suprarrenais produzirem cortisol e outros derivados da cortisona que cumprem seu papel gerando atenção e cuidados extras.

Diversos trabalhos experimentais mostraram que esses hormônios do estresse (cortisol e seus derivados) prejudicam a saúde dos neurônios, porque modificam a composição química do meio em que essas células exercem suas funções. A persistência do estresse, e consequentemente do cortisol, altera de tal forma a arquitetura dos circuitos neuronais que chega a modificar a própria anatomia cerebral. Por exemplo, provoca redução das dimensões do hipocampo, estrutura envolvida na memória e área fundamental para a ação das drogas antidepressivas. Algo que explica o mal de Alzheimer e outras doenças neurais.

Pesquisadores da Universidade de Emory, em Atlanta, demonstraram que a existência de períodos críticos na infância, como sofrer violência física, abuso sexual, ausência de cuidados e carinhos maternos e outros tipos de estresse emocional, pode conduzir à hipersecreção de CFR no hipotálamo, com consequente liberação de cortisol pelas suprarrenais, alterações essas associadas à depressão e a outras disfunções emocionais na vida adulta. Ou seja, um vício de estresse trazido desde a infância que moldará as emoções, o intelecto e os resultados dessas crianças também na fase adulta. Os pesquisadores concluíram que "muitas das alterações neurobioquímicas encontradas na depressão do adulto podem ser explicadas pelo estresse ocorrido em fases precoces da infância".

Abordarei esse assunto com mais profundidade no Capítulo VII, sobre crenças, quando chamarei sua atenção para a qualidade e a intensidade de sua comunicação com seus filhos. Trago o cuidado com a comunicação direta, que está relacionada ao que você diz ou mostra explícita e diretamente a eles. E também toda a comunicação indireta, aquela que seu filho recebe não pelo que você faz, mas pelo que deixa de fazer e pelo ambiente em que o coloca. Lembre-se: o que você comunicar ou deixar de comunicar a seus filhos ecoará pela eternidade.

CAPÍTULO VI
QUESTIONE

> *Sua mente responderá a todos os questionamentos que você lhe fizer, mas primeiro faça-os verdadeiramente. Depois, apenas relaxe, pois as respostam virão.*
> (Paulo Vieira)

Depois de tantos percalços na minha vida dos 17 aos 30 anos, descobri que o que mais me prejudicou nesse período doloroso não foi o que eu não sabia, e sim o que eu sabia. Eu tinha tantas verdades e certezas dentro de mim que não havia espaço para aprender ou experimentar mais nada que já não estivesse pré-programado na minha mente. No meu caso, é como se meu HD estivesse cheio de programas ineficientes e eu não liberasse espaço para outras programações de melhor qualidade. Quando se fala de mente humana, bastaria liberar espaço para novas informações e saberes entrarem até por osmose. Contudo, por mais de treze anos me mantive agarrado com as minhas verdades, defendendo-as com tanta paixão que poucas pessoas ousariam me dissuadir delas. Quando encontrei pessoas realmente dispostas a me dissuadir, eram pessoas iguais a mim, presas e acorrentadas nas suas verdades absolutas. Travávamos lutas homéricas, cada um querendo defender seu ponto de vista. Quanto tempo perdido, quanta dor sentida, quantos sonhos desperdiçados pelas muralhas chamadas verdades absolutas.

Saber fazer perguntas é muito mais importante do que saber pedir. Quantas mulheres pediram um marido e depois que ele apareceu elas viveram os dias mais infelizes da vida delas? Quantas pessoas pediram riqueza e, depois que ela veio, a felicidade e a paz de espírito se foram? Quantos jovens pediram um carro e perderam a vida dentro dele?

Saber fazer as perguntas certas direciona o nosso querer e nos faz pedir o que de fato é benéfico. Boas perguntas invariavelmente nos mostrarão caminhos, porém apenas as melhores perguntas vão nos mostrar os propósitos e os valores por trás do que queremos e de como pensamos em realizar.

> *As respostas serão sempre importantes, porém não superam as perguntas em importância e poder. Pois as respostas costumam ser limitadas e temporais e as perguntas são ilimitadas e atemporais.*
> (Paulo Vieira)

Estava em uma festinha de batizado vendo meu filho e outras crianças que brincavam de Tarzan, pulando em tudo o que existia pela frente, quando um dos pais falou para o seu filho não pular e mesmo assim a criança pulou. Nesse momento, o pai deu um grito estrondoso com seu filho de apenas 4 anos, e, junto aos gritos, vieram adjetivos e ameaças de surra. Como as outras crianças mais velhas continuavam pulando, o menininho ficou de longe olhando os colegas saltando heroicamente aquele abismo, enquanto ele com um olhar triste e postura encolhida ficava de longe. O grito foi tão alto, agressivo e humilhante que não me contive e perguntei ao pai: “Desculpe a pergunta, mas qual era o seu objetivo com aquela bronca no seu filho?”. Ao que ele respondeu: “Ora, o objetivo era fazê-lo não pular mais”. Respondi: “Se o seu objetivo era só esse, você o atingiu. Parabéns. Seu filho está ali todo encolhido olhando as outras crianças pularem". Contudo, continuei: "Agora, se seu objetivo é ter um filho saudável emocionalmente, forte e determinado, você deve questionar a educação que está dando a ele. Pois o que você está conseguindo com esse tipo de educação é destruir a autoestima do seu filho. E de uma coisa eu sei: no futuro ele precisará de pessoas que gritem com ele em alguns momentos e, em outros, vai procurar pessoas mais fracas para maltratar, como você está fazendo com ele agora. Certamente ele vai maltratar quem ama e ser maltratado pelas pessoas de fora. Isso é o que você está conseguindo". Ele disse: "Eu nunca tinha parado para pensar dessa maneira".

Esse é o problema, as pessoas não param para pensar em por que agem como agem ou por que querem o que querem. É hora de começar a questionar muitas coisas na sua vida enquanto ainda há tempo.

QUALIFICANDO AS PERGUNTAS

Se formos qualificar as pessoas pelas suas perguntas, temos o primeiro nível, mais elementar, composto por quem não faz pergunta nenhuma, ora aceitando as verdades de outras pessoas, ora se guiando pelas suas. Por exemplo: "Este trabalho é o que existe de melhor para você!". Ou: "Você precisa fazer faculdade de Medicina". "Você só vai ser feliz se casar com fulano." Nesse primeiro nível, as pessoas apenas escutam, não questionam.

Não estou dizendo que suas verdades ou as verdades das outras pessoas sejam ruins ou boas. Só estou questionando a validade delas para o seu momento presente. Afinal, as respostas são fundamentais, porém não superam as perguntas em importância e poder. Pois as respostas são temporais e limitadas, enquanto as perguntas são exatamente o oposto disso. Quando alguém diz o que você deve fazer, esteja aberto a três coisas: aceitar integralmente, recusar integralmente ou aceitar uma parte e recusar outra. Para tomar essa decisão, é necessário fazer mais e mais perguntas:

1a) O que essa pessoa me aconselhou é o melhor para mim?
1b) O que quero é de fato o melhor para mim?
2a) O que ela quer que eu faça é adequado ao contexto de minha vida? Tal-

vez ela nem conheça meus medos, minhas inseguranças, minhas ambições e meus desejos.

2b) O que quero fazer é adequado ao contexto da minha vida? É adequado levando em conta meus medos, minhas inseguranças, minhas ambições e meus desejos?

3a) O que estão dizendo para eu fazer faz parte das minhas crenças e dos meus valores pessoais?

3b) O que estou pensando em fazer faz parte das minhas crenças e dos meus valores pessoais?

4a) Mesmo que essa pessoa esteja certa e essa seja a melhor opção, será que estou pronto hoje para fazer o que ela quer que eu faça?

4b) Mesmo que eu esteja certo e essa seja a melhor opção, será que estou pronto hoje para fazer isso?

5a) Mesmo que eu faça o que essa pessoa quer que eu faça, serei feliz fazendo isso? Foi para isso que eu nasci?

5b) Mesmo que eu faça o que parece ser o melhor, serei feliz fazendo isso? Foi para isso que eu nasci?

Pessoas vitoriosas buscam uma multidão de conselheiros. Já pessoas emocionalmente limitadas buscam sozinhas seus caminhos e seus destinos e nunca os questionam. Quando ouvimos nossas verdades e as verdades de outras pessoas, precisamos ter em mente duas questões: quem é a pessoa a dar ouvidos e os resultados que ela vem tendo. Pois o bom senso diz que primeiro precisamos confiar na intenção de quem nos aconselha e depois na competência da pessoa na área. Talvez não seja tão proveitoso ou seguro pedir conselhos sobre investimentos financeiros ao meu avô se ele nunca prosperou nessa área. Mesmo que eu ouça o que ele tem a me dizer, preciso ouvir muitas outras pessoas. Sobretudo, preciso questionar todas elas e suas verdades, inclusive a mim mesmo e às minhas verdades. Isso pode ser feito a partir das perguntas a seguir.

1. Eu e essa pessoa temos experiência nesse aspecto da vida?
2. Eu e essa pessoa temos resultados práticos que validem as minhas ideias ou as dela?

3. Eu e essa pessoa estamos dizendo o que quero ouvir, para me deixar alegre, ou estamos dizendo o que de fato é o melhor para mim no longo prazo?
4. Eu e essa pessoa temos maturidade emocional e intelectual nesse aspecto específico da vida?

Se na base da pirâmide evolutiva humana, no nível mais elementar, estão as pessoas que não questionam, no segundo nível estão as pessoas questionadoras, porém as que questionam da pior maneira possível: perguntam pouco e, quando o fazem, são perguntas que as enfraquecem e debilitam. São perguntas como:

- Por que isso aconteceu comigo?
- Será que eu merecia isso?
- Será que vou conseguir realizar esse sonho?
- Vou ganhar dinheiro com isso?

São perguntas que já trazem consigo as respostas, porém são respostas que colocam a pessoa em uma situação pior do que a anterior. Esses tipos de perguntas não geram ação nem focam o futuro, trazem apenas dúvida e medo.

O terceiro tipo de pessoa em relação às perguntas são aquelas que fazem boas perguntas e por isso obtêm boas respostas. Elas perguntam o que querem, o que devem fazer e como podem fazer. São perguntas muito mais evoluídas e consistentes, por isso estão à frente da maioria das pessoas ao seu redor. Elas questionam, e isso é importante. São pessoas que sabem parar e planejar ações focadas e eficientes. Elas fazem perguntas como:

- Qual é o próximo passo?
- Como atingiremos nossas metas?
- Quem fará parte da equipe?
- O que de fato queremos conquistar?
- Qual o caminho a seguir?
- De que recursos precisamos para chegar lá?

Contudo, nem essas pessoas habitam o topo da pirâmide da maturidade emocional, porque elas focam apenas o caminho a trilhar (como) e a chegada (o que ou onde), mas não sabem exatamente por que trilhar esse caminho nem a razão pela qual esse objetivo é o melhor.

Os verdadeiros super-humanos sabem questionar a si mesmos a ponto de descobrir seus propósitos e seus porquês. Eles descobrem seus valores pessoais e sua missão de vida, que estão por trás do que pensam, sentem e fazem. Descobrem uma fonte de combustível inesgotável que fará com que cheguem aonde pessoas comuns nem sequer cogitam. Essas pessoas deixam um legado na Terra.

Elas fazem constantes PPSs e por isso chegam ao âmago das questões. São perguntas como:

1. Qual o propósito da educação e do amor que estou dando aos meus filhos?
2. O que de fato é um lar feliz e próspero?
3. Qual o propósito maior em casar com essa pessoa?
4. Qual o propósito maior em trabalhar com isso?
5. O que me faz continuar trabalhando na empresa do meu pai?
6. O que a vida tem de melhor para mim que ainda não vi?

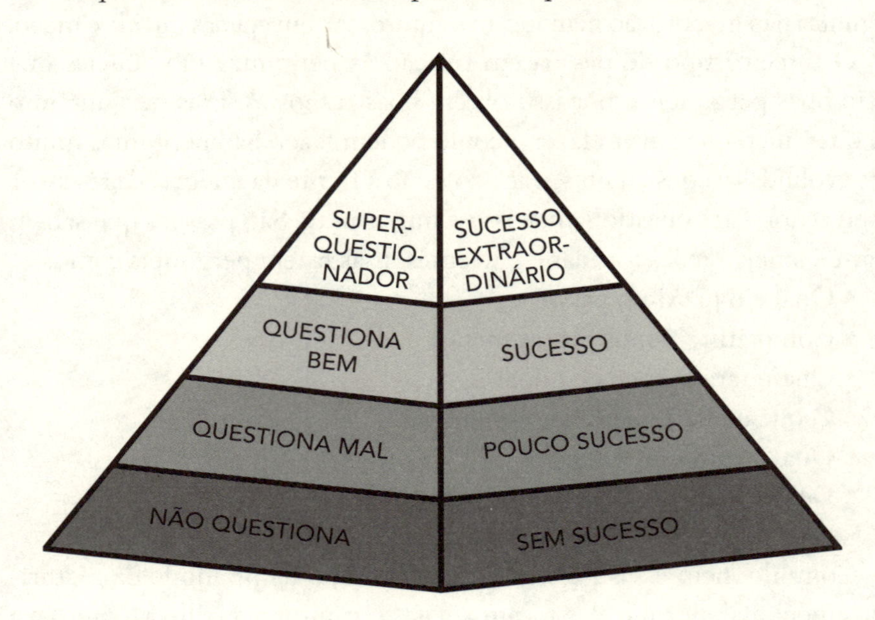

Uma amiga da família da minha esposa começou a se fazer perguntas e a questionar a vida. Ela se sentia confusa, triste e não sabia o que de fato estava errado. Intuitivamente, começou a fazer perguntas a si mesma. Depois começou a anotar na agenda as melhores perguntas. Após uma semana, ela contava com mais de 30 perguntas, apenas perguntas. Como nada é por acaso, uma pessoa que havia feito o Método CIS® surgiu de repente e começou a falar de suas experiências e suas mudanças após o evento. Era como se Deus estivesse dizendo para ela que suas perguntas também tinham respostas. Ela e o marido fizeram o curso, e as mudanças foram imediatas e continuam acontecendo. O marido, que era um bom pai, tornou-se um muito melhor. O casamento, que era pacífico, ficou ainda melhor. A empresa de Engenharia do marido, que há dois anos se mantinha com a corda no pescoço, sempre no limite, recentemente faturou em um mês 20% a mais do que nos doze meses do ano anterior. Muitas coisas mais aconteceram em todas as áreas da vida daquela família. A resposta que ela teve foi uma pergunta que faço no início do meu seminário:

> *Por que continuar sendo a mesma pessoa de sempre se você pode ser alguém muito melhor?*
> (Richard Bandler)

Bastou essa pergunta para ela entender que estava vivendo na linha da mediocridade e da mesmice e que ela e o marido estavam confortavelmente sentados em cima do tonel, na zona de conforto. Ali, já nas primeiras horas de seminário, as fichas caíram e as palavras de ordem eram: MUDANÇA JÁ. À medida que ela fez mais perguntas e as respondeu, outras ações, decisões, mudanças e crenças surgiram. Em pouquíssimo tempo, o que era uma verdade ruiu completamente e deu lugar à confusão. Depois da confusão, porém, veio uma nova realidade, uma realidade de abundância e prosperidade.

Vejo muitas pessoas que cobram estudo e notas boas dos filhos com tanta severidade que me incomoda. Quando alguém faz isso, pergunto por que tanta cobrança a respeito de notas e performance. Elas rapidamente respondem: “Para que ele tenha sucesso na vida”. Eu retruco e pergunto novamente: “E o que é sucesso para o seu filho no futuro?”. A maioria se perde nessa hora.

Uns dizem que é estabilidade profissional, outros dizem que é independência financeira, outros dizem que é ser feliz. Retruco: "O que é estabilidade profissional? O que é independência financeira? O que é felicidade para seu filho no futuro? E de fato isso é o mais importante para o seu filho?". Novamente, respostas confusas surgem.

O que acontece com essas pessoas é que elas ainda não pararam para questionar sua maneira de educar e amar os filhos, muito menos o que de fato querem e por que querem esse futuro para eles. Notas boas são importantes, é verdade, mas, além disso, o que mais é importante para o futuro do seu filho e você não está dando a devida atenção? Você conhece alguém que teve sucesso na vida sem ter tirado notas tão boas? Quanto de valores e princípios você tem se empenhado em passar para seus filhos? Na questão emocional, você o tem abastecido com momentos que o farão forte e ousado no futuro?

Essa é a linha de raciocínio daqueles que têm uma vida abundante. Se sua vida não estiver abundante, é porque há uma disfunção, e toda disfunção deve e merece ser questionada e depois eliminada. Para isso, devemos fazer constantemente as PPSs – Perguntas Poderosas de Sabedoria –, sobre as quais falaremos mais a seguir.

PERGUNTAS PODEROSAS DE SABEDORIA

As pessoas super-humanas fazem Perguntas Poderosas de Sabedoria (PPSs) como estilo de vida abundante. São pessoas que questionam seus limites, suas origens e seus medos, questionam tudo o que pode de alguma maneira ser melhor. Questionam até o significado de suas conquistas e vitórias. Para ser um super-humano, entretanto, não basta saber questionar, é necessário buscar as respostas para os questionamentos. Jamais a resposta será ou estará somente nela mesma.

> *O homem deve estar consciente de que sua missão é viver uma vida plena de sentido e dar respostas transcendentes a cada situação. Pois, cada vez mais, as pessoas têm os meios para viver, mas não têm uma razão para viver.*
> (Viktor Frankl)

Martin Luther King é um perfeito exemplo de quem se tornou um super-humano ao questionar as verdades dos Estados Unidos e do mundo. Vindo de uma família evangélica batista, ele cresceu como um jovem questionador a ponto de, aos 13 anos, na escola dominical na igreja frequentada por sua família, questionar a ressurreição corporal de Cristo. Em meio à polêmica e à confusão causada pelos questionamentos, ele declarou: "As dúvidas começaram a brotar inexoravelmente".

Tempo depois, porém, disse que a Bíblia tinha muitas verdades profundas das quais não se podia escapar. Ainda jovem, entrou para um seminário de Teologia e se tornou o mais proeminente pastor negro de todos os tempos. Entretanto, não parou de questionar as verdades estabelecidas e se tornou a pessoa que mobilizou o mundo pacificamente contra a segregação e o preconceito racial norte-americano. Com seus discursos, como o famoso *I have a dream*, ele cruzou os Estados Unidos de ponta a ponta, fazendo com que pessoas questionassem as verdades sobre a situação racial no país. Os Estados Unidos mudaram sua lei, sua forma de ser e de agir em relação a todas as pessoas independentemente de raça ou de cultura. Tudo isso porque ele decidiu questionar as verdades vigentes. E King não se dava por satisfeito: dentre outros assuntos, a partir de 1965, o líder negro passou a questionar as intenções dos Estados Unidos na Guerra do Vietnã.

Outra pessoa que resolveu questionar o que era tido como verdade foi Nick Vujicic. Ele nasceu sem braços e pernas em decorrência de uma rara síndrome chamada Tetra-amelia. Aos 8 anos, pensava em suicídio não só por causa das limitações naturais de sua condição física como também em decorrência do bullying sofrido no colégio. Contudo, aos 16 anos começou a questionar suas limitações e, posteriormente, iniciou sua organização sem fins lucrativos chamada Life Without Limbs (em português, Vida sem membros).

Aos 21 anos, formou-se em Contabilidade e Finanças. Desde então, ele tem viajado pelo mundo palestrando sobre esperança e fé. Ele questiona suas limitações e se pergunta: "Eu estaria aqui com vocês se não fosse minha deficiência física? Então, o que é limitação se não o que acreditamos que seja?". Mais um super-humano fazendo os questionamentos certos e, a partir daí, criando um mundo de possibilidades.

O indivíduo pode ser despojado de tudo, menos da liberdade de decidir que atitude tomar diante das circunstâncias extremas e de dizer sim à vida independentemente de tudo.
(Viktor Frankl)

Olhando para sua vida, peço que identifique quais são suas limitações. Quais são suas dificuldades ou apenas o que poderia estar melhor na sua vida?

Agora, quero que você questione as coisas que estão mesmo muito ruins na sua vida ou ao seu redor e também as coisas que simplesmente poderiam ser melhores, mas você ainda não havia parado para questioná-las ou agir diferentemente. Selecione cinco realidades e escreva-as nas linhas a seguir.

1. ____
2. ____
3. ____
4. ____
5. ____

Fique atento ao fato de que os super-humanos não procuram atalhos para suas perguntas nem buscam as respostas mais fáceis. Eles buscam o que é realmente melhor. Se observarmos Martin Luther King, ele poderia ter ido para uma luta armada, mas não o fez. Sempre liderou marchas pacíficas, que não tinham o objetivo de destruir, e sim de construir uma sociedade com novas possibilidades. Da mesma maneira que fizeram outros superquestionadores, como Gandhi e Nelson Mandela. As perguntas deles não os levaram à revolução, no sentido de destruição brusca ou violenta, e sim à construção e à evolução. Se seus questionamentos o levam a destruir o que possui, está na hora de questionar suas perguntas e suas respostas.

Contudo, o que distingue as perguntas comuns das PPSs? Elas seguem cinco critérios:

1º) Orientadas principalmente para o futuro.

2º) Orientadas para a ação e a reflexão.

3º) Orientadas para a solução.

4º) Orientadas para metas e objetivos.
5º) Orientadas para a autorresponsabilidade.

Para fazer um bom questionamento sobre sua vida, é necessário seguir os cinco critérios apresentados e, para verificar a qualidade de suas PPSs, você pode conferi-las com as seguintes orientações:

Perguntas Poderosas de Sabedoria...
- ... fazem com que eu pense e repense.
- ... produzem boas respostas.
- ... produzem ação real.
- ... geram novas possibilidades.
- ... criam espaço para flexibilidade.
- ... fornecem respostas e soluções poderosas.

Perguntas poderosas geram plenitude e abundância de vida. Se você não está tendo resultados positivos e tremendos, é porque se encontra preso na base da pirâmide dos tipos de questionador. Vá até ela e localize sinceramente onde está sua maturidade emocional em termos de questionar a realidade vigente.

Retome as cinco realidades que listou no último exercício. Que tal começar a fazer pelo menos dez perguntas poderosas para cada uma delas, conforme o exemplo a seguir?

Questionamento geral: Minha vida financeira é precária, endividada e limitada.
1ª PPS: Quem disse que tenho de passar minha vida envolto em problemas financeiros?
2ª PPS: Existe alguém que estava como eu financeiramente e em pouco tempo deu a volta por cima?
3ª PPS: O que preciso fazer de maneira diferente para prosperar financeiramente, aumentando minha renda em 50%?
4ª PPS: O que preciso aprender para prosperar financeiramente?

5ª PPS: O que farei e como agirei para acabar as dívidas no cheque especial?
6ª PPS: Em quem me transformarei quando for uma pessoa realmente rica?
7ª PPS: Com o que trabalharei para juntar 5 milhões de reais?
8ª PPS: Quem são as pessoas que estão comigo nessa jornada?
9ª PPS: Que preço estou disposto a pagar pelo sucesso financeiro?
10ª PPS: Como retribuirei a Deus e ao mundo as conquistas financeiras que vou ter?

As PPSs não precisam ser perfeitas nem você precisa ser um mestre na arte de questionar. Nesse primeiro momento, o objetivo não é necessariamente construir uma ponte de onde você estava para onde quer ir, mas destruir as muralhas emocionais que impediam você de ver outras possibilidades e apontar para uma nova visão e uma nova maneira de agir, pensar e sentir.

EXERCÍCIO

A partir do exemplo dado, escreva o que precisa ser questionado em sua vida e em seguida faça dez PPSs para derrubar as muralhas de impossibilidade. Você pode fazer o exercício com todas as áreas de sua vida que julgar interessante reavaliar.

Questionamento geral: ____________________
1ª PPS: ____________________
2ª PPS: ____________________
3ª PPS: ____________________
4ª PPS: ____________________
5ª PPS: ____________________
6ª PPS: ____________________
7ª PPS: ____________________
8ª PPS: ____________________
9ª PPS: ____________________
10ª PPS: ____________________

Pessoas limitadas perguntam se vão conseguir, pessoas vencedoras perguntam o que vão fazer para conseguir. E super-humanos perguntam quem vão se tornar ao conseguir.
(Paulo Vieira)

AUTOCOACHING

Ajudando tantas e tantas pessoas com o CIS e em grande parte graças às PPSs, decidi ser cobaia de meus experimentos. Era o ano de 2006, estava em um voo entre Fortaleza e São Paulo e estava incomodado com o fluxo de viagens para ministrar palestras e seminários. Nessa época, eu passava em média dez a quinze dias por mês fora de casa e a saudade da esposa e da filhinha de apenas 3 anos estava enorme. Sem contar que em outubro daquele mesmo ano meu segundo filho nasceria. O fato era que não queria mais passar tanto tempo fora de casa. Então, fiz pela primeira vez o que chamei de autocoaching. Meu objetivo era dobrar o valor que eu recebia por sessão de coaching. Em três meses, eu saí do valor de 500 reais a sessão para mil reais. Isso respondia à mais importante das minhas perguntas: Como viajar menos para ministrar palestras e seminários e estar mais tempo em casa com meus filhos sem baixar o padrão de vida? Então, entendi definitivamente que as perguntas eram as respostas e as respostas estavam virando a minha realidade em uma velocidade difícil de acreditar.

Gostei da primeira rodada e fui para a segunda. Dessa vez, não era apenas para atingir 1.500 reais por sessão como também ter 20 clientes semanais ativos. De novo, um mundo de ações, planos, acontecimentos e mudanças surpreendentes aconteceu: 21 clientes ativos e todos pagando em torno de 1.500 reais. Fiz pela terceira vez, antes do fim de ano, e novamente mais mudanças e ganhos extraordinários. Eu tinha nesse momento mais de 25 clientes ativos pagando em torno de 2 mil reais a sessão. Era incrível o fato de ter começado o ano cobrando 500 reais e acabar o ano recebendo quatro vezes mais.

Desde 2006, o autocoaching tem sido uma constante na minha vida e, quando pessoas me perguntam como um pequeno instituto de coaching conseguiu em pouco tempo se tornar o maior da América Latina e estar entre os dois ou três maiores do mundo, a resposta é simples: autocoaching. Trata-se de questionar as possibilidades como estilo de vida. É perguntar todos os dias "por que não?".

É um processo profundo que usa como base as PPSs normalmente focadas em um objetivo específico, visualizável, temporal e desafiador. O objetivo desse exercício é promover autorresponsabilidade, clareza de propósitos e um pacote de ações e decisões consistentes na direção do objetivo. Como você já sabe, tem poder quem age, e mais poder ainda quem age corretamente. O autocoaching deve ser usado na busca de metas desafiadoras e na resolução de problemas, e pode ir desde um objetivo superespecífico até objetivos mais genéricos, ou seja, desde como aumentar seu salário até como ser feliz, pleno e realizado em sua vida. Em ambos os casos, o importante é que o objetivo seja visualizável.

ETAPAS DO AUTOCOACHING:

Para entender como aplicar o autocoaching, vou usar o exemplo de alguém que queira ter um rendimento mensal de 15 mil reais. O processo se dá em nove passos:

1° passo: Definir o objetivo. No caso, conquistar uma retirada mensal de 15 mil reais.
2° passo: Ter certeza de que o objetivo estabelecido é visualizável.
3° passo: Elaborar 35 perguntas que busquem: como, qual, quando, o que, onde, quem, por que, de que maneira etc., sempre repetindo o objetivo. Exemplos:

- O que mudarei no meu comportamento dentro da empresa **para conquistar um salário de 15 mil reais por mês?**
- O que estudarei e aprenderei **para conquistar um salário de 15 mil reais por mês?**
- De quem me aproximarei dentro e fora da empresa **para conquistar um salário de 15 mil reais por mês?**
- Como me vestirei **para conquistar um salário de 15 mil reais por mês?**

- Quais erros não mais cometerei **para conquistar um salário de 15 mil reais por mês?**
- Como mensurarei meus resultados **para conquistar um salário de 15 mil reais por mês?**

4° passo: Depois de elaborar as 35 perguntas focais, feche o caderno e passe dois a três dias sem pensar nas perguntas ou no objetivo pretendido.
5° passo: Terminada a pausa de dois dias, responda às 35 perguntas com riqueza de detalhes e comprometimento.
6° passo: Coloque as respostas em ordem de prioridade e execução, eliminando as que não convêm.
7° passo: Depois de ter organizado e eliminado o que é irrelevante, imprima as respostas relevantes, transformando-as em um plano de ação informal.
8° passo: Leia todos os dias suas respostas/plano de ação e vá cumprindo imediatamente ou agendando cada uma das tarefas para executá-las.
9° passo: Mesmo que não faça sentido, leia, se possível em voz alta, todo o seu autocoaching.

A partir disso, as respostas começam a aparecer e com elas vêm mudanças drásticas.

Agora que você possui essa poderosíssima ferramenta, o que vai fazer com ela? Deixá-la na contemplação teórica enquanto outras pessoas transformam a vida delas? Contar historinhas para justificar não usá-la? Ou dar sequência a uma jornada interminável de conquistas? Você é livre para tomar suas decisões, e sempre será. Espero, no entanto, que tenha se convencido de que pode ter uma vida abundante agora, e mais depressa do que imaginava.

CAPITULO VII
CREIA

Peça-a, porém, com fé, em nada duvidando; porque o que duvida é semelhante à onda do mar, que é levada pelo vento, e lançada de uma para outra parte. (...) O homem de coração dobre é inconstante em todos os seus caminhos.
(Tiago 1:6 e Tiago 1:8)

Muitas pessoas se perguntam por que são pobres ou por que são tristes, e a resposta mais fácil e simples é culpar seus pais, o ambiente em que vivem ou até o governo. Contudo, sempre veremos pessoas em ambientes pobres que se tornam ricas. E veremos pessoas felizes apesar de estar vivendo em grande adversidade. Quero neste capítulo trazer outra possibilidade para nossos resultados e nosso estilo de vida: nossas crenças. E quando me refiro à crença não quero dizer credo religioso, e sim uma programação mental em forma de **circuitos neurais**, ou seja, uma vasta e extensa rede de neurônios conectados a milhões de outros neurônios. Esses circuitos possuem informações ou programas que regem e comandam todos os comportamentos e todas as respostas humanas aos estímulos recebidos. Nos circuitos neurais, estão armazenados todos os aprendizados e as informações acumulados pelo indivíduo ao longo da vida e até durante a gestação, e tudo isso está armazenado no consciente e no inconsciente e estruturado no hemisfério esquerdo e também no direito do cérebro.

Através desses circuitos ou redes neurais, o cérebro é capaz de produzir respostas para cada estímulo interno ou externo, e também produz os comportamentos e a atitude com os quais o indivíduo vai encarar a vida.

Todo ser vivo é dotado de um sistema nervoso organizado e interconectado, que modifica o seu comportamento e as respostas aos estímulos em função de experiências vividas através das **sinapses neurais**. Essa modificação nos circuitos neurais é chamada de aprendizado e ocorre no sistema nervoso através da propriedade chamada **plasticidade neural**. E após cada modificação nós temos alteração em nossas crenças e em nossos resultados.

Peço emprestado a Elenice Ferrari, pesquisadora da Unicamp, uma definição mais completa de plasticidade neural:

> *A plasticidade neural é a capacidade do cérebro de desenvolver novas conexões sinápticas entre os neurônios a partir da experiência e do comportamento do indivíduo. Com determinados estímulos, mudanças na organização e na localização dos processos de informação podem ocorrer no cérebro. É através da plasticidade que novos comportamentos são aprendidos e o desenvolvimento humano torna-se um ato contínuo. Esse fenômeno parte do princípio de que o cérebro não é imutável, uma vez que a plasticidade neural permite que uma determinada função do Sistema Nervoso Central (SNC) possa ser desenvolvida em outro local do cérebro como resultado da aprendizagem e do treinamento.*

Talvez você esteja se perguntando: "Para que me servem esses termos técnicos? De que adianta saber o que é plasticidade neural ou rede neural?". A resposta é simples: se seu comportamento e seu estilo de vida foram aprendidos, isso quer dizer que você pode reaprendê-los. Se você aprendeu a ser pobre, você pode aprender a ser rico – pensar como rico, sentir como o rico se sente e fazer dinheiro como as pessoas ricas.

É possível que você tenha tido um passado difícil, e isso tenha gerado um aprendizado de comportamentos depressivos, ou seja, circuitos neurais que promovem uma vida triste e sem sentido. A existência da plasticidade neural quer dizer que você não está condenado a ser uma pessoa triste e depressiva pelo resto da vida. Você pode, sim, aprender a ser feliz e altivo agora! Plasticidade neural é sinônimo de esperança e liberdade. É como dizer: "Minha vida tem jeito e posso ser ainda melhor e mais feliz hoje".

Meu objetivo com este livro é produzir estímulos emocionais e cognitivos suficientes para haver novas sinapses neurais, ou seja, uma nova e diferente maneira de conectar os neurônios. E o melhor disso tudo é que essas mudanças acontecem depressa, muito depressa, e é o que vou lhe mostrar agora.

Quando eu era criança, tinha uma vida farta, divertida e bem alegre no Rio de Janeiro. Eu era desinibido, ousado e bem-educado, levando em conta a energia própria de uma criança saudável de 8 anos. Por essa época, nos idos dos anos 1970, eu era um pé de valsa mirim. A ponto de, nas festinhas de colégio, as mães das amiguinhas me escolherem para ser o par dançante de suas filhas. Contudo, algo aconteceu, uma experiência que mudou drasticamente meus comportamentos e consequentemente toda a minha vida. Talvez você esteja imaginando algo trágico, devastador, catastrófico, mas na verdade aconteceu comigo algo que provavelmente também aconteceu com você com nuances diferentes.

Como eu sabia que minha mãe ficava muito orgulhosa quando eu era convidado para ser o par dançante das amiguinhas aniversariantes, resolvi ir além naquele carnaval de 1975. Aproveitando que eu e minha família estávamos no clube Piraquê, em plena festa de carnaval, decidi aprender samba ao estilo carioca e surpreender minha mãe e meu pai. Avistei uma menina fantasiada de Carmen Miranda sambando muito bem. Comecei a imitá-la, ela percebeu e logo estávamos fazendo uma dupla tipo porta--bandeira e mestre-sala. Ela sambava dali e eu a imitava daqui. Contudo, lembre-se de que eu tinha um objetivo com aquilo tudo: surpreender meu pai e minha mãe dançando mais um estilo musical – uma vez que minha mãe ficava orgulhosa de mim quando eu era convidado para dançar rock com as amiguinhas, imagine se me chamassem também para dançar samba? (Essa era a cabeça do Paulinho aos 8 anos, que amava atender às expectativas dos pais.)

Depois de treinar bastante com minha nova companheira, achei que já sabia o bastante e que meu samba agradaria meus pais. Corri até a mesa deles e de seus amigos e gritei entusiasmado: "Pai, mãe, aprendi a sambar". Eles olharam para mim de forma cética e comecei freneticamente a jogar os pés e as mãos e a me mexer todo. Depois de fazer o desfecho apoteótico e exagerado tal qual eu tinha aprendido, olhei para meus pais e perguntei: "Gostou do meu samba, mãe? E você, gostou, papai?". Meu pai disse friamente uma única frase: "Totalmente fora do ritmo" e virou--se de costas para mim. Enquanto isso, minha mãe disfarçou a vergonha do filho desengonçado e se voltou novamente para a mesa sem me dizer nada, apenas ignorando a minha presença. Lembro-me com nitidez dos amigos de meus pais disfarçando e fingindo não ver o meu constrangimento. Sentindo-me completamente só e abandonado, com um tremendo sentimento de inadequação depois de ter recebido a primeira grande rejeição na vida, voltei para o salão, dessa vez para me esconder em meio às outras crianças. E não me pergunte o que mais aconteceu, pois daí em diante não me lembro de mais nada. Isso poderia passar desapercebido ou sem importância, não fosse pelo fato de aquele momento ter mudado completamente meu comportamento e minha atitude diante da vida: daquela data em diante, perdi o ritmo para dançar e cantar. No entanto, não só isso: mesmo sendo criança, passei a ter pânico de ser rejeitado ou ridicularizado em público e desde então fugi de todas as situações em que poderia ser exposto ao ridículo. E quando o risco era iminente e inevitável, eu mesmo assumia uma postura desajeitada, abobada – afinal, era mais fácil eu mesmo me rejeitar do que ser rejeitado por outras pessoas.

Convivi com essas crenças limitantes até os 30 anos, quando comecei a aprender a reprogramar crenças, iniciando pelas minhas. Quando reprogramei as minhas crenças individuais, todo o potencial de comunicação que estava represado em mim veio à tona. Assim, tornei-me professor e palestrante, rompendo definitivamente com os bloqueios que por tanto tempo me impediram de fazer o que eu queria.

Com o meu exemplo, mostro que não é verdade quando pessoas dizem que mudanças não acontecem e, quando acontecem, levam bastante tempo. Foram trinta segundos sambando e dez segundos vivenciando a reação dos meus pais, e esse novo aprendizado perdurou por boa parte da minha vida.

Se ainda não estiver claro que mudanças acontecem depressa, trago outro caso, de uma cliente minha de coaching. Vou narrar o que ocorreu.

Ela era uma bela gerente regional de um grande laboratório farmacêutico, onde cobria comercialmente três estados. Numa segunda-feira pela manhã, ela se levantou, beijou o marido e se despediu, pois viajaria e só voltaria na quarta-feira seguinte. Depois de beijos e despedidas, foi para o aeroporto. Ao chegar lá, descobriu que uma das pistas de decolagem estava em reforma e que o voo havia sido remarcado para outro horário sem que a tivessem informado. Ela voltou para casa muito feliz, pois poderia fazer um café da manhã surpresa para o marido e ainda passar mais tempo com ele, uma vez que seu novo voo seria apenas no fim da tarde. Chegando em casa na ponta dos pés, ela começou a fazer o café da manhã quando ouviu vozes vindas do seu quarto. Aproximou-se da porta entreaberta e viu seu marido e sua melhor amiga no momento do clímax sexual. Tamanho foi o impacto emocional que ela não conseguiu se manter em pé e caiu de joelhos, olhando atônita para a cena. Ao abrir da porta, seu marido pulou da cama, foi em direção a ela dizendo que não era bem aquilo e que podia explicar tudo. Perplexa, atônita e fora de si, ela se levantou e foi embora. Contatou o pai e os dois irmãos, todos advogados, e imediatamente se separou.

O tempo foi passando, dor e decepção se dissiparam e a vida voltou ao normal. Logo foi contratada por outro laboratório com benefícios ainda maiores e em menos de um ano ela havia superado a decepção e estava forte e feliz novamente. Contudo, algo havia mudado de maneira drástica dentro dela. Quando ela me contratou como seu coach, já haviam passado quatro anos do ocorrido, e durante todo esse tempo ela não se envolveu com nenhum homem, e sua rede social antes intensa e de qualidade havia se resumido a apenas seus pais, seus irmãos e alguns poucos colegas homens. Em nossa primeira sessão de coaching, perguntei o que a impedia de se relacionar com outros homens, uma vez que ela era jovem, bonita e bem-sucedida. Chorando, ela me disse que não sabia. E completou: "É como se eu estivesse usando um repelente de homens. Eu quero me relacionar, eu quero namorar, quero me casar de novo e ter uma família, mas sinceramente não sei o que acontece que faz com que os homens se afastem de mim. Eu sei que sou bonita, agradável e bem-sucedida, mas nada funciona. E a mesma coisa acontece também com as amizades. Eu convido para sair, mas é como se faltasse uma liga que mantivesse o relacionamento". Ao acabar essa narrativa, e ainda chorando muito, perguntou: "Tem jeito para mim?". Felizmente, com a ajuda do Método CIS® e de sessões de Coaching Integral Sistêmico individuais comigo, ela conseguiu um patamar de resultados melhores do que os que tinha antes do trauma. Ela melhorou não só em termos conjugais como também nos relacionamentos de amizade. Hoje está casada, tem filhos e foi promovida.

Mais uma vez, vemos uma experiência rápida, porém traumática, que mudou drasticamente o destino de uma pessoa. E, quando falo de mudança drástica do destino, não me refiro ao divórcio, mas ao fato de uma mulher muito bonita, muito bem-sucedida e muito agradável não conseguir mais ter amigos ou relacionamentos amorosos. A experiência traumática durou poucos segundos, contudo foi suficiente para mudar suas crenças sobre essas interações. Por isso, reforço: as crenças determinam comportamentos e atitudes e podem mudar depressa.

Vou lhe explicar agora na prática o que é sinapse neural, rede neural e plasticidade neural. E essa compreensão usada na prática para mudança de crenças foi justamente o que me levou a ser professor nos Estados Unidos e fazer da Febracis referência mundial em coaching.

Aprender é igual a mudar, e entender é apenas conhecer. A diferença entre os dois é o que diferencia os que fazem dos que apenas pensam em fazer.
(Paulo Vieira)

É sabido e notório que todo estímulo produz sinapses neurais, e se esses mesmos estímulos forem recebidos repetidamente ou sob forte impacto emocional produzirão novas redes neurais que contêm novas crenças ou programações mentais ou aprendizado (chame como quiser). Então, bastou apenas um estímulo sob fortíssimo impacto emocional, como no caso da nossa bela gerente farmacêutica, para que mudasse a programação dentro dela sobre o significado de casamento e amizades. Em outras palavras, o que a gerente viu (estímulo visual) e o que ela ouviu (estímulo auditivo) sob forte impacto emocional mudaram suas crenças a respeito de homens e amigas. E, daquele momento em diante, mesmo que de modo inconsciente, ela passou a afastar relacionamentos amorosos e também amizades, principalmente se fossem femininas. A programação mental ou o aprendizado resultante daquela experiência dolorosa foi: homens (parceiros amorosos) e amigas não são confiáveis e me fazem sofrer; se os tiver, vou me machucar e me decepcionar, então me afasto deles.

A mesma coisa aconteceu comigo com relação ao samba. Ver meu pai e minha mãe virando as costas por causa da minha dança desajeitada e diante de tantos amigos foi o estímulo visual doloroso. E o estímulo auditivo foram as palavras cheias de reprovação do meu pai: "Totalmente fora do ritmo". Esses estímulos que duraram poucos segundos foram suficientes para criar uma crença traumática com a seguinte programação: fuja de qualquer situação em que esteja exposto ao erro ou ao ridículo, caso contrário será rejeitado.

Tanto eu como a gerente farmacêutica passamos a viver segundo aquelas programações, e sempre que nos deparávamos com o estímulo em questão o programa era ligado e nossos comportamentos alterados drástica e imediatamente. No meu caso, a mudança foi explícita, todos viam minha incapacidade de dançar, de começar um relacionamento com meninas, medo de errar no futebol. Seria difícil enumerar todas as situações de que me privei ao longo da infância, da juventude e da vida adulta por causa daquela programação mental ou crença. No caso da gerente farmacêutica, as mudanças foram sutis, nem mesmo ela percebia a mudança no comportamento, apenas colhia uma vida solitária e carente havia quatro anos.

Com esses dois exemplos, talvez pareça que novas crenças, plasticidade neural e mudanças só acontecem quando trazem consequências negativas. Isso não é verdade. É muito importante que você saiba que sinapses neurais ocorrem mediante qualquer estímulo, seja ele repetido, seja ele novo. Contudo, para que novos estímulos produzam mudanças, eles precisam ser repetidos muitas vezes ao logo do tempo ou apenas uma vez sob forte impacto emocional – e somente nesse caso a mudança é rápida. Afinal, foi o que aconteceu comigo naquele carnaval e foi o que aconteceu com a gerente.

Para entender melhor o poder de fixação e aprendizado mediante forte impacto emocional, responda às seguintes perguntas:

Onde você estava às 10 horas da manhã do dia 3 de outubro do ano passado? Não vale chute nem suposições; se não souber, escreva apenas "não sei".
Resposta: ______________________________

Responda agora: onde você estava às 10 horas da manhã do dia 11 de setembro de 2001?
Resposta: ______________________________

Se você for como a maioria da população mundial (já fiz essa pergunta em quatro continentes), terá lembrado sem muito esforço onde esteve e o que estava fazendo em 11 setembro de 2001, mas não consegue se lembrar onde estava há apenas um ano. Isto se dá pelo fato de a mente humana fixar na memória ou aprender melhor sob forte impacto emocional. Um estímulo sem tanta importância gera um fluxo elétrico e químico nos neurônios capaz de produzir poucas sinapses neurais; já um estímulo sob forte impacto emocional gera uma carga elétrica e química gigantesca, que faz com que essas novas sinapses produzam redes neurais vastas e nelas se armazenem aprendizados fortes e profundos, além de uma lembrança muito mais abrangente do fato ocorrido.

O meu desafio é causar nas pessoas estímulos sensoriais (auditivo, visual e sinestésico) fortes e repetidos o suficiente para produzir novas crenças. E junto com as novas crenças uma nova vida. Vou repetir para que você não perca a perspectiva do nosso objetivo aqui: você pode mudar rápida e drasticamente seu casamento, sua saúde e sua aparência física, suas finanças, sua empresa ou sua carreira. Não há limites para nossas possibilidades que não sejam autoimpostos.

REALIDADE × IMAGINAÇÃO

Resta uma pergunta no ar: como causar estímulos sensoriais (visual, auditivo e sinestésico) precisos e específicos capazes de mudar minhas crenças limitantes? Como usar estímulos impactantes para reprogramar minha crença financeira e acabar com as limitações financeiras em que vivo? Como usar esses estímulos para curar minha crença sobre impotência diante dos desafios, vitimização e depressão e ser feliz em qualquer situação? Como usar essa estratégia de reprogramação de crenças para remodelar o meu corpo sem perder a qualidade de vida em outras áreas?

Para darmos continuidade, é fundamental você saber que a mente humana não distingue o que é real do que é imaginado. O cérebro humano não sabe a diferença entre uma experiência real e vivida na prática e uma experiência imaginada apenas no cérebro. A prova disso a ciência já tem há muito tempo através do exame eletroencefalograma; hoje, porém, com o avanço da tecnologia, essa constatação é ainda mais patente. Um dos experimentos que mostra isso é feito com o uso da ressonância magnética funcional (RMF). Nele um voluntário é exposto a um estímulo real, por exemplo, uma música. E enquanto ele ouve a música tem suas sinapses mapeadas pelo equipamento de RMF. Em seguida, os cientistas desligam a música e pedem para o voluntário cantar mentalmente a mesma música. E o que se percebe é que as mesmas áreas do cérebro são ativadas. O mesmo experimento foi feito com fotografias, em que a área cerebral estimulada quando o voluntário viu de fato a fotografia foi a mesma área estimulada quando ele apenas mentalizou aquela mesma foto.

PARA O CÉREBRO HUMANO: REAL = IMAGINADO

Resumindo, o campo de batalha é a nossa mente. Não precisamos ir para a África para matar um leão todo dia, nem ir para uma guerra no Oriente Médio, muito menos estar no octógono enfrentando o lutador de MMA Anderson Silva. Tudo isso pode acontecer na sua mente, e o melhor é que lá você pode ter todo o controle sobre o que e como vai acontecer. Na mente, as experiências e os estímulos, além de planejados e de estarem sob o seu controle, são também muito mais seguros quando executados da maneira certa.

CRENÇAS COMO UM TERMOSTATO

Vou usar o aparelho de ar-condicionado como uma metáfora para explicar a programação das crenças. Vamos supor que ao entrar em um ambiente ele esteja a 30 °C, e a primeira coisa que você faz é decidir a temperatura que deseja. Com o controle na mão, você o aponta para o aparelho e programa 22 °C. O aparelho emite um "bip" que significa que a nova temperatura foi programada. Como o ambiente estava a 30°C, o aparelho vai fazer funcionar o exaustor com toda a força, jogando ar frio dentro da sala e tirando o ar quente. Então, paulatinamente a temperatura vai caindo para 28 °C, 26 °C, 24 °C. Quando chegar a 21 °C, o que acontece? O compressor da máquina para de resfriar e obedece à temperatura que já estava programada anteriormente que era de 22 °C, e a temperatura volta a subir para 22 °C, 23 °C. Quando ela passa de 22 °C, o compressor liga automaticamente e volta a resfriar a sala buscando a programação original de 22 °C. E assim indefinidamente, obedecendo sempre à programação de 22 °C que está marcada no controle remoto; às vezes um pouco acima, outras vezes um pouco abaixo. Em resumo, quando a temperatura ultrapassa a temperatura programada o equipamento liga e resfria o ambiente, e da mesma maneira quando resfria o ambiente além do programado o equipamento desliga e deixa a temperatura subir até o programado, e assim em modo contínuo.

Como o ar-condicionado, as crenças sobre casamento, vida financeira, sucesso profissional, saúde e tudo o mais já foram programadas quase completamente desde o fim da puberdade. Dessa forma, a tendência é que os resultados se mantenham estáveis ou muito parecidos ao longo da vida. Ou seja, quem é pobre tende a permanecer pobre, em quem é rico, mesmo que perca sua fortuna, a tendência é recuperá-la. Da mesma maneira, quem é feliz, mesmo que passe por um evento doloroso, tende a voltar a ser feliz, contudo, quem é triste e melancólico tende a continuar assim mesmo com tudo favorável ao seu redor. Como você já sabe, está tudo programado. O problema é quando essa programação é disfuncional e afasta a pessoa de uma vida prazerosa, plena e abundante.

Pegando como exemplo a vida financeira, todos nós estamos programados a continuar tendo o padrão financeiro que aprendemos durante a infância, mediante os estímulos recebidos nessa época. Até pessoas que tiveram uma infância pobre e prosperam costumam trazer um quinhão de comportamentos e atitudes de pobreza dentro de si que as impede de vivenciar na plenitude sua riqueza financeira. Diferentemente do controle do ar-condicionado, que você pode reprogramar a qualquer hora, nem sempre sabemos quais crenças estão registradas ou programadas para o nosso futuro financeiro. Afinal, quantos jovens nasceram ricos e na fase adulta perderam tudo? Quantas pessoas você conhece que um dia tinham e podiam e no outro nem tinham e muito menos podiam. Conheci um homem em um dos meus eventos que me foi apresentado como uma pessoa muito bem-sucedida financeira e profissionalmente. Contudo, durante nossa conversa detectei palavras e expressões não verbais típicas de uma pessoa pobre e limitada. Questionei sua cunhada, que era minha amiga pessoal, e alertei-a, pois observando a comunicação dele era certo que ele teria sérios problemas financeiros. Ela riu, chamou o marido que era irmão da pessoa em questão, e contou o que eu havia dito. Ele por sua vez, de forma muito educada, agradeceu o sinal de alerta, mas disse que estava tudo bem com seu irmão e que seu negócio estava indo de vento em popa. O fato é que em outubro, apenas oito meses depois, aquele empresário muito bem-sucedido estava completamente quebrado e dependendo de familiares para pagar suas contas mais básicas. Se ele tivesse a consciência e as ferramentas para reprogramar suas crenças financeiras, que ele mesmo não sabia que possuía, certamente teria reprogramado suas crenças sobre dinheiro.

E você, sabe quais são as crenças e as programações mentais que estão regendo sua vida hoje e determinarão seu futuro próximo? Nós não sabemos a exata programação a respeito das nossas crenças – se é continuar casado, se é se divorciar ou se é ter o melhor casamento do mundo. Esse é o maior risco quando falamos de seres humanos, a imprevisibilidade de nossas crenças já plantadas. No entanto, como você sabe, existe a plasticidade neural que nos confere a capacidade de mudar nossas crenças a qualquer momento. E você também sabe que mudanças acontecem depressa quando usamos os mecanismos e as estratégias neurais certos. Então, eu pergunto: o que você fez com as informações e os exercícios dos capítulos anteriores? Se você está acordado, responsabilizando-se, comunicando com precisão, focado e se questionando, então já está com boa ou grande parte de suas crenças refeitas, pode levantar a cabeça e sonhar com o que há de melhor dentro e fora de você.

AUTOESTIMA

A autoestima, numa explicação simples, é o bem-querer que uma pessoa tem por si mesma. Entretanto, para que ela se queira bem, ela precisa ter uma combinação de três crenças que, juntas, dão forma ao indivíduo: a crença de identidade, que se refere ao ser (eu sou); a crença de capacidade, que se refere ao fazer (eu posso ou eu sou capaz); e finalmente a crença de merecimento, que se refere ao merecer (eu mereço).

CRENÇA DE:	COMPETÊNCIA EMOCIONAL	COMPORTAMENTO/ ATITUDE
MERECIMENTO	TENHO	TER
CAPACIDADE	POSSO	FAZER
IDENTIDADE	SOU	SER

Vamos abordar separadamente cada uma das crenças que formam o indivíduo.

CRENÇA DO SER OU CRENÇA DE IDENTIDADE

Olhando para a pirâmide, vemos que a base do indivíduo está na crença de identidade. É justamente a crença de identidade que define quem você é e obviamente define também os seus resultados. Para entender quanto a crença de identidade é importante na vida e nos resultados, responda às perguntas abaixo (é muito importante que responda às perguntas por escrito nas linhas a seguir):

Como você se relaciona com uma pessoa desonesta?

____

Como trata uma pessoa grosseira?

____

Como você conversa com uma pessoa que, na sua opinião, é limitada intelectualmente?

____

Quanto dinheiro você emprestaria para uma pessoa desorganizada e malsucedida?

____

Você daria emprego a uma pessoa triste e infeliz, colocando-a junto com sua equipe atual?

____

Você se casaria com uma pessoa sem valor, adúltera e promíscua?

____

Você seria sócio de uma pessoa desonesta?

____

Olhando para suas respostas, fica claro que a maneira pela qual você vê e percebe as pessoas ao seu redor determina como você vai se relacionar com elas e tratá-las. Se é uma pessoa desonesta, você se retrai e toma cuidados e com certeza não dá muitas informações a ela. Se é desorganizada e confusa, você provavelmente não vai entregar nada seu para ela cuidar, e muito menos vai confiar tarefas que demandem mais controle e organização. Se é culpada, provavelmente você vai querer justiça e que ela pague pelos erros que cometeu. Se ela é uma pessoa sem valor, talvez você não queira estar ligado a ela; se ela é promíscua e adúltera, talvez você queira total distância dela. Se é uma pessoa sem importância e sem graça, você talvez prefira estar com outra pessoa, alguém mais importante e mais atraente.

O que muitas pessoas não percebem é que o que notam sobre os outros determina a conexão e o relacionamento que teremos com eles. A nossa percepção sobre nós mesmos, ou seja, a nossa crença de identidade, vai determinar a relação que teremos com nós mesmos. A crença do "eu sou" vai determinar se gosto de mim mesmo ou não. Vai determinar se mereço ser premiado ou punido. Ela define se vou vencer, tirar segundo lugar ou se vou perder. Se vou me relacionar com uma pessoa de valor ou com alguém sem valor ou que vai me desvalorizar e maltratar. Se vou trair ou ser traído. As crenças que você tem sobre si mesmo vão determinar desde o seu valor próprio até a sua autoimagem e todos os seus resultados e comportamentos.

Certamente um indivíduo não possui apenas uma crença de identidade, mas uma combinação vasta de facetas de identidade que, somadas e combinadas nas suas proporções, formam seu eu. E é justamente por isso o termo indivíduo, pois no mundo só existe uma pessoa com suas combinações de características, gerando um potencial único e exclusivo. Acredite, existem coisas que só você é capaz de fazer.

Quando você de fato souber quem é, e através de um autoquestionamento descobrir seu propósito e sua missão de vida, terá um poder de realização sem medidas e tudo ao seu redor conspirará para você fazer algo grandioso.

OS OPOSTOS SE ATRAEM. SERÁ?

Muitas pessoas não entendem como uma mulher bonita, inteligente, bem-sucedida e admirável pode se casar ou se relacionar com um homem vulgar e sem valor. Quantas vezes você viu isso acontecendo em maior ou menor proporção? Um verdadeiro cafajeste se relacionando com uma linda dama. Talvez a versão piorada do clássico *A dama e o vagabundo*.

Quem está ao redor dessa mulher a aconselha, adverte, até implora pelo fim do relacionamento, dizendo que ela merece algo melhor, que ele não presta, que ela vai sofrer, que esse relacionamento não pode dar certo etc. Contudo, existe algo nele que a atrai e a acorrenta nesse relacionamento. O nome disso é homofilia. Homofilia é a tendência natural do ser humano de se relacionar com pessoas que se parecem com elas. "Como assim 'se parecem'?", talvez você se pergunte, afinal ela é bonita, culta, inteligente, admirável e querida pelas pessoas ao seu redor, e ele, um homem vulgar, sem valor; um cafajeste. A homofilia acontece não apenas por semelhanças observáveis, acontece também pelas semelhanças interiores como emoções e autoimagem. Aquela mulher vê no seu exterior tudo aquilo que todos veem, mas por dentro a sua crença de identidade é igual à dele ou ele complementa a identidade dela. Afinal, uma mulher sem valor vai se relacionar com um homem sem valor ou com um homem que a trate mal e que não a valorize.

Tive um cliente que me procurou porque estava envolvido com uma prostituta e não conseguia se livrar do relacionamento. Intelectualmente ele sabia que aquela relação era depravadora, indo todas as noites para o prostíbulo esperar a sua amante acabar seus inúmeros programas. Afinal, engenheiro calculista, dois filhos lindos, uma bela esposa grávida da terceira criança e uma empresa próspera não combinavam com aquele estilo de vida. Contudo, dentro dele sua identidade o trouxe àquele padrão de relacionamento. Tudo ficou claro quando conheci a história de sua infância: criado sob severas agressões físicas e morais, sempre foi rebaixado e comparado com irmãos, vizinhos, conhecidos, estranhos etc. Todos eram melhores que ele, independentemente do que ele fizesse; ele nunca era bom o suficiente. E, como sabemos, tudo o que ele viu, ouviu e sentiu na infância até a puberdade definiu sua crença de identidade. O resultado de sua criação e das crenças por ela produzidas foi estar preso e acorrentado a alguém muito parecido com ele em aspectos emocionais internos e muito pouco tangíveis. Nesse caso, foi tremendo ver uma nova pessoa surgindo, levando em conta que aquele homem preso a um relacionamento sem valor e extraconjugal não era verdadeiramente ele. Como resultado da nova crença de identidade, ele voltou para sua casa, para o seu casamento, para seus filhos, e sua empresa fechou exclusividade com as três principais construtoras da cidade.

Seja como for, mais uma vez vemos o poder da crença de identidade definindo a vida e os resultados do indivíduo. No entanto, fique tranquilo, existem ferramentas e mecanismos para reprogramar essas crenças que limitam. Se tudo isso que vivemos no nosso passado foi aprendido – e se parte disso não foi bom –, você pode, independentemente da idade, programar novas crenças, crenças extraordinárias sobre quem você é.

Se alguém o convenceu de que você era um moleque, preguiçoso, você pode desaprender isso. Se os estímulos que você recebeu na infância diziam que você era incapaz disso ou daquilo, lembre-se de que isso foi um aprendizado, e, se você o aprendeu, também pode reaprender coisas novas sobre si mesmo. Plasticidade neural e mudanças de crenças existem, novas sinapses neurais podem ser feitas para criar uma nova e profunda rede neural de quem você é.

Ninguém da minha família poderia acreditar que, aos 30 anos e com uma vida despedaçada em todas as áreas – sem dinheiro, negócio quebrado, abandonado pela primeira esposa, sem saúde, morando e me alimentando de favor na casa de familiares –, eu poderia dar a volta por cima e me tornar um conferencista e coach reconhecido internacionalmente, escritor de vários livros de sucesso. E eles não poderiam me ver como um homem de sucesso, porque antes dos 30 anos eu também não me via como tal. As pessoas continuam agindo e reagindo em relação a você de acordo com a sua crença de identidade. Então, volte para dentro de si e reconstrua o que precisa ser reconstruído.

CRENÇA DO FAZER OU CRENÇA DE CAPACIDADE

A crença de capacidade é determinada pelo que você acredita ser capaz de fazer ou de aprender a fazer. É essa estrutura de crença que dita seu potencial de realização. No entanto, veja bem, ela dita apenas o potencial de realização, pois a realização propriamente dita é determinada pela combinação da crença de identidade e da crença de capacidade.

Para explicar melhor, cito o caso de uma cliente de coaching que tive anos atrás, que era muito inteligente e com um currículo invejável, no qual sua menor nota em toda a faculdade de Direito foi nove. Uma profissional organizada, meticulosa e cumpridora de prazos que, no entanto, não se achava capaz de enfrentar outro advogado em uma audiência. De forma que ela sempre buscava um acordo amigável, algo que nem sempre era o ideal para seus clientes. Ela buscava teses implacáveis do Direito, achava jurisprudências infalíveis e sempre estava pronta para vencer, mas nunca se sentia capaz do embate direto com outros advogados ou de ser confrontada por um juiz. Isso fez com que ela ajudasse seus três colegas advogados a se tornarem sócios do escritório de advocacia, e ela conhecidamente com muito mais potencial, porém não a mais capaz, acabou ficando de plateia em cada uma das cerimônias de empossamento dos três novos sócios alavancados por ela.

Observando esse caso, percebemos com clareza que a crença de identidade não é suficiente para garantir o sucesso profissional. Não basta ela se ver como uma pessoa inteligente, valorosa, honesta, dedicada, comprometida. A minha cliente precisava também desenvolver crenças de capacidade de falar em público, de enfrentar outros advogados e pleitear com um juiz as sentenças que defendia. Durante o processo de coaching, direcionei meu trabalho na reprogramação das crenças específicas de capacidade de que ela precisava. E de forma rápida ela passou a enfrentar as situações de confronto direto que desde a infância aprendeu a evitar. A propósito, ela se tornou sócia do mesmo escritório cinco meses depois de iniciado nosso trabalho de coaching.

CRENÇA DO TER OU CRENÇA DE MERECIMENTO

O terceiro e último nível é o ter, a crença de merecimento que ocupa o topo da pirâmide das crenças que formam o indivíduo. Meus estudos confirmam que, quando temos a crença de identidade forte, adequada e alinhada com a crença de capacidade, naturalmente passamos a construir a crença de merecimento. É certo que a base do nosso nível de merecimento foi programada ainda na infância mediante o tratamento e as experiências recebidas por pai e mãe ou pais substitutos, tanto quanto a crença de identidade e a crença de capacidade. Pessoas com um baixo nível de merecimento possuem o terrível vício de autossabotagem. Afinal, por que vão viver boas experiências se dentro delas existe uma crença que diz que não merecem tanto? Dessa forma, sempre que a vida melhora, elas esbarram no limite máximo de merecimento e então surgem comportamentos, ações ou atitudes sabotadoras, e os ganhos e conquistas vão por água abaixo. Quando essas pessoas, com baixo nível de merecimento, recebem alguma coisa boa, elas falam: "Não precisava". Quando alguém as elogia, elas dizem: "O que é isso, são seus olhos".

Para a maioria das pessoas é difícil receber até um simples elogio, porém, mais difícil ainda é ter grandes vitórias. Esse aprendizado de que não merecemos coisas boas é um limitador, como um teto rebaixado que nos impede de levantar a cabeça dentro da própria casa. Fazendo com que a pessoa busque prosperar e, quando começa a ter algum tipo de sucesso, ela bate a cabeça no teto e então começa a se sabotar. Perde o emprego, destrói o casamento com as próprias mãos, quebra a empresa, para então começar tudo de novo.

Quem você conhece que, quando está tendo sucesso em alguma área da vida, se sabota, perde o que ganhou ou conquistou e recomeça uma nova batalha para reconquistar, e vive tudo de novo?

> *As três maiores características de uma pessoa com crença de não merecimento são: perder, não terminar o que começou, e depois de tudo isso recomeçar.*
> (Paulo Vieira)

Algumas pessoas, por terem sucesso em uma área da vida, acham que são prósperas e merecedoras. Sim, são prósperas e merecedoras de sucesso naquela área. Contudo, existem outras áreas que definem e complementam quem somos. Sou rica, porém sou feliz? Sou saudável, porém sou bem-sucedido? Olhando por esse prisma, a pessoa pode ter conquistado um casamento maravilhoso e uma péssima saúde. Pode possuir muitos bens, porém uma família desajustada. Dessa forma, a crença de não merecimento pode tanto ser generalizada e afetar todas as áreas da vida como pode atingir somente uma ou outra área.

Certamente o meu ideal e desejo é construir crença de merecimento em todas as áreas da vida. "Mas como?", você deve estar se perguntando. Vamos lá!

CRENÇAS INFANTIS: COMO CONSTRUÍ-LAS E REFAZÊ-LAS

Andrei, um menino de 12 anos, foi achado correndo sem roupa em uma região remota da Sibéria, onde a temperatura chega a -40 ºC, em 2004. Vitor foi encontrado por caçadores na floresta de Aveyron, na França, com 23 cicatrizes de mordidas pelo corpo. E as meninas Kamala, com 8 anos, e Amala, com 1 ano e meio, foram encontradas nas florestas da Índia em 1920. O que une as histórias de Andrei Tolstyk, Vitor de Aveyron e as meninas Kamala e Amala? Todos os quatro viveram em total isolamento humano e foram adotados e criados por animais selvagens desde muito cedo, a maioria antes dos 2 anos. Todos tinham comportamentos selvagens, trotavam e se locomoviam sobre as pernas e os braços, como quadrúpedes, farejavam tudo que comiam, roíam os alimentos, comiam carne crua, raízes e frutas, não usavam roupas e não falavam, apenas emitiam sons guturais. As meninas morreram um ano depois de saírem da selva pela dificuldade de adaptação à vida civilizada. Já o menino-lobo da Rússia fugiu; suspeita-se que ambientalistas o levaram de volta para as frias montanhas da Sibéria antes que morresse ou virasse objeto de pesquisa. E Vitor de Aveyron morreu aos 40 anos sem ter se socializado ou criado vínculos sociais humanos. Contudo, esses não são os únicos relatos comprovados de crianças criadas por animais. São dezenas em toda a literatura, e o resultado é sempre o mesmo: crianças ou jovens que vivem perfeitamente como animais nas florestas e são desprovidos de condições de se adequar aos padrões sociais humanos.

Trago aqui o caso das crianças selvagens para que fique claro que nosso lado humano, as emoções, a sociabilidade, os comportamentos, a moral, a ética, os valores, e tudo o mais que um indivíduo é e se torna capaz de fazer, vêm do aprendizado de tudo o que ele viu, ouviu e sentiu principalmente ao longo da infância. Por isso, são os pais e o ambiente do lar que farão toda a diferença na vida futura da criança. Dentro dessa perspectiva é comum a pergunta: "Outros ambientes, como colégio e bairro, não são importantes?". Sim, são importantes, porém esses ambientes são apenas o reflexo das crenças dos pais no contexto de quem eles são, do que podem e possuem (ser, fazer e ter). E fundamentalmente, pais emocionalmente hábeis em educar seus filhos formarão filhos capazes e vencedores não importando o meio em que estes vivem. E, se o pai está ou vive em um ambiente caótico é porque suas crenças o atraíram ou produziram esse ambiente de caos.

A quase totalidade do que as crianças selváticas vivenciaram foi uma forma selvagem de se comunicar, pensar e sentir. E, baseadas nos estímulos que receberam, o único sistema de crença que elas aprenderam foi como se alimentar e sobreviver na selva como seus pares, pais adotivos e professores: as feras. O que vou tratar daqui em diante é como estímulos domésticos podem produzir tanto seres humanos fartos, felizes e socialmente harmônicos como verdadeiros animais alfabetizados, infelizes, escassos e socialmente desajustados.

Um estudo com mais de 17 mil pessoas, quase todas da classe média e com boas condições financeiras, conduzido por uma equipe multidisciplinar formada pelos médicos doutor Vince Felitti e doutor Bob Anda, do Centro de Controle de Doenças (CDC) dos Estados Unidos, em 1998, e depois seguido por mais 57 publicações até 2011 e divulgado amplamente pela doutora Nadine Burke[1], mostra que abuso físico, abuso sexual, assédio moral e emocional, negligência de cuidado e de afeto como também presenciar no ambiente doméstico violência, abandono, discórdia e divórcio dos pais, dependência química de membros da família e suas consequências, produzem prejuízos avassaladores, desde muito cedo, que acompanharão o indivíduo por toda a vida adulta ou até que ele consiga reprogramar suas crenças e diminuir ou desfazer os efeitos das Experiências Adversas na Infância ("Adverse Childhood Experiences", ou ACEs).

São três os tipos de prejuízos causados pelas ACEs que se manifestam desde muito cedo e que repercutirão pela vida adulta:

1º) Problemas e doenças físicas.
2º) Problemas e doenças emocionais.
3º) Problemas sociais e de comportamento.

Em palestras em que fala sobre a pesquisa, a doutora Nadine mostra que sete em cada dez mortes no mundo ocidental é provocada por ACEs na infância. Contudo, não para por aí. Ela mostra através de muitas pesquisas que quanto

[1] Nadine Burke Harris é pediatra e fundadora e CEO do Center for Youth Wellness (Centro de Bem-Estar da Juventude).

mais episódios de adversidades na infância, mais deficiente será o sistema imunológico ao longo da vida, deixando as pessoas suscetíveis à mais simples gripe ou infecção. As pesquisas confirmam também sua experiência prática de médica pediatra, que mostra que episódios de ACE afetam o sistema hormonal humano, causando as mais variadas doenças e disfunções endócrinas. Com o avançar das pesquisas, viu-se que ACEs chegam a mais do que triplicar as chances de ter AVC ou infarto do miocárdio. E, quando acharam que já haviam descoberto todos os resultados que acometiam as pessoas que passaram por esses episódios, descobriram ainda que crianças expostas a episódios variados e constantes de ACEs possuem três vezes mais chances de ter câncer do que uma pessoa sem tantos episódios. Crianças que foram expostas a episódios frequentes e variados de ACEs tiveram as chances de cometer suicídio aumentadas em mais de doze vezes. E tudo isso sem contar a disposição triplicada ao uso de drogas e ao tabagismo, como também delinquência, crime e desajuste social.

Uma explicação neurocientífica simples: quando uma criança é exposta a uma situação real ou imaginária de risco, seu hipotálamo manda um sinal para a glândula pituitária, que, por sua vez, estimula a glândula adrenal, que libera adrenalina, cortisol. Com isso, essa pequena criança está pronta para fugir ou atacar o lobo que a ameaça. Afinal, com essas moléculas de emoção a criança terá batimentos cardíacos mais fortes, bombeando sangue para as extremidades dando força e explosão muscular, como também terá seus reflexos ampliados e não sentirá tanta dor caso receba algum golpe. Essa transformação química seria muito necessária se essa criança estivesse tendo de enfrentar de fato outros animais na floresta. O aprendizado disfuncional que deixou essa criança viciada e dependente química das MDEs que combinam adrenalina e cortisol e baixos níveis de serotonina e de endorfina foi um lobo perigoso (ameaça) que todas as noites chegava na casa dela, restando-lhe fugir, congelar ou atacar. O que deveria ser um sistema de adaptação para enfrentar uma ameaça foi repetido tantas e tantas vezes durante a infância dessa criança que deixou de ser uma adaptação para enfrentar a ameaça e se tornou um vício na própria adversidade e em suas moléculas de emoção.

As crianças são especialmente sensíveis às experiências adversas traumáticas não só pelo fato de que seu cérebro está em plena formação como também porque é até os 12 anos que a plasticidade neural é muito mais farta e fácil de acontecer. E são justamente essas moléculas de emoção boas ou ruins que se tornarão os vícios ou as virtudes da criança no futuro. E, como elas viram, ouviram e sentiram essas experiências, será muito fácil para elas reproduzir esses ambientes, essas circunstâncias e essas MDEs quando forem adultas.

Essas experiências de adversidades na infância não apenas adulteram e prejudicam o cérebro do adulto como também alteram o sistema imunológico, o sistema hormonal, e ainda alteram a estrutura do DNA, ativando ou não o cromossomo através dos gatilhos genéticos.

TESTE ACE

Existem dez tipos de trauma de infância medidos no estudo ACE. Cinco são pessoais – abuso físico, abuso verbal, abuso sexual, negligência física e negligência emocional –, os outros cinco estão relacionados a outros membros da família – um pai alcoólatra, uma mãe vítima de violência doméstica, um membro da família na cadeia, um membro da família diagnosticado com uma doença mental e o desaparecimento de um pai ou mãe por causa de divórcio, morte ou abandono. Cada tipo de trauma conta como um ponto. Assim, uma pessoa que já foi abusada fisicamente, com um pai alcoólatra e uma mãe que foi espancada tem uma pontuação ACE de três.

Há, obviamente, muitos outros tipos de trauma de infância – ver um irmão ou irmã sendo abusada, perder um cuidador (avó, mãe, avô etc.), não ter onde morar, sobreviver e se recuperar de um acidente grave, testemunhar um pai sendo abusado por uma mãe, ver uma avó abusando de um pai etc. O estudo ACE incluiu apenas os dez traumas de infância mencionados antes porque eles foram citados como os mais comuns por um grupo de cerca de 300 pessoas de uma clínica psicológica nos Estados Unidos. Esses traumas também foram estudados individualmente na literatura científica.

O mais importante a lembrar é que a pontuação ACE é uma diretriz: se você vivenciou outros tipos de estresse tóxico durante meses ou anos, isso aumentará o risco de consequências para a saúde.

Responda às perguntas abaixo com "sim" ou "não" para fazer o teste das Experiências Adversas na Infância e descobrir seus possíveis resultados.

Antes do seu aniversário de 18 anos:

1. Seus pais ou outro adulto na residência frequentemente o insultaram, humilharam ou agiram de uma maneira que o deixou com medo de ser machucado fisicamente? _______
2. Seus pais ou outro adulto na residência frequentemente o empurraram, estapearam, jogaram alguma coisa em você ou bateram em você com tanta força que ficaram marcas ou feridas? _______
3. Um adulto ou pessoa pelo menos cinco anos mais velho que você tocou ou acariciou seu corpo de forma sexual ou realmente teve relações sexuais com você? _______
4. Você sentiu frequentemente que ninguém na sua família o amava ou o achava importante ou especial? Ou na sua família as pessoas não cuidavam uns dos outros ou não se apoiavam? _______
5. Você com frequência não teve o suficiente para comer, teve de usar roupas sujas e não teve ninguém para protegê-lo, ou seus pais estavam muito bêbados ou drogados para cuidar de você ou levá-lo ao médico se você precisasse? _______
6. Algum dos seus pais biológicos se distanciou de você por causa de divórcio, abandono ou outra razão? _______
7. Sua mãe ou madrasta frequentemente foi empurrada, agarrada, estapeada ou teve algo jogado contra ela? Ou em algum momento foi chutada, mordida, levou socos? Ela foi agredida fisicamente de outra forma ou ameaçada com uma arma ou faca? _______
8. Você morou com alguém que era alcoólatra ou usava drogas? _______
9. Você morou com alguém deprimido, com doenças psicológicas ou que chegou a tentar suicídio? _______
10. Algum membro da sua família foi para a prisão? _______

Cada resposta "sim" equivale a 1 ponto. Some seus pontos:____. Este é o seu Índice de ACE.

À medida que aumenta o número de ACEs marcados, o mesmo acontece com o risco de doença, social e problemas emocionais. Com uma pontuação ACE maior ou igual a 4 os resultados negativos ao longo da vida começam a ficar mais críticos. A probabilidade de doença pulmonar crônica aumenta 390%; hepatite, 240%; depressão, 460%; suicídio, 1.220%.

É muito importante levar em conta que a pesquisa sobre os resultados das adversidades vividas durante a infância envolveu 17 mil pessoas que não eram pobres, sem escolaridade, nem moravam na periferia. Pelo contrário, foram pessoas com boa formação universitária e com bons empregos. Ou seja, mesmo pessoas aparentemente ajustadas e bem-sucedidas são acometidas de problemas emocionais, de saúde e de comportamento se tiverem passado por experiências adversas na infância. Isso fica claro nos gráficos que destaco a seguir.

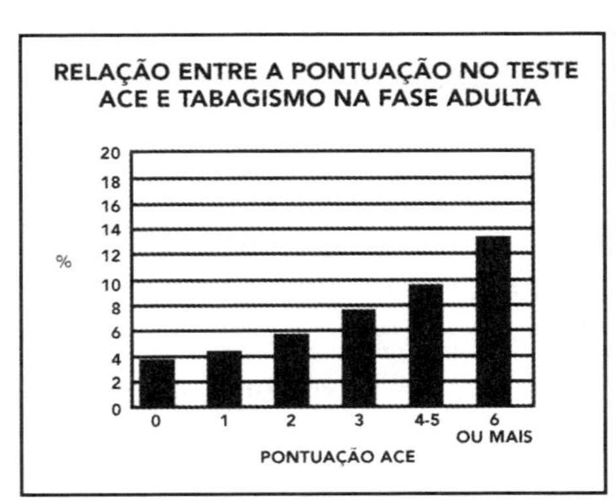

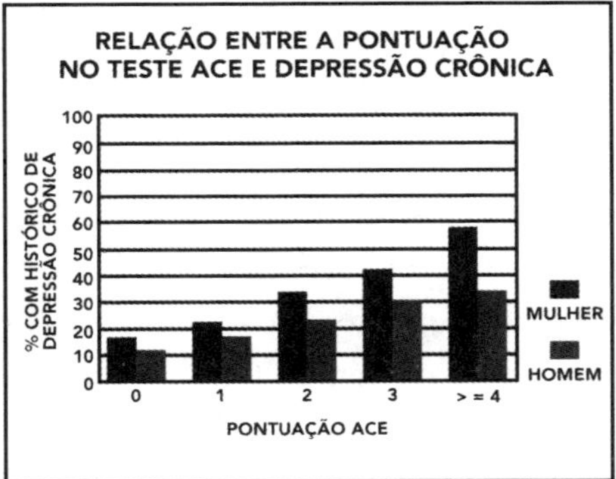

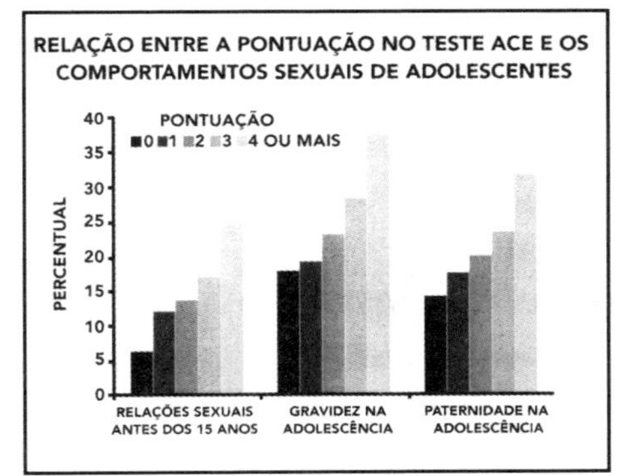

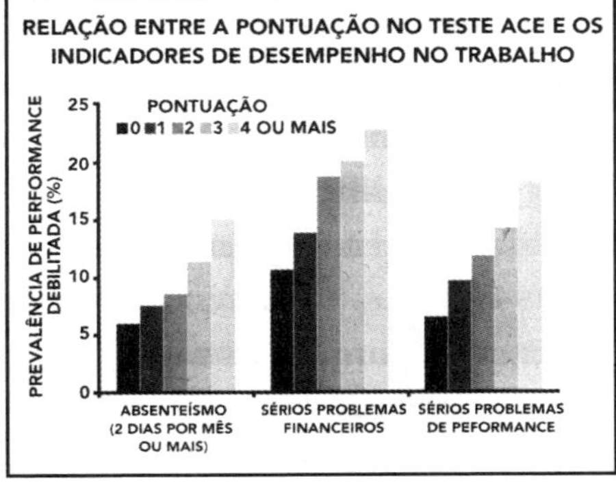

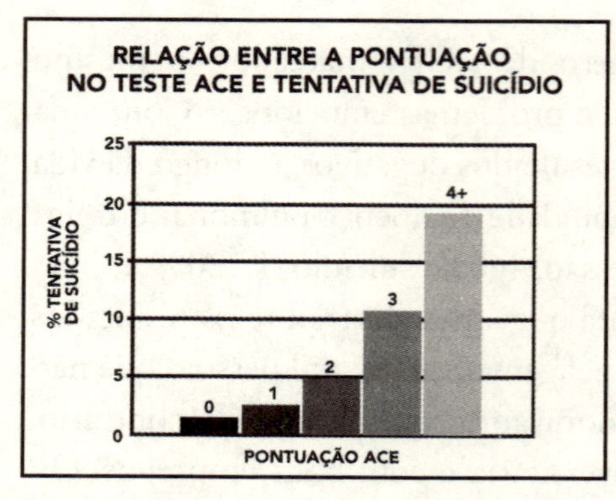

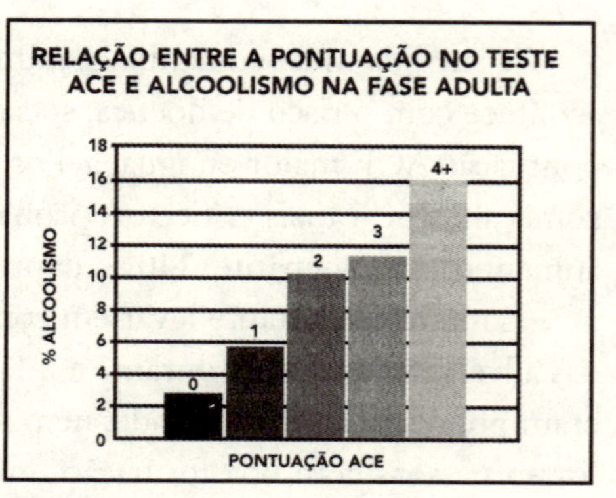

Fonte dos gráficos: <http://acestoohigh.com/got-your-ace-score/>.

Se você ainda não tinha se convencido de que os estímulos visuais, auditivos e sinestésicos comunicados durante a infância formatam nossas crenças e moldam nossa vida e nossos resultados em todos os aspectos, agora isso deve ter ficado mais claro e evidente. Que tipo de comunicação você recebeu durante a infância? Comunicação de amor, falta de amor ou raiva? Posso fazer a mesma pergunta de outra forma: Quantos ACEs você recebeu até os 18 anos? Olhando para sua vida e seus resultados e fazendo uma ligação com os gráficos apresentados, quanto de empenho é necessário para você reescrever suas crenças e não fazer parte das estatísticas dos ACEs? Não importa quantos pontos você obteve no teste, o que importa é o que você vai fazer em relação a isso.

Tanto o Método CIS®, o curso de Formação em Coaching Integral Sistêmico, as sessões individuais de coaching, como este livro buscam ajudá-lo a refazer suas crenças. Existem ferramentas de sobra para isso. E, como você viu nos depoimentos no início do livro, tudo isso é real e grandes mudanças são possíveis. Você pode e você vai mudar a sua vida para muito melhor. Entretanto, continua em suas mãos o agir e o fazer o que tem de ser feito.

O COMEÇO DA MUDANÇA

Como as crenças do ser, do fazer e do ter são interdependentes e interconectadas, sempre que você potencializar uma, outra vai a reboque e também melhorará. No entanto, como já vimos, existe uma sequência natural que começa pelo "ser". Depois, em decorrência de quem sou, eu passo a "fazer". E, aí sim, quando eu sou quem eu sou e faço o que eu faço, como consequência lógica e natural eu passo a "ter" o correspondente ao ser e ao fazer.

Contudo, infelizmente, boa parte da humanidade anda perdida em busca de coisas passageiras e efêmeras que lhe faça se sentir melhor a respeito de si mesma, dessa forma a mídia do consumo tem induzido muitas pessoas que não se questionam a inverter a pirâmide e, com isso, subverter também seus valores pessoais, comportamentos e objetivos. Nossa sociedade está querendo primeiro "ter". Eu tenho dinheiro, tenho carrão, eu tenho roupas de grife, eu tenho relógios caros etc. Na verdade, quando buscamos "ter" antes de "ser", queremos compensar a maneira frágil e deficiente pela qual nos vemos e acreditamos que somos no nosso íntimo. Afinal, se eu tiver um carrão as pessoas vão me ver de modo diferente e vão dizer que sou rico, sou bem-sucedido, sou inteligente. Se eu vir meu saldo bancário maior do que o das pessoas ao meu redor, eu me sentirei melhor, mais rico, mais reconhecido, serei mais importante. E quem sabe assim a minha autoimagem não me incomode tanto. Então, ostentar se torna a palavra de ordem. Tem um ditado popular que descreve o ato de ostentar assim: "Comprar o que não preciso, com o dinheiro que não tenho, para mostrar para quem eu não gosto quem eu gostaria de ser".

Durante um ano fiz um trabalho voluntário no presídio, e nas minhas entrevistas com os detentos descobri o porquê de a maioria esmagadora ter entrado no crime. A única razão dita por eles era porque eles queriam ou precisavam "ter" algo. Na verdade, aprofundando as entrevistas, não foi apenas a vontade de "ter" que os levou para esse caminho, pois antes de querer "ter" eles tiveram suas crenças de identidade completamente desfiguradas por todos os tipos de problemas, traumas e dores na infância, como: abuso sexual, violência doméstica, agressões físicas, pais viciados, orfandade, abandono e todo tipo de dor emocional. Desse modo, por trás da imagem de um jovem delinquente existia a autoimagem de um assaltante, assassino, ladrão, estuprador, traficante. Não acredite que aquelas pessoas estão presas ou soltas cometendo crimes apenas porque querem ter algo. Se assim fosse, você e eu estaríamos neste momento matando ou roubando para "ter" nossos sonhos. E se não fazemos isso agora é por dois motivos: medo das consequências ou porque esse tipo de coisa não combina com quem nós somos.

Assim, os detentos estavam nessa vida criminosa porque suas crenças de identidade, ou seja, a maneira como eles se viam, tinham sido adulteradas. Então, aproveito a oportunidade para dar um sinal de alerta ao poder público e a todos os que trabalham em prol de ex-detentos: não acreditem que trabalhar apenas a crença de capacidade, ensinando uma profissão ao detento, vai de fato reintegrá-lo à sociedade. Pois mesmo aprendendo uma profissão, o que vai determinar o comportamento e a atitude dele continuará sendo sua crença de identidade. E, se ele continuar se vendo como uma pessoa sem valor, cruel, vítima da sociedade, violenta, cheia de ódio etc., ele terá uma nova profissão mas continuará se vendo como marginal. Por isso, além de ensinar uma profissão, trabalhando o "fazer", o sistema judiciário e todas as organizações engajadas nessa causa precisam também trabalhar para refazer a crença de identidade, o "ser" dessas pessoas. Porque no momento em que eles se virem como cidadãos, e não como bandidos; quando se virem como pessoas do bem, e não pessoas do mal; quando se virem como pessoas valorosas, e não criminosos sem jeito, aí sim estarão convivendo lado a lado com você e comigo sem recaídas e voltas à prisão.

Preciso abrir parênteses e parabenizar todas as igrejas cristãs com que convivi durante esse ano de trabalho voluntário na casa de detenção, pois o que faziam era justamente trabalhar a crença de identidade. Como? Através de pregações constantes, leituras da Bíblia, hinos e cânticos de louvor a Deus. Por constantes estímulos evangelísticos, os detentos passavam a se ver como filhos de Deus, como a imagem e semelhança do próprio Deus. E uma passagem da Bíblia sobre a qual eles constantemente me falavam era a que dizia que eles eram como barro na mão do oleiro (Deus), onde foram refeitos e todo o passado foi apagado. E agora eles eram novas criaturas.

Conheci uma jovem que ia se casar com um rapaz muito rico, porém ela amava outro homem. E eu lhe perguntei: "Por que você vai se casar com quem você não ama?". Ao que ela respondeu: "Ele pode me dar tudo o que eu nunca tive". E eu completei: "É verdade, ele pode dar tudo a você, inclusive a infelicidade". E continuei perguntando: "Será que o que ele **tem** é mais importante para você do que quem ele é?". Fiz muitas perguntas poderosas, porém, ela e a sua mãe estavam convictas de que essa era a melhor alternativa.

Por que a jovem tomou uma decisão como essa? Simples, porque para ela não importava quem ela era, e sim o que ela "teria". O resultado desse casamento você pode imaginar: o divórcio depois de o marido tê-la flagrado no motel com o ex-namorado e grande paixão de sua vida. E para sua completa frustração ela saiu do casamento sem dinheiro nenhum. Para piorar o ex-namorado também não a quis mais depois de todo o ocorrido. Afinal, o que ela queria ele não tinha para dar.

Uma moça me procurou em um dos meus seminários para me agradecer, pois desde abril, apenas assistindo aos meus vídeos na internet, ela havia largado a prostituição de luxo. E naquele momento ela estava decidindo sair do flat onde morava, vender seu carro para pagar toda a faculdade e voltar a morar com os pais. E quando perguntei o porquê daquela decisão, ela me respondeu: "Cansei de ter roupas, joias, carros e viagens de luxo. O que eu quero para mim agora é ser alguém de valor. Alguém de quem os meus pais e eu tenhamos orgulho. Vou voltar pra casa, recomeçar a faculdade, vou me formar e vou **ser** feliz".

Gostaria de contar a história de um empresário que já foi o homem mais rico de determinado país. Eu o cito como exemplo de inversão do ser, fazer e ter. Um dia à noite, assisti a uma entrevista dada por ele a um programa de televisão. Na conversa, ele disse à repórter que queria ser o homem mais rico do mundo para ser respeitado. Na hora, balbuciei para a TV como se ele pudesse me ouvir: "Se o que você quer é respeito, você está indo pelo caminho errado". Algum tempo depois, esse mesmo homem teve seus bens e itens pessoais confiscados para leilão, pois fora acusado de crimes de manipulação de mercado e uso de informações privilegiadas para comprar e vender ações. Hoje, o nome dele e de suas empresas viraram motivo de chacota em todo o mundo. E tudo isso para "ter", pois ele acreditava que, se tivesse o maior patrimônio do mundo, aí sim ele seria (ser) respeitado. Como sabemos, ele precisava primeiramente "ser" um superempresário e, quando sua competência ficasse clara e patente através das suas ações empresariais (fazer), aí, sim, como consequência, ele poderia "ter" a maior fortuna do mundo.

Estes são os três resultados possíveis de quem subverte a ordem natural do indivíduo:

1º) Conquista o ter, porém se torna infeliz.
2º) Nunca conquista o ter, vivendo numa busca desenfreada e fatigante.
3º) Quando conquista o ter e chega ao topo do merecimento, vem a queda brutal.

Vamos agora entender e investigar quais são as suas crenças e os seus valores a respeito das três crenças formadoras do indivíduo. Pegue o seu caderno e responda honestamente às PPSs a seguir.

PERGUNTAS PODEROSAS DE SABEDORIA

O que chama mais sua atenção nas pessoas ao seu redor: o que elas são, o que elas sabem fazer ou o que elas possuem? Para isso relacione três pessoas que você admira e descreva para cada uma delas em que são mais bem-sucedidas: no ser, no fazer ou no ter.

____

____

____

O que você tem de melhor? É o que você é como ser humano, o que você faz profissionalmente ou o que você tem?

____

____

Quando foi a última vez que você buscou ter algo para se sentir melhor ou mais importante?

____

____

Quanto você vive fazendo tudo para todos para ser mais valorizado e mais amado por essas pessoas?

____

____

Será que beber ou fumar são maneiras de você fazer algo para se sentir mais aceito, mais importante ou mais poderoso?

____

____

Quais são as suas vinte melhores características pessoais no tocante a ser?

____

____

____

Quais são as sete principais coisas que você sabe fazer que o deixam orgulhoso de si?

____

____

O que você mais se esforça para mostrar para as pessoas: o que você tem, o que você faz ou quem você é?

____

____

Olhando para a pirâmide do indivíduo ao lado, quantos por cento você atribui para cada uma das três áreas em relação à importância que você tem dado a cada uma delas na sua maneira de viver?

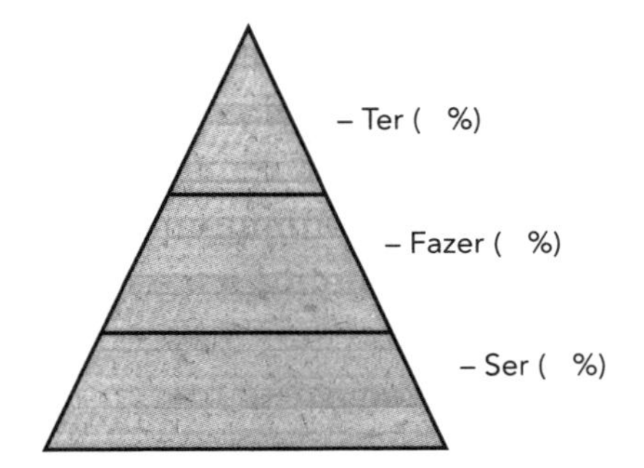

A importância que você dá às pessoas se baseia no que elas são como seres humanos, ao que elas fazem – como profissão, cargo empresarial, tipo de trabalho etc. – ou ao dinheiro e patrimônio que possuem? Preencha na pirâmide do indivíduo.

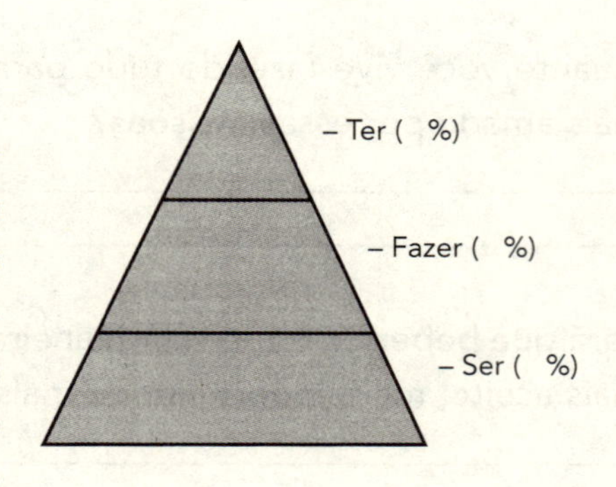

Uma ótima maneira de refazer sua autoestima é colocar a pirâmide do indivíduo na sequência certa, refazendo seu estilo de vida e priorizando suas características pessoais positivas. Depois, pegar carona justamente nesses atributos pessoais e fazer o melhor que eles permitem em cada área da vida. E, como consequência disso, você finalmente vai **ter** tudo o que o seu **ser** lhe permitiu **fazer**.

MENSAGEM FINAL

Você despertou. Talvez antes estivesse dormindo para a vida e para as possibilidades, mas agora está acordado. Isso é o que importa.

Acordado, você age, faz o certo, faz o seu melhor. Só tem poder quem age, e você sabe disso. Em cada ação, em cada olhar, você direciona o seu foco. Mudanças são realizadas quando se tem foco.

Posicione o seu foco na linha do tempo, direcione-o para o futuro, pois é para lá que o tempo corre, mas aja no presente, no hoje. Planeje para agir. O poder está na ação e principalmente na ação certa. Assim, tenho certeza de que sua vida será extraordinária, abundante, próspera e feliz. Haverá prosperidade nas pequenas e nas grandes coisas. Mesmo as piores aflições podem e devem produzir aprendizados e mais abundância na existência. Afinal, a cada tormenta construímos um barco mais forte.

Você despertou, agiu e teve foco. Comunique, então, a perfeita linguagem do amor de Deus. Comunique as melhores coisas possíveis no seu olhar, no seu semblante, na sua postura. A vontade de comunicar coisas ruins vai aparecer, mas agora você já acordou e, portanto, sabe agir, sabe fazer a diferença.

Não importa o que ocorre, mas o que eu faço diante dos acontecimentos. Você é livre para agir e para ser o comandante do seu barco, o autor do livro da sua vida. Lembre-se de que você é o único capaz de mudar. Você está onde se colocou. O que ocorre com você é absolutamente mérito seu, seja pelas suas ações, conscientes ou inconscientes, seja pela qualidade de seus pensamentos, seus comportamentos e suas palavras. Foi você quem colocou a sua vida no ponto em que está hoje, logo, só você pode mudá-la.

Tudo caminha bem, mas perceba que ainda pode ficar melhor. Basta questionar o que aconteceu e o que pode vir a acontecer. Pense sobre o que fez, sobre o que faz e sobre o que pode fazer melhor.

O diferencial dos grandes pensadores do mundo não é o Q.I., mas o fato de eles estarem constantemente questionando a si mesmos. Leonardo da Vinci examinou tudo ao seu redor. Ele se questionou sobre anatomia, dissecou o corpo humano e entendeu cada músculo que conhecemos. Da Vinci não sabia como funcionava o corpo humano e, diante disso, decidiu questionar o como e o porquê de tudo ao seu redor.

Por que não questionar? Por que não refazer seus pensamentos sobre o mundo de hoje? Pode ter certeza de que isso faz uma diferença positiva para você e para quem está ao seu redor. Questionar-se dá uma sorte!

Você despertou para a vida. Você comunica melhor e age com mais assertividade. Pergunte-se sobre o que ainda pode mudar em si mesmo. É dessa forma que acordamos para ser mais. E por que não?

Depois desse processo, você acredita no melhor e entende como as crenças funcionam. Você refez suas crenças, sabe que é capaz e que merece o melhor.

Depois de ler estas páginas você despertou, tornou-se um pai, uma mãe, um filho, uma irmã, um profissional, uma pessoa melhor. Você tem um estilo de vida abundante. Você já está eliminando suas crenças traumáticas. Aproveite esse momento que chamamos de presente porque algo grandioso já está acontecendo dentro de você!

Então, seja bem-vindo à sua nova vida. Acorde. Comunique. Foque. O melhor está por vir! O melhor começa agora, no final deste livro, a partir do momento em que você colocar tudo o que aprendeu em prática. Só assim você terá uma vida realmente extraordinária. Nós fomos concebidos para a vitória e para o sucesso. Temos capacidade para fazer um mundo melhor e deixar marcas positivas para as gerações futuras. Viva essa vida extraordinária e comunique-a para todos ao seu redor. Todas as pessoas podem ser melhores do que são. Você agora é um farol de possibilidades não só para si como também para as outras pessoas.

Com amor, carinho e respeito,

Paulo Vieira

REFERÊNCIAS

ANDREAS, Steve; FAULKNER, Charles; COMPREHENSIVE, Equipe de Treinamento da NLP. *PNL: A nova tecnologia do sucesso.* Rio de Janeiro: Campus, 2003. 319 p.

ARNTZ, William. *Quem somos nós?* Rio de Janeiro: Prestígio, 2007. 276 p.

ARORA, Harbans Lal. *Terapias quânticas:* cuidando do ser inteiro. Rio de Janeiro: Qualitymark, 2008. 288 p.

BANDLER, Richard. *Usando sua mente:* as coisas que você não sabe que não sabe. 7. ed. São Paulo: Summus, 1987. 184 p.

BANDLER, Richard; GRINDER, John. *A estrutura da magia:* um livro sobre linguagem e terapia. São Paulo: Guanabara, 2012. 272 p.

BRADBERRY, Travis; GREAVES, Jean. *Emotional intelligence 2.0.* San Diego: Talentsmart, 2009. 192 p.

BRANDEN, Nathaniel. *Autoestima e os seus seis pilares.* São Paulo: Saraiva, 1998. 398 p.

BROWN, Jeff; FENSKE, Mark; NEPORENT, Liz. *O cérebro do vencedor:* 8 táticas científicas para você alcançar o sucesso. Rio de Janeiro: Elsevier, 2010. 216 p.

CARSON, Shelley. *O cérebro criativo.* Rio de Janeiro: Best Seller, 2012. 368 p.

CHAMINE, Shirzad. *Inteligência positiva:* por que só 20% das equipes e dos indivíduos alcançam seu verdadeiro potencial e como você pode alcançar o seu. Rio de Janeiro: Objetiva, 2013. 216 p.

CHRISTAKIS, Nicholas; FOWLER, James. *O poder das conexões.* Rio de Janeiro: Campus, 2009. 336 p.

DELL'ISOLA, Alberto. *Mentes brilhantes:* como desenvolver todo o potencial do seu cérebro. São Paulo: Universo dos Livros, 2012. 208 p.

EKMAN, Paul. *A linguagem das emoções*. São Paulo: Leya Brasil, 2011. 288 p.

EMMONS, Robert A. *Agradeça e seja feliz!* Rio de Janeiro: Best Seller, 2009. 304 p.

FLIPPEN, Flip; WHITE, Chris J. *Pare de se sabotar e dê a volta por cima*. Rio de Janeiro: Sextante, 2011. 224 p.

GARDENSWARTZ, Glee; ROWE, Anita; CHERBOSQUE, Jorge. *Inteligência emocional na gestão de resultados*. São Paulo: Clio, 2012. 232 p.

GEROMEL, Ricardo. *Bilionários:* o que eles têm em comum além de nove zeros antes da vírgula. São Paulo: Leya, 2014. 272 p.

GOLEMAN, Daniel. *Foco:* a atenção e seu papel fundamental para o sucesso. 1. ed. Rio de Janeiro: Objetiva, 2013. 296 p.

__________________. *O poder da inteligência emocional*. Rio de Janeiro: Campus/Elsevier, 2002. 319 p.

GOSSETT, Don. *Há poder em declarar a Palavra de Deus*. Belo Horizonte: Atos, 2008. 256 p.

GRANT, Adam. *Dar e receber:* uma abordagem revolucionária sobre sucesso, generosidade e influência. Rio de Janeiro: Sextante, 2014. 288 p.

HARRIS, Rachel Nolte; LAW, Dorothy. *As crianças aprendem o que vivenciam*. Rio de Janeiro: Sextante, 2009. 144 p.

LEADER, Darian; CORFIELD, David. *Por que as pessoas ficam doentes?* Rio de Janeiro: Best Seller, 2009. 336 p.

LIVINGSTONE, Bob. *A cura integrada de corpo, mente e alma:* livre-se das dores emocionais. São Paulo: Larousse, 2008. 160 p.

MAKTOUM, Hh Sheikh Mohammed Bin Rashid Al. *My vision:* challenges in the race for excellence. Dubai: Motivate Publishing, 2012. 214 p.

MARTIN, Steve J.; GOLDSTEIN, Noah; CIALDINI, Robert. *The small BIG:* small changes that spark big influence. Nova York: Grand Central Publishing, 2014. 288 p.

PAPASAN, Jay; KELLER, Gary. *A única coisa:* o foco pode trazer resultados extraordinários para sua vida. São Paulo: Novo Século, 2014. 208 p.

SELIGMAN, Martin E. P. *Aprenda a ser otimista.* 2 ed. Rio de Janeiro: Nova Era. 2005. 392 p.

SERVAN-SCHREIBER, David. *O stress, a ansiedade e a depressão sem medicamento nem psicanálise.* São Paulo: Sá Editora, 2004. 304 p.

TAYLOR, Jill Bolte. *A cientista que curou seu próprio cérebro.* Rio de Janeiro: Ediouro, 2008. 224 p.

TOLLE, Eckhart. *O despertar de uma nova consciência.* Rio de Janeiro: Sextante, 2007. 272 p.

VARELLA, Drauzio. "Estresse e depressão." Disponível em: <http://drauziovarella.com.br/drauzio/estresse-e-depressao/>. Acesso em: 5 maio 2015.

WHITE, Ellen G.W. *Mente, caráter e personalidade.* São Paulo: Casa Publicadora Brasileira, 1996. 262 p.

Este livro foi impresso pela gráfica Gráfica Rettec
em papel pólen bold 70 g em março de 2023.